Ist mein Hintern

wirklich so dick?

Tagebuch einer empfindsamen Frau

freche Frauen!

Arabella Weir

Ist mein Hintern

wirklich so dick?

Tagebuch einer empfindsamen Frau

Deutsch von Susanne Kundmüller-Bianchini

Besuchen Sie uns im Internet
www.sammelwerke.de

Genehmigte Lizenzausgabe für Sammler-Editionen
in der Verlagsgruppe Weltbild GmbH,
Steinerne Furt 67, 86167 Augsburg

Die englische Originalausgabe
»Does My Bum Look Big in This?« erschien 1997
bei Hodder & Stoughton, London
Deutsch von Susanne Kundmüller-Bianchini
Titelmotiv: unter Verwendung eines Motives
von zefa visual media, Düsseldorf
Gesamtherstellung: Oldenbourg Taschenbuch GmbH,
Hürderstraße 4, 85551 Kirchheim

Mein Tagebuch.
Wer's findet, bitte zurück an:

Jacqueline M. Pane ... Was sich hinter dem M. verbirgt, verrate ich nicht ... Ist auch nicht weiter wichtig. Es hört sich einfach nur gut an, läßt meinen Namen irgendwie spritziger klingen, okay?

MEINE ADRESSE: App. B, 17 Saint Bartholomews Road, London, NW6. Also, für den Fall, daß Sie mir das Buch tagsüber zurückbringen wollen – da bin ich in der Arbeit. Wenn Sie mich nicht antreffen, klingeln Sie einfach bei Mrs. Mellish, der alten Dame, die gleich gegenüber, in App. C, wohnt. Sie ist ziemlich taub, aber geben Sie nicht auf, sie ist auf jeden Fall da, denn sie ist schon seit langem ans Haus gefesselt. Wenn sich nichts rührt (die ›Coronation Street‹ aber bis nach draußen auf den Flur dringt), dann hat Mrs. Mellish den Fernseher voll aufgedreht, und Sie können sich jede weitere Mühe sparen. Kommen Sie aber bloß nicht auf die Idee, mein Buch bei dem Typ von unten aus App. A abzugeben. Selbst wenn er zu Hause sein sollte – ER DARF DIESES TAGEBUCH AUF GAR KEINEN FALL IN DIE FINGER KRIEGEN. Ich habe da nämlich so einiges über ihn und sein geräuschvolles Liebesleben hineingeschrieben. Nicht auszudenken, wenn er das lesen würde, ich müßte glatt meine Wohnung verkaufen. Also, bitte, bitte, geben Sie es ihm nicht, auch nicht zum Spaß.

Sie *könnten* mir das Buch natürlich auch in der Firma vorbeibringen; ich bin bei der Pellet Corporation tätig, 130 The Strand, London, WC2, Abteilung Konferenz- und Tagungsorganisation. Aber deponieren Sie es um Himmels willen nicht bei Sarah, unserer neuen Sekretärin – sie ist geradezu unerträglich freundlich und selbstbewußt. Ich hab' ja so nichts gegen sie, aber daß sie neulich über einen Witz von mir gelacht hat, macht mich schon stutzig. *Irgendwas* kann mit ihr nicht stimmen. Wie dem auch sei, es wäre mir ziemlich unangenehm, wenn sie mir das Tagebuch überreichen und mit einem süffisanten Lächeln sagen würde: »Das ist für Sie abgegeben worden, Ms. Pane.« Am besten, Sie fragen nach dem *Senior Conference Organizer* – das bin ich. Die Bezeichnung »Senior« hört sich übrigens großartiger an, als sie ist. Erstens sind wir nur zu dritt in der Abteilung, und zweitens bin ich am längsten dabei; da mußte die Wahl wohl oder übel auf mich fallen. Was aber nicht heißt, daß ich besonders brillant, wichtig oder sonst was bin. Oder schon kurz vor der Pensionierung stehe ... Ich glaube nicht, daß »Senior« hier irgendwas mit alt zu tun hat ... O Gott, vielleicht doch. Vielleicht ist das der Grund, weshalb sie mich so tituliert haben ...

Wenn ich's mir recht überlege, möchte ich Ihnen doch lieber nicht persönlich begegnen, wo Sie vielleicht in dem Tagebuch gelesen haben. Könnten Sie also einfach nach ... äh ... Clare von der Kundenbetreuung fragen ... Ach nein ... ihr kann ich auch nicht trauen, sie ist zu dünn ... HERRJE, JETZT HAB' ICH MICH ABER VERRANNT!

Vergessen Sie alles, was ich bisher von mir gegeben habe, stecken Sie das Buch in einen Umschlag, kleben Sie ihn gut zu – am besten mit einem dicken Klebeband, dann läßt er sich nicht über Dampf öffnen – und hinterlegen Sie ihn (nur wenn Sie ihn nicht bei mir zu Hause einwerfen können) unten am Empfang. Schreiben Sie drauf, die Sendung sei eilig und streng vertraulich. Ehe ich's vergesse: Schlagen Sie das Buch in Zeitungs- oder Seidenpapier ein, sonst erkennt man womöglich an der Form, was in dem Umschlag drin ist ...

Ach, wissen Sie was, ich hab's mir anders überlegt. Ich habe keine Lust, für den Rest meines Lebens Fremde im Bus anzustarren und mich zu fragen: »Sind Sie es? Sind Sie die Person, die meine geheimsten Gedanken kennt? Schauen Sie mich deshalb so merkwürdig an, weil Sie mein Tagebuch gelesen und sich köstlich amüsiert haben?«

Also verbrennen Sie es lieber, okay?

IM NOTFALL BENACHRICHTIGEN SIE BITTE:
Mrs. Sheila Pane (sie ist seit sechs Jahren geschieden, nennt sich aber immer noch Mrs.)
Swallow's Flight (nicht meine Idee, ich schwöre es)
Birch Hollow
Warwickshire

ODER:
Ralph Pane
31 Priory Mansions
MacIntosh Road
London SW6

Hört sich nach einer vornehmen Adresse an, ich weiß, sind aber in Wirklichkeit wahnsinnig beengte Verhältnisse dort. Sie suchen gerade nach einem Haus im Ausland, aber bis es soweit ist, besteht Dads Frau Jennifer darauf, nicht weiter als eine Vier-Pfund-Taxi-Fahrt von Harvey Nichols entfernt zu wohnen. Übrigens, wenn Ihnen Ihr Leben lieb ist, sollten Sie dieses Tagebuch nicht meiner Stiefmutter geben.

3. Januar

Hallo! Mein Name ist Jacqueline Pane, Familienstand ledig, Alter ... ähm ... äh ... ähm ... 31 ... Okay, okay, genaugenommen 33. Ich bin 1,65 Meter, trage Größe 38 ... das heißt, ich passe so gerade in Größe 38 hinein, aber nur, wenn sie nicht extrem klein ausfällt ... Sonst ist es, ehrlich gesagt, auch schon mal Größe 40. Verbleiben wir einfach so, daß ich oben herum 38 trage (oder 40, wenn es Sachen von Next sind) und unten normalerweise 40 – größer aber auf gar keinen Fall. Zugegeben, neulich mußte ich 42 nehmen, aber das war bei M&S. Offenbar arbeiten die jetzt mit anderen Zuschneidern zusammen oder so, denn bei ihnen hat mir Größe 40 sonst *immer* gepaßt. Ich weiß wirklich nicht, was mit dieser Hose los war; vielleicht ist sie im Ausland genäht worden – vermutlich dort, wo die Leute sehr klein sind ... Wo kommen die Pygmäen doch gleich her? Wie dem auch sei, belassen wir es bei Größe 38 bis 40, letzteres an einem schlechten Tag, okay?

Meine Freunde nennen mich Jackie, und für meine Familie bin ich Jack – ein Spitzname, den ich hasse, aber genau deswegen haben sie ihn mir wohl gegeben. Die Kollegen nennen mich meistens Jacqueline – weiß auch nicht, weshalb sie sich nicht zu dem weniger förmlichen Jackie durchringen können ... Wahrscheinlich finden sie mich zu steif dafür. Oder sie halten ganz bewußt etwas Abstand, damit ich nicht auf die Idee komme, sie wollten privat mit mir befreundet sein. Meine beste Freundin Sally nennt mich meistens Queline. Mir gefällt das, weil es sich irgendwie erwachsen und glamourös anhört und nicht gar so maskulin wie Jack. Ehrlich gesagt, hatte ich Queline bis eben noch nie geschrieben gesehen. Ich finde, daß es sich nicht besonders gut liest; man könnte glatt meinen, es handle sich um eine Creme gegen Fußpilz. Muß dafür sorgen, daß Sally es nicht benutzt, wenn sie eine Karte an mich adressiert.

Hier bin ich also, ich lebe allein in einer netten (oder besser gesagt, ganz netten, denn mehr konnte ich mir nicht leisten, obwohl es mir etwas größer schon lieber gewesen wäre) Zweizimmerwohnung in Queen's Park. Ein Park ist hier natürlich nirgends in Sicht: Sie haben den Namen nur gewählt, um eine gar nicht so feine Gegend vornehm klingen zu lassen. Ich bin Senior Conference Organizer bei der Pellet Corporation, dem größten Computer- und Ersatzteillieferanten in England (schließt das Schottland mit ein, oder ist das unwichtig?). Übrigens, was meinen Familienstand angeht, ich bin Single, aber erst seit letztem Juli. Nicht, daß ich bis dahin verheiratet gewesen wäre, nur in gewisser Weise verlobt. Okay, genaugenommen war ich auch das nicht, nicht offiziell, so richtig, meine ich. Ich habe einfach nur geglaubt, weil der perfekte Peter und ich schon über ein Jahr zusammen waren ... nun ja, da dachte ich eben, daß wir vielleicht, möglicherweise ... aber ich habe mich geirrt. Ich weiß, er hat mir nie einen Antrag gemacht, aber irgendwie habe ich mir dummerweise doch Hoffnungen gemacht ... Jedenfalls hätte ich mich nicht ärger täuschen können. Wie sich herausgestellt hat, hat er nur darauf gewartet, mich fallenzulassen – und zwar genau in dem Moment, als das Jobangebot aus New York kam, alles zur gleichen Zeit.

Oh, Moment mal, man fängt sein Tagebuch nicht mit »Hallo« an, so als würde man zu einer anderen Person sprechen. Und was soll der Unsinn mit der Vorstellerei? Typisch – ich weiß noch nicht mal, wie man vernünftig mit einem Tagebuch umgeht. Sagen wir eben: neues Tagebuch, neues Leben. So. Ich weiß, ich bin ein bißchen spät dran – eigentlich wollte ich gleich am 1. Januar loslegen – wie jeder normale Mensch. Ich meine, wenn man schon neu mit einem Tagebuch anfängt, dann auch gleich am ersten Tag des Jahres, oder? Die Sache ist die, daß mir mein Tagebuch am 31. Dezember abhanden gekommen ist und ich erst heute ein neues besorgen konnte. Ich habe es im gleichen Geschäft gekauft wie das erste; der Verkäufer hat mich trotz Hut erkannt, da bin ich sicher. Bestimmt hat er gedacht: Hat das erste verloren, das sie hier gekauft hat, eh? Ich wette, sie ist nicht besonders gut in ihrem Job, wenn sie nicht einmal ein paar Tage auf so ein dämliches neues Tagebuch achtgeben kann.

Ich fange noch mal von vorn an. Ich werde versuchen, zu einer positiveren Lebenseinstellung zu gelangen. Ja, ich werde damit aufhören, mich ständig wegen jeder Kleinigkeit herunterzumachen. Oh, Hilfe, man soll sein Schicksal nicht herausfordern – jetzt wird mich Gott bestrafen und dafür sorgen, daß man mir kündigt, sobald ich wieder arbeiten gehe. Vielleicht erleide ich auch einen Unfall, der mich lebenslang zum Krüppel macht. Oder ich bekomme von einem Jugendlichen einen Sitzplatz im Bus angeboten. Oder etwas anderes Schreckliches in der Art passiert.

Äh ... ich fürchte, mit meiner positiven Einstellung ist es nicht weit her. Tut mir leid. – Was soll das nun wieder? Na toll, jetzt entschuldige ich mich schon bei mir selbst.

Also, wie auch immer, ich denke, es ist höchste Zeit für ein paar gute Vorsätze fürs neue Jahr. Das macht man doch, wenn man ein Tagebuch anfängt, nicht wahr? Man schreibt all die lobenswerten Ideen auf, die man demnächst in die Tat umsetzen will. Auf daß einen dies zwei Monate später vorwurfsvoll daran erinnert, wie wenig man sich an seine eigenen Vorsätze hält ... Ach, was soll's, ich schreib' trotzdem ein paar auf.

Zehn gute Vorsätze fürs neue Jahr

1) Fang an, wirklich vorausschauend zu denken. Wenn du dich anziehst oder ein Projekt in der Firma übernimmst ... oder eigentlich egal was du von jetzt an tust, dann überlege immer, was man daran unter Umständen kritisieren könnte. Und kritisiere die Unzulänglichkeiten dann selbst zuerst, oder tu so, als handle es sich um ein Versehen.

2) Reduziere dein Gewicht.

3) Verbessere dich in jeder Hinsicht.

4) Sei dankbar für jegliche männliche Aufmerksamkeit (die der ganz schrecklichen Exemplare natürlich ausgenommen, es sei denn, sie legen sich *sehr* ins Zeug).

5) Halte dich an Weihnachten und auf Partys mit Alkohol zurück, damit du nicht wieder in Depressionen wegen Peter dem Perfekten verfällst.

6) Fang mit der neuen, überaus wichtigen chinesischen

Makrobio-Fastenkur an – schlank zu sein wird dein Leben verändern.

7) Verdien nebenbei eine Menge Geld, indem du eins dieser Selbsthilfe-Bücher schreibst, von denen du zu Hause ganze Stapel herumliegen hast.

8) Denk dir ein überzeugendes Pseudonym für besagtes Selbsthilfe-Buch aus; einen Namen, bei dem der Leser – in Kombination mit dem Titel – sofort den Eindruck bekommt, daß du ein in jeder Hinsicht phantastisches Leben hast, während seins einfach nur mies ist.

9) Mehr fällt mir nicht ein ... Was sagt das über mich aus? Ich bringe nicht mal zehn gute Vorsätze zusammen ... na ja, vielleicht müssen es ja auch nicht zehn sein.

5. Januar

Gehe wieder arbeiten. Fühle mich viel besser – habe schon seit drei Tagen nichts mehr gegessen. Wurde ohnmächtig, als ich zur Toilette ging ... allerdings nur für ein paar Sekunden. Habe beschlossen, mich der Welt zu stellen, jetzt, wo ich einen Hauch dünner bin. Mußte das Vorhaben kurzfristig zurückstellen; habe nämlich plötzlich gemerkt, wie überspannt und albern ich mit diesen langen baumelnden Ohrringen aussehe, die ich zuerst irgendwie jung und trendy fand. Wie sehr man sich doch irren kann! Als der Mann am Kiosk das Wechselgeld zusammensuchte, wurde mir mit einem Mal klar, was er wirklich dachte: »Ist die nicht ein bißchen zu alt für diese hypermodernen Dinger?« Ich hab' meine Zeitung geschnappt und mich dann schnell in eine kleine Gasse verdrückt, wo ich unbeobachtet in meiner Tasche herumkramen konnte – habe zum Glück ein Paar Silberstecker zutage gefördert und die baumelnden Ohrringe gegen sie ausgetauscht. Danach sah ich zwar wie eine Statistin für ›Frauen hinter Gittern‹ aus – eine mürrische, pummelige Gestalt von undefinierbarem Geschlecht –, aber das war mir allemal lieber, als den Eindruck zu erwecken, ich würde mich für jung und attraktiv halten.

Beim Verlassen der Firma habe ich den attraktiven neuen Andy aus der Marketing-Abteilung getroffen. Wir sind uns im Lift begegnet; er hat mich angelächelt, ist aber, als ich eingestiegen bin, ein Stück weggerückt, um mir Platz zu machen – da bin ich ganz sicher. Er hat wohl gedacht: »Oh, die ist ziemlich fett – ich gehe besser rüber auf die andere Seite.« Er hat dann vorgeschlagen, daß wir uns irgendwann einmal auf einen Drink verabreden könnten – aus schlechtem Gewissen, nehme ich an. Weil er mir Platz gemacht hat. Und weil er weiß, daß ich weiß, daß er mich für fett hält. Vielleicht spinne ich jetzt auch ein bißchen – vielleicht will er sich nur deshalb mit mir treffen, weil ich ihm leid tue und weil er denkt, ich hätte keine Freunde.

Ja, vielleicht ist das der Grund, und nichts weiter.

6. Januar

Kein schlechter Tag in der Firma, habe den ganzen Papierberg, den ich noch zu dem Crowley-Job auf dem Tisch hatte, abgearbeitet ... Gott sei Dank, denn so konnte ich den ganzen Tag sitzen bleiben und mußte mir keine Sorgen machen wegen Andy. Daß er meinen dicken Hintern sehen und seine Meinung bezüglich des Drinks ändern könnte.

Hätte aber vielleicht besser nicht das rote Kostüm tragen sollen; als Bossy Bowyer von der Geschäftsleitung auf dem Flur an mir vorbeiging, sagte er nämlich irgendwas davon, wie gut die Weihnachtsfeier organisiert gewesen sei. Dabei hatte ich mit der Organisation gar nichts zu tun! Er muß wohl gedacht haben, daß ich einen prima Weihnachtsmann in dem

Kostüm abgegeben hätte. Weshalb sonst diese Bemerkung? Oh, ganz toll, mir ist gerade aufgegangen, daß er wahrscheinlich den Bart bemerkt hat, der mir jetzt, während meiner prämenstruellen Phase, wieder munter sprießt. Damit wäre ich natürlich ein besonders guter und witziger Weihnachtsmann gewesen.

8. Januar

Wollte mich im Schlußverkauf umsehen, hatte aber nach zwei Läden genug. Ich wußte sowieso, was die Verkäuferinnen dachten: »Lieber Himmel, was will *die* Geld für Kleider ausgeben ... Zelte von Wolfskin wären bei der Figur doch viel geeigneter.«

9. Januar

Bin heute morgen aufgewacht und habe mich wie eine Vollidiotin gefühlt. Warum, o warum nur, mußte ich diese Plateauschuhe kaufen? Beim Anprobieren fand ich sie ganz okay. Aber inzwischen ist mir klar, was das Mädchen im Laden dachte – daß ich damit wie ein Nilpferd in orthopädischen Schuhen aussehe. Und natürlich hatte sie recht.

10. Januar

Sechs Kräcker, einen halben Teelöffel fett- und geschmacklosen Hüttenkäse und zwei verschrumpelte Mandarinen seit Samstag, dazu literweise von diesem chinesischen makrobiotischen Tee. Irgendwie schmeckt er nach Toilettenreiniger mit eingelegten alten Münzen ... Muß wirklich gesund sein. Fühle mich großartig. Das Rauchen hilft mir sehr. Wahrscheinlich wird es mir leichter fallen, mich auf diese Weise weiter zu ernähren, wenn ich mich erst richtig ans Rauchen gewöhnt habe.

NB: Stelle gerade fest, daß Zigaretten ein wunderbarer Ersatz für Nahrungsmittel sind.

Alles in allem, die Welt sah schon viel rosiger aus, nachdem ich erst einmal die Nikotinbeläge von meinen oberen Schneidezähnen entfernt hatte ... oder zumindest den größten Teil, an den Rest werde ich mich morgen machen. Erst mal habe ich die gereinigt, die man sieht, wenn ich lächle (muß daran denken, nur ganz verhalten zu lächeln, bis auch die untere Zahnreihe sauber ist). Jedenfalls ließ ich mich ganz zuversichtlich vor dem Fernseher zu ›emergency room‹ nieder, doch statt dessen kam irgendein weinerlicher Dokumentarfilm über Magersüchtige ... Soll ich jetzt mit *denen* Mitleid haben? Vor lauter Ärge habe ich erst mal ein Butterbrot gegessen ... O Gott, wann wird sich je etwas ändern?

Zwei Uhr, selbe Nacht. Ich liege jetzt im Bett und bringe es nicht fertig, mich meiner üblichen mitternächtlichen Gewichtskontrolle zu stellen. Ich weiß einfach, daß ich mindestens ein halbes Pfund zugenommen habe. Der Busfahrer wird es mir natürlich ansehen und mir einen mitleidigen Blick zuwerfen, so als wollte er sagen: »Oh, hallo, Miss Piggy, wie wollen Sie denn mit dem dicken Hintern einen Platz in unserem Bus bekommen?« Es ist einer dieser Busse, wo man vorn beim Einsteigen bezahlen muß, aber der Gedanke wird ihm trotzdem ganz bestimmt kommen, wenn er mir im Rückspiegel nachsieht.

Habe mich schließlich dazu durchgerungen, mich doch noch zu wiegen, und – vielen Dank, lieber Gott – ein ganzes Pfund mehr auf die Waage gebracht. Bin zurück ins Bett. Sinnlos, zur Arbeit zu gehen, wenn mich alle auslachen werden.

11. Januar

Mußte heute doch zur Arbeit. Bossy Bowyer rief an und meinte, daß sie ohne mich nicht auskämen. Ob ich nicht bitte versuchen könnte zu kommen, wenn es irgendwie ginge. Weiß nicht, wen er damit an der Nase herumführen will, mit diesem »Wir brauchen Sie, Jacqueline, Sie sind die einzige, die mit den wichtigen Kunden umgehen kann; Ihre Anwesenheit ist wirklich unverzichtbar . . .« Unverzichtbar doch höchstens, damit die anderen was zu lachen haben. Wenn sie sehen, wie ich zur Kaffeemaschine walze, und merken, daß ich wieder zugenommen habe. Vielleicht wollte Bowyer auch sagen, daß ich mit meiner eigenen Nutzlosigkeit das Selbstwertgefühl der Kollegen stärke. O je, das klingt ziemlich negativ, nicht wahr? Vielleicht bin ich einfach deshalb unverzichtbar, weil ich meinen Job gut mache . . . Ist ein richtig komisches Gefühl, so etwas hinzuschreiben. Ich hoffe nicht, daß Gott dies liest und mich dafür bestraft.

14. Januar

Hatte die letzten Tage keine Zeit für weitere Eintragungen, wußte vor lauter Arbeit nicht, wo mir der Kopf steht. War vermutlich auch nicht richtig krank, nur etwas übergewichtig, und das ist, genaugenommen, keine Krankheit, stimmt's? In der Arbeit geht's im Moment ziemlich rund. Wir haben einen neuen Großkunden, Pozzi Software, eine italienische Firma, die seit einem Jahr Software nach England exportiert und jetzt mehrere Tagungen veranstalten will – zum einen, um sich bei den Vertretern zu bedanken, und zum andern, um Werbung für ihre neuen Produkte zu machen. Der Auftrag hört sich gut an, weil die Tagungen unter dem Motto Italien stehen sollen . . . italienisches Essen, italienische Musik ... Da fällt mir ein, sind italienische Frauen nicht alle ziemlich dick? Hat Bossy Bowyer mir den Job deshalb gegeben, weil er meint, die Kunden würden sich bei mir wie zu Hause fühlen? Weil ich selbst wie eine italienische Mamma aussehe? An dem Tag, an dem wir über den Auftrag sprachen, hatte ich mein geblümtes Kleid an – Bossy Bowyer hielt es bestimmt für eine Schürze. Möglich, daß ich den Job bekommen habe, weil ich etwas Italienisch kann. Aber letztendlich haben mein dicker Hintern und die Schürze den Ausschlag gegeben, darauf könnte ich wetten.

15. Januar

Wunderbare Neuigkeiten. Der attraktive neue Andy aus der Marketing-Abteilung übernimmt die Kundenbetreuung von Pozzi; er ist heute morgen zu mir gekommen und hat es mir gesagt. Nur eins war komisch. Er meinte: »Jetzt haben wir endlich einen Grund, zusammen auf einen Drink zu gehen.« Ich verstehe das nicht. Wieso braucht er einen Grund? Ist er verheiratet? Lebt er noch bei seiner Mutter? Ist er beim Militär? Wieso sagt er »Grund«? Irgendwie gefällt mir dieses Wort nicht ... Vielleicht dient der Drink mit mir als Ausrede ... Etwas, worauf er nur zurückgreift, um sich vor einer *wirklich* lästigen Verpflichtung zu drücken – einem Fußballtraining zum Beispiel. Na wunderbar, ich soll also als eine Art Vorwand herhalten. Er hat gesagt »Endlich haben *wir* einen Grund« ... Oh, vielleicht wollte er mit mir flirten. Ich bin auf dem Gebiet völlig unerfahren, kann mir also kein Urteil darüber erlauben. Vielleicht war es ein kleiner Flirt, vielleicht wollte er mir aber auch zu verstehen geben, daß er – sollten wir je eine engere Beziehung zueinander haben (ha!) – immer einen »Grund« braucht, um mit mir zusammen zu sein.

NB: Also wirklich, ich hab' mir den letzten Abschnitt gerade noch mal durchgelesen ... Von jetzt an *muß* ich damit aufhören, jedes Wort auf die Goldwaage zu legen – vor allem bei Leuten, die ich mag. Obwohl es irgendwie hilft, die Dinge klarer zu sehen, bevor man sich zu sehr ... Nein, es bleibt dabei, kein langes Nachdenken mehr über jedes einzelne Wort und jede kleine Geste. Die Sache ist nur die, daß es manchmal sehr aufschlußreich und hilfreich sein kann ... Nein, nein, nein, es muß endlich Schluß sein, ich muß damit aufhören, bei jeder klitzekleinen Bemerkung nach allen nur erdenklichen hintergründigen Bedeutungen zu suchen ... Okay, das war's, von jetzt an werde ich gelassen über Kleinigkeiten hinwegsehen ... und möglichst nur noch ganze Sätze unter die Lupe nehmen – das wäre doch schon ein Fortschritt, oder? Tja ... bliebe also die Sache mit dem »Grund« ...

16. Januar

Keine so gute Neuigkeit. Die dünne Clare von der Kundenbetreuung kümmert sich ebenfalls um Pozzi – jetzt habe ich keine Chancen mehr bei ANA (Abkürzung für den attraktiven neuen Andy; mir wird es zu lästig, seinen Namen immer auszuschreiben ... Das einzige Problem mit der Abkürzung: Falls irgend jemand dieses Tagebuch lesen sollte und nicht weiß, wofür ANA steht, wird er denken, ich sei lesbisch – ganz toll!). In der Kantine stand die dünne Clare heute mittag direkt hinter mir an, also habe ich ganz bewußt nur ein Sprudelwasser und ein paar trockene Kräcker genommen – das hat sie sicher beeindruckt. Sie hat sich dann zu mir gesetzt und gemeint, daß sie sich sehr über die Gelegenheit freue, einmal mit mir zusammenzuarbeiten ... Was sie damit wohl sagen wollte? Außerdem hat sie noch erzählt, sie habe sich vor kurzem mit ihrem Jugendfreund Paul verlobt. Im ersten Augenblick war ich ziemlich erleichtert, na ja, wegen ANA und so weiter; aber dann fiel mir ein, daß Männer oft auf Frauen stehen, die sie nicht haben können, und daß ANA sie daher um so interessanter finden würde – vorausgesetzt, er mag sie überhaupt, was ich natürlich nicht weiß. Aber es ist besser, man geht vom Schlimmsten aus. Wirklich, ich muß das lassen ... Ich freue mich sehr für Clare – ob Paul auch so schlank ist? Beneidenswerte Clare – *richtig* dünn und *richtig* verlobt.

Bin spät nach Hause gekommen, und mir ist bewußt geworden, daß ich den ganzen Tag über fast nichts zu mir genommen habe – bis auf das Sprudelwasser und die Kräcker. Mir ist direkt etwas schwindelig – phänomenal, wahrscheinlich nehme ich sogar ab, während ich gerade schreibe. Oh, als ich vorhin draußen war, habe ich zwei von diesen köstlichen *Prêt-à-manger*-Sandwiches verputzt, mit Hähnchen, Walnüssen, Käse und Mayonnaise. Aber da ich sie unterwegs gegessen habe, zählen sie nicht *wirklich*, oder? Ich bin sicher, daß Nahrung, die man im Gehen zu sich nimmt, kaum Kalorien hat – zumindest von der Wirkung her, oder?

NB: Wichtige Besprechung bezüglich Pozzi-Job erst um zehn Uhr; kann mich also noch ein bißchen hinlegen, bevor ich anfange, mich zurechtzumachen; werde den Wecker auf halb sechs stellen.

17. Januar

Hatte dreieinhalb Stunden Zeit, um mich fertig zu machen, und bin zum Glück so gerade damit hingekommen. Heute morgen haben ich, ANA, die dünne Clare und Bossy Bowyer einen Termin mit Carlo Pozzi von Pozzi Software. Wir wollen ein paar Ideen et cetera für die Gestaltung der Tagungen durchgehen. Ganz klar, daß ich mich in Schale geworfen habe, wo ANA dabei ist und ich beim Gang zur Kaffeemaschine meine Hinterfront präsentieren muß ... Ich könnte natürlich jemanden hereinrufen, der mir das mit dem Kaffee abnimmt, aber wie würde ich dann dastehen – ein bißchen sehr faul, oder?

Habe beschlossen, meine lila Kostümjacke und den langen schwarzen Rock anzuziehen. Eigentlich paßt das nicht zusammen, und die Kombination sieht, zugegebenermaßen, ein wenig merkwürdig aus. Es ist nur so, daß mir die Jacke im Sitzen hervorragend steht, während der Rock meinen fetten Po kaschiert ... ein bißchen wenigstens. Am Schluß werde ich jedenfalls schön sitzen bleiben, bis alle anderen den Raum verlassen haben ... und so tun, als mache ich mir noch Notizen oder so was in der Art.

Zehn Uhr abends – bin völlig erschöpft, muß aber noch über das Treffen berichten. Alles ist wunderbar gelaufen, ich konnte die ganze Zeit sitzen bleiben. Die dünne Clare hat den Kaffee eingeschenkt, bevor ich überhaupt Gelegenheit hatte, deswegen in Panik zu geraten. Und ja, dem Kunden schienen meine Ideen für die Tagungen tatsächlich zu gefallen. Carlo Pozzi sieht sehr gut aus, ist ungefähr fünfunddreißig, und sein Englisch klingt wunderschön – irgendwie mit leichtem Akzent (ist ja klar). Er hat mich unentwegt angestarrt und fand jeden meiner Vorschläge großartig. Zuerst war ich etwas verwundert, bis mir aufging, daß er es auf die dünne Clare abgesehen hatte und sie offensichtlich eifersüchtig machen wollte. Nur deshalb hat er so getan, als fände er mich interessant und attraktiv. Weiß nicht, was mit ANA los war, er hatte anscheinend schlechte Laune. Vielleicht mag er kein Lila.

25. Januar

Tut mir wirklich leid, daß ich so lange nichts geschrieben habe. Zu Hause und in der Arbeit war in letzter Zeit unglaublich viel los. Es sieht so aus, als ob jemand die Wohnung unten gekauft hat, aber später mehr darüber. Ich habe während der ganzen letzten Woche versucht, ein Planungskonzept für die Tagungen zu erstellen – statt der ursprünglich vorgesehenen zwei möchte Carlo Pozzi nun eine ganze Reihe davon veranstalten. Er ruft mich praktisch jeden Tag an, um über Einzelheiten und weitere Ideen zu sprechen ... Phantastisch, wahrscheinlich meint er, eine ständige Überwachung könnte mir nicht schaden. Ich kann mir jedenfalls keinen anderen Grund dafür vorstellen, daß er sich andauernd meldet. Zu den Tagungen selbst hat er allerdings nicht so oft Fragen – manchmal ruft er sogar an, ohne das Geschäftliche überhaupt zu erwähnen ... Oh, ich hab's – ganz sicher hofft er, daß unsere Empfangssekretärin der dünnen Clare erzählt, wie oft er mich anruft ... Clevere Taktik. Vermutlich will er Clare erst richtig eifersüchtig machen, bevor er ihr Avancen macht. Komischerweise glaube ich nicht, daß er überhaupt schon mal mit ihr gesprochen hat – es muß sich um ein ziemlich raffiniertes Hinhaltespiel handeln. Aber schließlich ist er Italiener, und die sind bekannt dafür, daß sie solche Dinge sehr geschickt handhaben, nicht wahr?

Bossy Bowyer und ich sind bereits die Veranstaltungsorte für die Tagungen durchgegangen; sie werden in allen größeren Städten wie Glasgow, Liverpool, Cardiff, Birmingham und London stattfinden. Bossy Bowyer meinte, daß »Mr. Canfield« (alias ANA) mich möglicherweise begleiten würde ... »als Ihre rechte Hand, wenn Sie verstehen, was ich meine, Jacqueline.« Weiß Bossy Bowyer, daß ich an ANA interessiert bin? Wollte er das durch die Blume andeuten? Hat er Mitleid mit mir, weil er denkt, daß ich nur dann eine Chance bei ANA habe, wenn wir beide in irgendeinem miefigen Hotel in Cardiff festsitzen? Vielleicht hat er ja auch Angst, daß ich den Job allein nicht schaffe, und weiß nur nicht, wie er es mir beibringen soll? ... Jetzt mach aber mal einen Punkt, Jacqueline M. Pane, du solltest froh sein, daß Andy dich begleitet, und damit hat sich die Sache. HÖR AUF, nach irgendwelchen Doppelbödigkeiten zu suchen, die es gar nicht gibt ... Man kann sich eben leider nur nie sicher sein ... DU SOLLST DAS LASSEN ... Okay, okay, ich lasse es ja schon ... (für heute).

26. Januar

Wie üblich, Lunch mit Sally, und natürlich auch unser unvermeidliches Thema – Brustvergrößerung. Nun, in meinem Fall eher Verschönerung als Vergrößerung. Bei Sally ist das etwas anderes, sie ist einfach in jeder Hinsicht perfekt (ich gebe zu, sie hat nicht gerade die schlanksten Fesseln, aber dieser kleine Makel läßt sich schließlich leicht verbergen). Sally hat natürlich in ihrer Besten-Freundin-Manier gesagt, daß ich meine Brüste nicht verschönern lassen müsse und froh sein könne, daß sie so groß sind. Sie habe sich immer einen Busen gewünscht, der die Blicke der Männer auf sich zieht, bla, bla, bla. Ich habe dagegengehalten, daß man Brüste à la Pamela Anderson wohl nicht mit solchen vergleichen kann, die so aussehen, als habe man Mandarinen in ein Paar alte Socken gesteckt. Sally und ich sind dann zu dem Schluß gekommen, daß Frauen im Grunde nur an solchen Männern interessiert sein sollten, die sie um ihrer Persönlichkeit willen lieben und nicht wegen ihres Äußeren ... Man kann es drehen und wenden, wie man will, und wir haben uns wirklich alle Mühe gegeben, aber sehr glaubwürdig hat sich das Ganze trotzdem nicht angehört. Sally hat sowieso nur zugestimmt, um mich (wie immer) aufzuheitern. Ihr supernetter Schatz Dan liebt sie natürlich genau so, wie sie ist, aber das dürfte ihm auch nicht sonderlich schwerfallen, weil Sally wirklich hinreißend ist ... von den dicken Fesseln einmal abgesehen, und die hat er bisher vielleicht noch gar nicht zu Gesicht bekommen. Das ganze feministische Gerede mag sich also ganz gut anhören, aber richtig überzeugt bin ich nicht davon ... Vielleicht ändert sich das, wenn ich erst einmal um drei Kilo leichter bin. Habe Sally von ANA erzählt und daß er mich wahrscheinlich zu den Tagungen begleitet. O ja, und dann hat Sally diese völlig abwegige Theorie aufs Tapet gebracht ... Sie glaubt, daß Andy sich deshalb so merkwürdig bei dem Treffen mit Pozzi verhalten hat, weil er eifersüchtig auf Carlo war. Arme Sally, manchmal ist sie wirklich etwas naiv ... aber sie meint es gut.

Habe mich nicht getraut, Sally zu sagen, daß ich über eine Liposuktion nachdenke – ich weiß, sie würde sich furchtbar aufregen. Manchmal wünschte ich, ich könnte meine Cellulitis mit jemandem teilen. Ich meine natürlich nicht die Cellulitis selbst – obwohl ich nichts dagegen einzuwenden hätte –, sondern den Kummer, den man damit hat. Sally ist nur ganz wenig davon betroffen – sie hat ein paar Streifen am Po und an den Oberschenkeln, findet das aber – unbegreiflicherweise – völlig normal für eine Frau über Dreißig! Bei mir zieht sich die Orangenhaut vom Po bis hinunter zu den Fersen, und ich bin sicher, daß sie sich jetzt auch nach vorne hin ausbreitet ... Es ist fast wie eine Art Schimmelbefall – je mehr Cellulitis man hat, desto schneller kommen neue Stellen hinzu. Um so erstaunlicher, wie Sally es schafft, ihren Körper einfach so zu akzeptieren – mit Ausnahme ihrer kleinen Brüste. Dabei habe ich ihr immer wieder gesagt, daß Männer nach den ersten paar Malen im Bett relativ schnell das Interesse an dem Vorgebirge verlieren. Besonders wenn es, wie in meinem Fall, ein relativ attraktives Gebilde abgibt, solange es von einem BH zusammengehalten wird, bei Entfernung des letzteren aber eher an zwei fünf Tage alte Luftballons erinnert. Auch beim Sex sind große Brüste keinesfalls von Vorteil. Denn man ist viel zu sehr darauf fixiert, keine Position einzunehmen, in der sie unvorteilhaft wirken könnten ... was nicht immer einfach ist, vor allem, wenn man sich locker geben und nicht als prüde, altmodische Jungfer dastehen möchte.

NB: Denk daran, im Selbsthilfebuch ein Kapitel über »Die schmeichelhaftesten Positionen beim Sex« aufzunehmen.

NB: Buche dieses eintägige Auswärtsseminar »Ohne Cellulitis leben lernen«.

Bin Samstag abend zu Hause geblieben – hatte keine Lust, zu der Party in unserer Straße zu gehen. Ich war müde und konnte außerdem die ersten Barthaare sprießen sehen – meine Periode läßt wohl nicht mehr lange auf sich warten. Anscheinend verwandle ich mich jetzt immer schon in einen mexikanischen Revolutionär, bevor ich die Phase erreiche, wo ich in Tränen ausbreche, wenn es bei Sainsbury's keine eingelegten Gurken mehr gibt.

27. Januar

Bin extra früh aufgestanden, um meinen neuerlichen Bartwuchs einer Musterung bei Tageslicht zu unterziehen. Gott sei Dank beschränkt er sich bisher auf den Oberlippenbereich und hat sich noch nicht bis zum Kinn ausgebreitet ... Vielleicht bleibt mir der Orthodoxe-Rabbi-Look ja diesmal erspart. Im Vergleich zu gestern nacht kam er mir auch weniger dunkel und weniger haarig vor, aber ich habe trotzdem etwas von der Bleichcreme draufgetan, nur um auf Nummer Sicher zu gehen. Gott, das Zeug brennt ... Ich habe die Inhaltsstoffe entziffert und bin sicher, daß Substanzen dabei sind, die man zur Entfernung von Kalkstein verwendet ... Solange sie nur den Charles-Bronson-Effekt eliminieren, soll es mir recht sein.

Habe beschlossen, ins Studio zu gehen und an einer Gymnastikstunde mit Gillian, dem Naziweib, teilzunehmen. Wie immer wollte ich diskret im Hintergrund bleiben, aber leider waren an dem Morgen nur sehr wenig Leute da. Also hat »Mein Führer« mich nach vorn geholt, damit sich die neuen

Leute an mir orientieren könnten. Um ehrlich zu sein – ich hätte mich am liebsten in Luft aufgelöst ... Drei Jahre ausgefeilte Tarnungsmanöver waren völlig umsonst gewesen. Ich hatte absichtlich immer wieder die Kurse gewechselt, war in unregelmäßigen Abständen mal hier, mal da aufgetaucht, damit die Trainer nicht auf die Idee kämen, ich sei eine verläßliche Teilnehmerin – jemand, den man in Gestapo-Manier dazu zwingen kann, anderen Neulingen die Übungen vorzuführen. Gillian hat zwar nicht verlangt, daß ich irgend etwas allein vormache; aber während ich in der ersten Reihe stand und mich mit diesen verdammten Grätschsprüngen abmühte, hatte ich ständig das Gefühl, daß alle Augen hinter mir unentwegt auf eine einzige Stelle starrten – die Speckrolle, die sich in dem bisher namenlosen Bereich oberhalb meiner Pobacken und unterhalb meiner Taille breitgemacht hat. Ich war mir der Existenz dieser Körperstelle nicht einmal bewußt gewesen – bis die Speckrolle auftauchte. Wundervoll, nicht wahr? Je älter man wird, desto schneller scheint sich das rastlose Fett an immer neuen Körperzonen anzusiedeln. Neulich habe ich nach einem Taxi gewinkt (NB: Nicht zu empfehlen, wenn man ein ärmelloses Kleid trägt) und mußte entdecken, daß das Fleisch meines Oberarms immer noch schwabbelte, als ich bereits in das Taxi gestiegen war. Als sei es nicht schon schlimm genug, daß sich das Fett jeden Tag neue Winkel und Ecken sucht – nein, jetzt scheint es sich auch noch in einem anderen Rhythmus zu bewegen als mein übriger Körper! Meine Pobacken machen, was sie wollen, und diese Speckrolle entzieht sich völlig meiner Kontrolle. Ich hätte nie gedacht, daß ich mich eines Tages nach meinen Zwanzigern zurücksehnen würde. Nicht, daß ich damals schlank gewesen wäre, aber das Fett paßte sich wenigstens noch meinen Bewegungen an. Im Gegensatz dazu weiß ich heute nie, welcher meiner Rettungsringe als nächster aus der Reihe tanzt. In einem amerikanischen Bestellkatalog habe ich neulich diesen Bodysuit entdeckt, so eine Art Panty, aber mit weitreichenderer Funktion als ein gewöhnliches Mieder-Höschen, das ja nur den Bauch einschnürt (NB: Benutze nie das Wort »Panty«, selbst wenn du in Amerika bist). Unten sah das Teil ungefähr wie ein Paar Shorts aus, nur daß es bis über die Knie ging; oben schloß es am Nacken ab und bedeckte die Arme bis zu den Ellbogen. Ich fand das Ding ungemein praktisch, weil es der ganzen Herumschwabbelei ein Ende macht. Das einzige, womit ich nicht klarkam, war die Frage, was man darüber tragen soll – vorausgesetzt, man kann sich überhaupt noch rühren, sobald man erst einmal darin steckt. Ein Polohemd und lange Hosen wären vielleicht möglich, aber um auszugehen, müßte man sich schon auf einer Bahre transportieren lassen. Ich glaube nämlich nicht, daß man in dem Ding seine Knie beugen kann. Irgendwie hatte es etwas von einem Tauchanzug. Du liebe Güte, dabei ist eine Stützhose schon schlimm genug ... Ich hab' einmal eine getragen, nachdem ich, in einem Anfall geistiger Umnachtung, ein sehr enganliegendes Kleid gekauft hatte. Der Effekt war kolossal, fast so, als hätte ich mir eine Aderpresse angelegt – meine Füße wurden jedenfalls kaum noch mit Blut versorgt. Anschließend hatte ich ein paar Tage lang Schwierigkeiten beim Gehen, aber das war mir die Sache wert, weil so viele Leute meinten, wie schlank ich in dem Kleid ausgesehen hätte. Gott, das waren noch Zeiten ... Ich muß nachsehen, ob ich dieses Mieder noch irgendwo habe ... Ich könnte es im Urlaub unter meinem Badeanzug tragen.

NB: Periode hat heute nacht eingesetzt – fühle mich aufgebläht und schwer. Wie könnte es auch anders sein.

30. Januar

Gestern gab's nicht viel zu berichten. Sorry. Bin fast den ganzen Tag zu Hause geblieben und habe überlegt, ob ich radikale Maßnahmen gegen den Bart einleiten und zur Rasierklinge greifen soll (nicht um mich umzubringen, sondern um mich zu rasieren) – habe entschieden, daß eine Rasur zu diesem Zeitpunkt eher ein Fehler wäre, sie könnte alle möglichen unliebsamen Folgen haben – wie zum Beispiel einen Vollbart am Ende des Jahres.

Habe bei der alten Mrs. Mellish von gegenüber vorbeigeschaut, um zu hören, wie es ihr geht und ob sie etwas braucht. Konnte es sowieso nicht länger in der Wohnung aushalten; der Neue aus dem Erdgeschoß scheint ein ziemlich aktives und geräuschvolles Sexleben zu haben. Du liebe Zeit, ich dachte wirklich, sie würden ein Megaphon benutzen. Wieder mal Pech gehabt, der Typ ist nicht nur lüstern, sondern auch noch laut dazu.

NB: Unterlasse es, eine Augenbraue in die Höhe zu ziehen, wenn du ihn auf der Treppe triffst.

31. Januar

Habe heute angefangen, mich ernsthaft mit der Planung der Pozzi-Tagungen zu beschäftigen. ANA und ich sprachen gerade darüber, wann wir uns die Tagungsorte ansehen würden, als er plötzlich meinte: »Wie wär's denn morgen mit unserem Drink?« ... Ich wußte nicht, was ich sagen sollte! Ich meine, am liebsten hätte ich natürlich gesagt »O ja, sehr gerne«, aber das konnte ich nicht, oder? Bei ihm wäre doch mit Sicherheit der Eindruck entstanden, ich hätte nur auf diese Frage gewartet – was zwar stimmt, aber genau das *darf* er nicht wissen. Er würde sofort das Interesse verlieren, wenn er wüßte, daß er mir gefällt. Und daß ich nur *zu* gern mit ihm ausgehen würde. Ich meine, die Leute wenden sich doch immer gleich ab, sobald sie auf Gegeninteresse stoßen, oder etwa nicht? Hm, normale Leute mögen sich vielleicht auch dann noch, wenn ihre Zuneigung erwidert wird – ach, könnte das Leben schön sein, wenn tatsächlich alles so einfach wäre ... Jedenfalls habe ich – zu meiner eigenen Verwunderung – erwidert: »Morgen geht es nicht, vielleicht ein andermal« !!! Es war wie im ›Exorzist‹, wo das kleine Mädchen herumwirbelt und sagt, seine Mutter würde Socken in der Hölle stricken – oder etwas in der Art. Im selben Tonfall ist es aus mir herausgekommen – ganz kühl und unnahbar ... aus MIR, man stelle sich das vor! ANA wirkte ein wenig niedergeschlagen, er tat mir wirklich leid. Aber wenigstens hat er jetzt keinen Anlaß zu der Vermutung, daß ich ihn mag und nur auf seine Einladung gewartet habe. Ein bißchen ärgere ich mich allerdings schon über mich. Na ja, immer noch besser, als in einer schlaflosen Nacht darüber zu grübeln, welchen Drink ich hätte wählen müssen, um möglichst interessant zu wirken. O Gott, und wenn er mich jetzt nie wieder fragt ... wenn dies meine einzige Chance war? Was, wenn sein Interesse für einen zweiten Anlauf nicht mehr reicht? O mein Gott ... Was habe ich getan? Dabei wollte ich ihm diese Abfuhr ja gar nicht erteilen, es ist mir einfach so rausgerutscht. Ich war in Panik, weil ich dachte, er würde mich nur aus Pflichtgefühl fragen. Um nicht unhöflich oder nachlässig zu erscheinen – jetzt, wo wir zusammenarbeiten und er mir diesen Drink bereits versprochen hatte. Vielleicht kann ich es ja morgen in der Arbeit wieder gutmachen. Ich könnte ihm anbieten, mit ihm ins Bett zu gehen, ohne daß er mich erst zu einem Drink einladen muß – als kleine Entschädigung für die Beleidigung sozusagen. Jetzt mach aber mal halblang, Jackie, das wäre wirklich nicht sehr vernünftig. Denn wahrscheinlich empfände ANA ein solches Angebot gar nicht als Belohnung, sondern eher als eine Art Trostpreis ... Nein, ich muß mir etwas anderes ausdenken.

NB: Nimm eine andere Route für den Heimweg, wenn du über solch wichtige Dinge nachdenkst wie PNLs (Potentielle Neue Liebhaber); mach keinen Umweg über McDonald's – die Lösung für deine Probleme liegt nicht in einer Extraportion Chicken McNuggets.

1. Februar

Habe es geschafft, mir ANA fast den ganzen Tag lang vom Leib zu halten. Gar kein so leichtes Unterfangen, weil wir eigentlich weiter an der Planung der Pozzi-Tagungen arbeiten wollten. Aber jedesmal, wenn er in mein Büro kam, habe ich einfach so getan, als würde ich gerade telefonieren – zunächst in sehr sachlichem, geschäftsmäßigem Ton, mit viel »Hm, ja ... verstehe ... angesichts Ihres Budgets wäre das natürlich ein Vorteil ...« und einigem »Tja, ich bin im Moment sehr beschäftigt ... mmm ... ja ... ich sehe zu, ob Ihnen jemand anders weiterhelfen kann«. All das fiel mir nicht schwer, aber als ANA das vierte Mal hereinkam, wurde mir klar, daß ich meinen Gesprächen vielleicht einen etwas interessanteren, persönlicheren Touch verleihen sollte. Also habe ich gelacht und gesagt: »Oh, das wäre wundervoll, aber erst in ein paar Wochen, weil ich im Augenblick sehr viele Verpflichtungen habe.« Dann ist mir allerdings mit Schrecken eingefallen, daß ANA meine »vielen Verpflichtungen« auf einen Freund zurückführen könnte. Deshalb habe ich bei dem nächsten Telefonat so getan, als würde ich jemanden trösten, mit zahllosen »Ja, ich verstehe«, und »Ach, du Arme«. ANA wirkte ein wenig erstaunt, nachdem er mich das fünfte Mal an der Strippe gesehen hatte. Hoffentlich fragt er nicht bei der Zentrale nach und erfährt, daß ich weder nach draußen telefoniert noch irgendwelche Anrufe empfangen habe. Gott, das war ein harter Tag, ich glaube, ich bin nicht sehr gut im Improvisieren.

Ich beginne mich zu fragen, ob es nicht vielleicht doch unkomplizierter ist, seine Einladung einfach anzunehmen.

4. Februar

Es ist kaum zu glauben! Andy hat mich heute wieder gefragt!

NB: Die vorgetäuschten Telefonate/all die Wichtigtuerei waren also doch keine schlechte Idee.

Diesmal bin ich auf Nummer Sicher gegangen und habe einfach ja gesagt. Wir sind also nach der Arbeit im Pub gewesen, und, man stelle sich vor, es war richtig nett! Wir haben uns einfach nur unterhalten, und alles war ganz locker. Das lag wahrscheinlich daran, daß ich mir schon vorher eine Strategie in Sachen Drinks zurechtgelegt hatte. Andy dachte, ich würde den ganzen Abend Schorle trinken, aber jedesmal, wenn er mir eine neue an der Bar holen wollte, habe ich ihn gebeten, den Sprudel und den Wein in zwei getrennten Gläsern zu bestellen – weil ich mir die Schorle lieber selbst mixen würde. Und wenn er dann mal nicht hinsah, habe ich den Wein schnell in den Blumentopf neben mir gekippt und das Glas mit Wasser gefüllt. Auf diese Weise stand ich vor ihm nicht als eine frömmlerische Abstinenzlerin da, neben der er sich wie ein Alkoholiker vorkommen müßte, und konnte trotzdem einen klaren Kopf behalten und alles ganz genau verfolgen. Ich bewundere Andy sehr, daß er mich ein zweites Mal gefragt hat – ich hätte das an seiner Stelle nicht getan. Jedenfalls war es ein sehr netter Abend ... zumindest für mich. Gott, ich hoffe, für ihn auch. Er schien gar nicht mehr gehen zu wollen, aber vielleicht nur aus Höflichkeit ... Nein, ich glaube, er wollte bleiben und sich unterhalten, sonst hätte er nicht all diese persönlichen Fragen gestellt. Er schien wirklich interessiert an mir ... Seltsam, nicht wahr? Mir war richtig komisch zumute, daß jemand so viel über mich wissen wollte.

Was das wohl zu bedeuten hat? Bin ziemlich vergnügt und gut gelaunt nach Hause gekommen ... MANN O MANN, und wenn ich ihm tatsächlich gefalle? Nein, das kann überhaupt nicht sein; wahrscheinlich hat er sich noch nicht klargemacht, wie ich aussehe, wenn ich unbekleidet bin ... Gott, ich mag gar nicht dran denken.

NB: Sei bloß nicht zu voreilig, von irgendwelchen hüllenlosen Begegnungen war bisher nicht die Rede; überschreite den Rubikon erst, wenn es soweit ist – oder besser, überschreite ihn nach Möglichkeit überhaupt nicht. Bleib so lange angezogen, wie es irgend geht.

Wir hatten so viel zu reden, auch unabhängig von der Arbeit, und als wir uns dann an der Bushaltestelle verabschiedeten (er fährt mit dem Fahrrad zur Firma), kam ich mir richtig faul vor, weil ich meinen Heimweg nicht mit Joggen oder ähnlichem bewältige. Jedenfalls meinte er zum Schluß: »Vielleicht können wir bald einmal zusammen essen gehen.« Also, ein bißchen muß er mich wohl mögen, wenn er mich sogar in ein Restaurant ausführen will. Es sei denn, das Ganze ist ein Test, mit dem er herausfinden möchte, welche Mengen ich verzehre. Immerhin weiß er jetzt, daß ich den Weg zur Arbeit nicht als sportliche Betätigungsmöglichkeit nutze. Vielleicht will er einfach nur sehen, was für ein träges Stück ich wirklich bin.

NB: Nimm morgen deine durchsichtige Tasche mit den Sportsachen mit zur Arbeit, und laß sie den ganzen Tag auf dem Schreibtisch liegen.

6. Februar

Ich war gerade dabei, den Terminplan für die Pozzi-Tagungen auf unserer Wandtafel auszuarbeiten, als Andy ins Zimmer kam. Ich bin sofort herumgewirbelt und so lange mit dem Rücken zur Wand stehengeblieben, wie er im Raum war. Gott, das war knapp, beinahe hätte er meinen Po in voller Breite präsentiert bekommen – was natürlich unweigerlich zu einem Vergleich mit der riesigen Tafel geführt hätte, die sich über die ganze Wand erstreckt. Aber zum Glück scheint er meinen Hintern nicht in seiner ganzen abstoßenden Fülle gesehen zu haben, weil er mich nämlich für den 14. zum Essen eingeladen hat. Er meinte, es täte ihm leid, daß es nicht früher ginge – aber er habe ein ganz bestimmtes Restaurant im Sinn.

Gott, ich bin so nervös; bestimmt hat er nicht daran gedacht, daß am 14. Valentinstag ist. Das ganze Restaurant wird voll von Liebespaaren sein, die unbeschwert ihr Essen genießen und sich keine Sorgen wegen ihrer dicken Knie machen müssen. Die Kellner werden merken, daß wir nicht verliebt sind, und uns für Geschwister halten, ein mitleidiger Bruder, der seine unscheinbare, altjüngferliche Schwester am Valentinstag zum Essen ausführt, um ihr eine Freude zu machen. Ich weiß nicht, ob ich diesen Druck aushalten kann – daß unser erstes Rendezvous am Valentinstag stattfinden soll. Was rede ich denn da, »unser erstes Rendezvous«. Wahrscheinlich bringt er einen Freund mit, und dann ist es überhaupt kein richtiges Rendezvous. Bestimmt war es ein Versehen, daß er ausgerechnet den Valentinstag für unser Treffen gewählt hat. So romantisch, nett und normal kann er einfach nicht sein – er würde sich nicht um mich bemühen, wenn dem so wäre.

8. Februar

Eigentlich könnte es mir kaum besser gehen, habe angefangen, mich richtig auf DAS ESSEN zu freuen ... Na ja, ich sage das jetzt so, und eigentlich freue ich mich auch. Nur daß ich vorher einige Kilo abnehmen muß, wenn die Verabredung ein

Erfolg werden soll. Bin deshalb auf Diät. Ich habe alles genau ausgerechnet, bis zu dem Essen bleiben mir noch sechs Tage. Wenn ich in der Zeit überhaupt nichts esse, könnte ich ... sagen wir, acht Pfund abnehmen, eineinhalb Pfund pro Tag, das ist realistisch, oder? Vor allem, wenn ich nichts trinke – nicht einmal Wasser. Dumm ist nur, daß ich während der nächsten Tage arbeiten muß. Diese lästigen Mini-Blackouts, die ich beim Hungern immer habe, sind schon ein Problem. Um nicht ganz schlappzumachen, sollte ich vielleicht doch etwas Wasser und vielleicht die eine oder andere Glukosetablette zu mir nehmen.

Jedenfalls sah alles so rosig aus, bis *sie* plötzlich wieder auftauchten – Dad und meine Stiefmutter Jennifer. Ich hatte völlig vergessen, daß sie so bald zurückkommen würden. Irgendwie war ich davon ausgegangen, daß sie mindestens noch einen Monat durch die Weltgeschichte gondeln und erfolgreich anderer Leute Leben ruinieren würden. Aber nein, als ich nach Hause kam, erwartete mich Jennifers Nachricht auf dem Anrufbeantworter: »Hallihallo (Was soll die neckische Begrüßung?), Jack (ich habe ihr mindestens einemillionmal gesagt, sie soll mich nicht Jack nennen, aber sie macht es extra; ich soll spüren, wofür sie mich hält – für eine dumme, unbedeutende, androgyne, Jackartige Person), hier sind Jennifer und Daddy. Wir sind wieder im Lande und können's kaum erwarten, dich zu sehen. Hoffentlich ist bei dir alles in Ordnung, ruf uns bald an, ja? Bis dann.«

Meine Stiefmutter Jennifer ist einfach gräßlich, sie mischt sich ständig ein, weiß alles besser, schüchtert andere ein – und was am schlimmsten ist: Sie ist hinreißend, absolut hinreißend, und dazu auch noch klug und nett. Sie hat zwei erwachsene Kinder aus erster Ehe, Beatrice, genannt Bee (igitt) und Kyle (Hiiilfe). Die beiden sind natürlich sehr erfolgreich und haben keinerlei Probleme mit ihrer Figur – tja, wer hätte daran auch gezweifelt. Dad hat sich wahrscheinlich nur deshalb für Jennifer entschieden, um mir diese zwei Stiefgeschwister vor die Nase zu setzen; auf daß sie mich immer wieder daran erinnern, was für eine Versagerin ich bin (in jeglicher Hinsicht). Seit Dad pensioniert ist, schwirren er und Jennifer in der Welt herum; sie wollen sich irgendwo im Ausland niederlassen, wahrscheinlich in Italien oder Portugal. Sie haben genug Geld gespart, um sich ein Haus mit Swimmingpool zu kaufen – kann's kaum erwarten, sie dort zu besuchen, hm, am besten, wenn Bee und Kyle auch da sind. Ich kann mir nichts Schöneres vorstellen, als vor Mutter und Kindern im Bikini zu erscheinen – oh, und vor meinem Dad natürlich auch, mitsamt seinen hochgezogenen Augenbrauen ... Es ist schon eigenartig, wie einem die erhobene Braue eines Elternteils größeren Schaden zufügen kann als, sagen wir, die chinesische Wasserfolter. Vielleicht liegt es an der Art, wie er es macht – es wirkt liebenswürdig und zugleich oberkritisch. Sally sagt, bei ihrer Mutter wäre das genauso; sie glaubt, daß Eltern spezielle Kurse besuchen, um sich zum Thema »Wie bekommen Sie Ihr Kind mit Mienenspiel klein« weiterzubilden. Meine Mutter muß an etwas Ähnlichem teilgenommen haben, nur daß sie sich auf den Mund spezialisiert hat. Sie liebt es, die Lippen zu einer Art »Ich-will-ja-nichts-sagen-aber-wenn-du-wüßtest-was-du-gerade-für-einen-Fehler-begehst«- Mund zu spitzen, der direkt an einen Hühnerpopo erinnert. Ich weiß auch nicht, weshalb Mum und Dad nicht zusammengeblieben sind. Wenn die beiden in ein Restaurant gegangen sind, haben sie es stets geschafft, auch den robustesten Kellner in ein heulendes Elend zu verwandeln. Und was für ein Spaß es für sie gewesen wäre, weiterhin mit vereinten Kräften an der Zerstörung meines Lebens zu arbeiten ... Es grenzt schon fast an ein Wunder, daß ich bei Mums Hühnerpopo-Mund und Dads akrobatischen Augenbrauen überhaupt je in der Lage war, selbst eine Entscheidung zu treffen.

Oh, ich darf mich mit alldem nicht weiter belasten, sondern muß sehen, daß ich bis zum 14. gründlich abspecke, dann wird sowieso alles gut. Andy wird absolut hingerissen von mir sein, vor allem, wenn ich auch an dem Abend nichts esse. Vielleicht sollte ich zu dem Restaurant joggen ... um richtig fit und gesund zu wirken. Ich bin mir allerdings nicht sicher, ob ich das schaffe – als ich neulich loslief, um den Bus noch zu erwischen, wurde ich ohnmächtig, und das, obwohl die Bushaltestelle gerade mal hundert Meter vor meiner Haustür liegt. Es war mehr als peinlich ... Als ich wieder zu mir kam, standen eine Menge Leute um mich herum und starrten mich an, wie ich zusammengekrümmt am Boden lag. Mir war klar, daß sie alle dachten: »Diese Frau sollte nicht irgendwelchen Bussen hinterherrennen, sie sollte sich von Zivildienstleistenden im Rollstuhl schieben und sich von ihnen die Einkäufe et cetera erledigen lassen.« Aber wenigstens habe ich den Bus noch bekommen.

Ich wünschte, Dad und Jennifer wären nicht schon vor meiner Verabredung mit Andy zurückgekommen; jetzt werde ich mich erst recht wie eine Versagerin fühlen, wenn Andy nicht gleich beim ersten Gang auf die Erziehung unserer künftigen Kinder zu sprechen kommt. »Unsere Kinder«, ich glaube, ich bin schon total durchgedreht. Ich muß mich beherrschen, muß damit aufhören, mir schon den Kopf über eine gemeinsame Zukunft zu zerbrechen, bevor ich jemanden überhaupt erst richtig kennengelernt habe. Sallys Freund Dan meint, ich würde Männern die falschen Signale aussenden. Er sagt, daß Männer beim ersten Kennenlernen vor allem daran interessiert sind, möglichst bald mit der Frau auf Tuchfühlung zu gehen. Bei mir hätte man allerdings den Eindruck, daß ich einen Bummel durch den nächsten Mutter-Kind-Laden vorziehen würde. Auch meine Augen hätten nicht den verführerischen »Schlafzimmer-«, sondern vielmehr den »Kinderwagen-Blick«. Dabei denke ich gar nicht ständig ans Heiraten und Kinderkriegen; es ist nur, daß ich, wenn ich jemanden mag, tatsächlich anfange, Kleidchen mit Tüll- und Taftschärpen zu zeichnen – ohne genau zu wissen, was Taft eigentlich ist.

Anscheinend lösen Männer bei mir einen Pawlowschen Reflex aus. Beim Pawlowschen Reflex geht es um die Geschichte mit dem Hund, dem man ein Stück Fleisch zeigt, während man gleichzeitig mit einer Glocke klingelt ... Wenn man diesen Vorgang oft genug wiederholt, braucht man am Ende nur mit der Glocke zu klingeln, um den Speichelfluß des Hundes in Gang zu bringen – das Stück Fleisch ist dann nicht mehr erforderlich. Mich muß ein Mann nur oft genug fragen, ob ich weiß, wie spät es ist. Wenn ich dann nach einer Weile auf die Uhr schaue, höre ich mich automatisch »Ja, natürlich« sagen und sehe mich dabei in einem Volvo-Kombi voller kleiner Kinder sitzen, die alle Sachen von Baby Gap anhaben. Gott, dieser Laden hat einfach traumhafte Kinderkleider; sie sind so süß, daß ich mich allein beim Ansehen schon auf den erstbesten Passanten stürzen und ihn anflehen könnte, mir doch bitte ein Kind zu machen.

Kann nicht schlafen. Der Typ von unten treibt's wieder mal ganz wild – weiß nicht, ob immer noch mit derselben Frau. Den Geräuschen nach klingt es, als würde sie gerade das Boot des Oxford-Ruderteams aufs Ziel zusteuern. Wahrscheinlich der Traum eines jeden Mannes – die heiße Nummer und nicht zu überhören. Ich brauche dergleichen allerdings gar nicht erst zu versuchen, weil mein Gestöhne sowieso eher nach einem Wimmern als nach sonst was klingen würde.

9. Februar

Habe mir heute ein neues Kleid für die Verabredung mit Andy gekauft und es extra eine Nummer zu klein genommen – als eine Art zusätzlichen Ansporn, mit dem Fasten weiterzumachen. Im Moment passe ich so gerade hinein; es ist ein ziemlich langes Kleid, das vorne von oben bis unten zugeknöpft wird. Ich muß zugeben, daß es an der Brust tatsächlich ein wenig eng ist; die Knöpfe gehen gerade noch zu und halten mehr recht als schlecht zusammen, aber bis zum 14. wird das Problem bestimmt behoben sein. Zumindest hoffe ich das, denn wenn ich mich hinsetze – eine Position, die ich ausprobiert habe –, spannt der Stoff noch stärker. Und dann könnte es passieren, daß der Druck zu groß wird und einer der Knöpfe abspringt – womöglich direkt in Andys Auge. Großartig, dann wäre ich auch noch für Andys Erblindung verantwortlich. Obwohl, wenn Andy blind wäre, bliebe ihm mein Anblick als Nackedei erspart, was auch etwas für sich hätte. Ich wette, ich bin die einzige Person auf der Welt, die bei einem behinderten Menschen Mitleid erregen könnte.

Die Verkäuferin fühlte sich jedenfalls bemüßigt, mehrfach durch die Blume anzudeuten, daß ich es vielleicht mit einer Nummer größer versuchen sollte; aber diese vernichtende Grausamkeit habe ich geflissentlich ignoriert. Schließlich *weiß* ich, daß ich bald dünner sein werde; die kleinere Größe ist also goldrichtig. Als die Verkäuferin mit etwas anderem beschäftigt war und mich nicht mehr beobachtete, habe ich das größere Kleid dann doch einmal anprobiert. Es sah tatsächlich sehr viel besser aus, aber diesen Triumph konnte ich der Frau nicht gönnen, also habe ich das kleinere genommen ...

Hoffentlich werde ich das nicht noch bereuen. Ich kann es jetzt nicht einmal mehr umtauschen, weil sehr wahrscheinlich immer noch dieselbe Verkäuferin im Laden sein wird. Sie wüßte dann, daß sie recht gehabt hatte, und würde mich insgeheim auslachen – weil ich mir einbilde, dünner zu sein, als ich tatsächlich bin. Mir wäre es natürlich unmöglich, diesen Laden je wieder zu betreten, und dann ... Oh, ich könnte wahrscheinlich immer noch Sally fragen, ob sie das Kleid für mich umtauscht.

10. Februar

Habe heute morgen drei äußerst strapaziöse Gymnastikkurse direkt hintereinander besucht – puh, es ist wirklich hart, zu trainieren, wenn man eine Weile nichts gegessen hat. Fühlte mich ein bißchen schwach auf den Beinen und auch sonst etwas benommen – ich glaube, ich habe den gleichen abgedrehten Geisteszustand erreicht wie Picasso und seine Kollegen, als sie in kleinen Pariser Dachkammern oder sonstwo vor sich hin hungerten. Ich erinnere mich, daß wir irgendwann mit der Schule in einer Kunstgalerie gewesen sind und dort ein paar sehr merkwürdige Bilder gesehen haben, auf denen Pappkartons die Treppe hinunterstiegen und Fahrradteile einzeln am Himmel schwebten. Der Lehrer erklärte uns, daß die Künstler die Bilder gemalt hätten, als sie zu wenig Geld besaßen, um sich etwas zu essen zu kaufen, und daß sie vor Hunger angefangen hätten zu halluzinieren. Kann nur hoffen, daß mir das nicht in der Arbeit passiert. Bossy Bowyer wäre wahrscheinlich nicht sonderlich erbaut, wenn ich mitten in einer wichtigen Verkaufsverhandlung anfangen würde, von Fahrradspeichen zwischen Wolken zu erzählen.

Ich überlege seit längerem, ob ich nicht vielleicht eine Therapie machen soll. Sally meint, ja. Sie hat gesagt: »Wer glaubt, daß der Erfolg einer Verabredung vom Hervortreten seiner Rippen abhängt, der braucht dringend eine Therapie.« Sie war richtig böse, als ich neulich während der Mittagspause nichts essen wollte. In einem fort hat sie mir erklärt, daß Andy mich so mag, wie ich bin, und daß ich überhaupt nicht schlanker werden muß, da er sich ja bereits mit mir verabredet hat. Außerdem solle ich mich einmal fragen, was von ihm zu halten sei, wenn er mich *tatsächlich* nur unter der Bedingung akzeptierte, daß ich abnehme. Ich weiß, daß Sally (in gewisser Weise) recht hat, und es klingt ja auch alles ganz vernünftig. Die Sache ist nur die, daß ich den Hunger gar nicht mehr richtig spüre ... Ich fühle mich eher schwerelos als hungrig, so als sei ich inzwischen auf einer höheren Seinsebene angelangt. Vielleicht war Jeanne d'Arc gar keine Visionärin, sondern einfach nur auf Diät. Jedenfalls werde ich es mir mit der Therapie überlegen; ein Buch habe ich mir dazu schon gekauft: ›Der verschlungene Weg zur Therapie‹ von Dipl. Psych. Dr. med. Jürgen Kraus. Hier eine interessante Stelle, die ich daraus fotokopiert habe:

> Es gilt, verschiedene Therapieformen zu unterscheiden. Jede Therapie verfolgt grundsätzlich das Ziel, dem Patienten bei der Suche nach sich selbst zu helfen. Er soll sich nicht länger mit idealen Wunschphantasien – der Suche nach dem perfekten Ich, dem perfekten Ort et cetera – aufhalten müssen, sondern lernen, sich so zu akzeptieren, wie er ist. Eine Therapie kann zu vielen Veränderungen führen, aber die wichtigste und umfassendste liegt in der Akzeptanz – Akzeptanz der eigenen Person und der individuellen Lebensumstände –, auf daß der Patient befähigt wird, das Beste aus seinen Möglichkeiten zu machen. Der Patient sollte wissen, daß es völlig normal ist, wenn er sich zunächst um die »Anerkennung« des Therapeuten bemüht, wenn er nach Bestätigung, Zustimmung – kurz nach einem positiven »Feedback« sucht. Hierbei handelt es sich um einen normalen Prozeß in der Anfangsphase der dynamisch verlaufenden therapeutischen Entwicklung, in der der Patient die Rolle des Kindes einnimmt und versucht, die Liebe und damit die Anerkennung des Elternteils/Therapeuten zu gewinnen. Dies ist jedoch nur die erste Stufe in einem Verhältnis, das sich sehr schnell wandelt und weiterentwickelt.

Nun, das klingt doch ganz gut (obwohl sich der Text eindeutig nicht an therapiewillige Personen mit Übergewicht richtet). Wahrscheinlich gehen sie davon aus, daß man schon abgenommen hat, bevor man mit der eigentlichen Therapie beginnt. Jedenfalls ist nirgends die Rede davon, daß man sich als fett akzeptieren soll ... Irgendwie logisch. Vielleicht fange ich also damit an, wenn ich noch ein paar Pfunde verloren habe. Die Stelle am Schluß hat mich allerdings schon etwas gewundert. Mir würde es ebensowenig einfallen, einen Fremden um »Anerkennung« zu bitten, wie ich mir glühende Lava in die Ohren schütten würde. Wenn ich so viel Selbstvertrauen besäße, bei einem Fremden – und einem bezahlten dazu! – nach Bestätigung zu suchen, dann wäre ich wohl kaum ein Fall für die Therapie, oder??!!

In dem Buch steht, daß man sich auf unterschiedlichen Wegen um einen Therapieplatz bewerben kann, sich im Normalfall (merkwürdige Formulierung, in Anbetracht der Umstände) jedoch an seinen Hausarzt wenden sollte. Bin nicht ganz glücklich mit der Vorstellung, die Sache über meine Ärztin abzuwickeln. Sie behandelt nämlich auch Dad und Jennifer, wenn die beiden im Lande sind. Was, wenn sie es Jennifer gegenüber erwähnt? Ich weiß, daß sie an die Schweigepflicht et cetera gebunden ist, aber vielleicht meint sie ja, daß die Frau meines Vaters unbedingt über meine Absichten informiert werden müsse. Oder sie bringt es einfach nicht fertig, eine solch pikante Neuigkeit für sich zu behalten. Ich denke, ich könnte mich auch an unseren Betriebsarzt wenden ... O ja, wirklich eine großartige Idee. Am besten miete ich dann gleich einen Zeppelin mit der Aufschrift »JACQUELINE IST EINE VERSAGERIN – SIE MACHT EINE THERAPIE« und lasse ihn einen Tag lang über ganz London fliegen. Ich glaube nicht, daß der Betriebsarzt mit Absicht indiskret ist; aber mit ein wenig Überlegung hätte ihm vielleicht schon aufgehen müssen, daß das Schwarze Brett nicht der geeignete Ort ist, um Untersuchungsergebnisse auszuhängen – so wie er es bei den Jungs aus der Produktion getan hat, die mit auf diesem Wochenende in Amsterdam waren.

Nein, ich werde einfach an die Klinik direkt schreiben; in dem Buch steht, daß das möglich ist. So bekommt dann auch niemand etwas davon mit ... Es sei denn, der Postbote erkennt den Briefumschlag ... Also wirklich, Jackie, verrückter geht's ja kaum noch. Jetzt reiß dich aber mal zusammen. Der Postbote wird kaum in der Lage sein, den Briefumschlag eines Psychotherapeuten von dem der Gaswerke zu unterscheiden ... Es sei denn, er ist ein Nachkomme Freuds, was aber nicht sehr wahrscheinlich ist, weil die alle in den Medien und nicht bei der Post beschäftigt sind. Da bin ich ziemlich sicher.

12. Februar

War gestern nicht in der Lage, irgend etwas zu schreiben. Sorry. Ein furchtbarer Gedanke hat mir keine Ruhe gelassen ... Was soll ich nur machen, wenn Andy entweder nach DEM ESSEN mit zu mir nach Hause kommt (ziemlich unwahrscheinlich, ich weiß) oder mich vorher hier abholt und der Typ von unten wieder laut herumstöhnt, so wie immer? Andy könnte meinen, ich hätte meinen Nachbarn um diese geräuschvolle Darbietung gebeten, um ihm – Andy – einen kleinen Wink zu geben. Wenn es tatsächlich so sein sollte, muß ich eben die Musik laut aufdrehen. Oder besser noch, ich lasse Andy erst gar nicht herein und gehe sofort nach unten, wenn er klingelt. Das ist wahrscheinlich die beste Lösung. Ich bin mir nämlich nicht sicher, ob ich ihm meine Wohnung präsentieren möchte. Das Blaßrosa im Wohnzimmer fand ich zwar eigentlich ganz frisch und fröhlich, aber er denkt bestimmt, er sei in Barbies Eisdiele gelandet. Und das Bad sieht wie ein Bordell für Pudel aus – das behauptet zumindest Sallys Dan. Vielleicht war diese Kombination aus Limonengelb und Schwarz doch keine so grandiose Idee. Ob ich die Wohnung schnell noch renoviere, bevor ich mit Andy essen gehe – oder ist das ein bißchen übertrieben? Ich weiß ja nicht einmal, auf welche Farben er steht ... Sollte mich vielleicht auf seinem Schreibtisch umsehen, wenn er gerade mal nicht da ist ...

13. Februar

Bin so fixiert auf DAS ESSEN und so nervös, daß ich mich kaum noch auf meine Arbeit konzentrieren kann. Es traten ein paar Probleme auf mit dem Zeitplan für die Tagungen; in einigen Städten gibt es Überschneidungen mit anderen Veranstaltungen, so daß wir die Termine vielleicht ändern müssen. Eigentlich hatte ich mir die Abfolge so vorgestellt: Cardiff – Ende März, Liverpool – Mitte April, Birmingham – Anfang Mai, Glasgow – Anfang Juni und zu guter Letzt London – Mitte Juli. Schwierigkeiten gibt es mit Cardiff und Glasgow, aber ich denke, daß ich das hinbekomme, ohne den gesamten Ablauf durcheinanderzubringen. Der Entwurf stammt sowieso von mir, ich muß es also gar nicht an die große Glocke hängen, wenn ich etwas daran ändere.

NB: Nimm alle ursprünglichen Pläne mit nach Hause und vernichte sie. Die dünne Clare könnte sie sonst in die Hände bekommen und später gegen dich verwenden.

Im Anschluß an die Birmingham-Tagung werde ich wohl oder übel zu meiner Mutter fahren müssen und dort das Wochenende verbringen; sie wohnt nur vierzig Minuten vom Zentrum entfernt, es führt also kein Weg daran vorbei.

Dad hat heute in der Arbeit angerufen und mich mit seinen »Weshalb-hast-du-nicht-zurückgerufen«-Vorhaltungen bedrängt. Als ob ich mit dem bevorstehenden Essen nicht schon genug am Hals hätte – DEM ESSEN, das über meine weitere Zukunft entscheiden wird! Habe Dad gesagt, daß ich wirklich sehr beschäftigt gewesen bin et cetera. Ich bekam mit, wie Jennifer im Hintergrund wissen wollte: »Gibt es etwas Neues bei ihr?« Die Frau hat wirklich ihren Beruf verfehlt – sie hätte unbedingt Politesse werden sollen. Wie kann man in ein Wort nur so viel Gehässigkeit legen – »Neues«, »Neues«, von wegen »Neues«. Ich weiß genau, was sie damit meint, nämlich: »Ist Jack endlich verlobt, wenn nicht, hat sie wenigstens einen Freund? Ist sie im Job befördert worden? ... Kurz, hat sie irgend etwas *Erwähnenswertes* zustande gebracht, während wir weg waren?« In einem Anfall von Panik habe ich mich zu einer Antwort hinreißen lassen und gesagt: »Ja, ich habe einen neuen Freund, wir kennen uns aber noch nicht lange, es gibt also nicht viel zu erzählen.« O MEIN GOTT – welcher Teufel hat mich da geritten! Jetzt sitze ich wirklich in der Tinte ... Warum habe ich mich nicht gleich aufs Fahrrad geschwungen und Jennifer mein Tagebuch vorbeigebracht – zusammen mit einer kleinen Notiz: »Blättere nach Herzenslust darin herum und lies alles, was du willst. PS: Laß auch die Stellen über dich und deine Kinder nicht aus.« Das wäre doch viel kürzer und schmerzloser gewesen. Die Sache mit dem Freund ist mir einfach so herausgerutscht, ich konnte mich nicht beherrschen. Der Neid auf alle Erfolgreichen fraß an mir, ich wollte auch einmal etwas Interessantes berichten. Oh, vielleicht sollte ich nicht so viel Aufhebens um die Sache machen. Ich denke, ich habe ein wenig überreagiert; so schlimm ist das Wort »Neues« nun auch wieder nicht, oder?

NB: Verpasse dem neuen Freund ein interessantes Profil, lerne alle Details auswendig, denn du mußt für Jennifers Fragen gut gerüstet sein. Wenn sie dich nämlich unvorbereitet erwischt, fallen dir womöglich nur so haarsträubende Sachen ein wie Filmstar oder bedeutender Politiker. Obwohl letzteres vielleicht gar nicht schlecht wäre, denn dann müßte man Diskretion wahren, oder?

Wie dem auch sei, mit den Tagungen werde ich das schon hinkriegen. Je schneller, desto besser, weil Carlo Pozzi heute schon wieder angerufen hat! Hat der Mann eigentlich nichts anderes zu tun? Er fragt nie nach den Tagungen selbst, sondern unterhält sich einfach nur und will wissen, wie es mir geht, was ich mache und so. Was führt er bloß im Schilde? Hm, vielleicht benutzt er den gleichen Trick wie ich und versucht, jemanden aus seinem Büro durch interessante Privatgespräche zu beeindrucken.

Vier Uhr früh. Kann nicht schlafen ... Fasten hält anscheinend munter. Bin natürlich vor allem deshalb so aufgedreht, weil ich schon die ganze Zeit nach möglichst vielen spritzigen und geistreichen Bemerkungen für DAS ESSEN morgen suche ... Oh, nicht morgen, sondern heute, stimmt's? Am liebsten würde ich den ganzen Gesprächsverlauf im voraus planen; schwierig daran ist nur, daß man nicht weiß, was der andere sagen wird. Wenn sich so etwas schon nicht genau vorhersagen läßt (schwierig, ich weiß), so wäre es immerhin hilfreich, Andys Gesprächsthemen ungefähr zu erahnen. Ich könnte mich dann entsprechend vorbereiten und mit ein paar Anekdoten aufwarten, die mich besonders intelligent und anziehend erscheinen lassen. Ich werde eine Liste zu erwartender Themen erstellen und mir ein paar gute Kommentare überlegen. Anschließend rufe ich Sally an und gehe alles mit ihr durch.

NB: Melde dich bei Sally nicht vor sieben Uhr früh! (Dan kann es nicht leiden, wenn ich sie zu nachtschlafender Zeit wecke, vor allem weil er das Ganze sowieso für Quatsch hält.)

Mein Essen mit Andy
Mögliche Themen – geeignete Erwiderungen

Wenn er nach der Arbeit fragt – sag, daß du alles unter Kontrolle hast, und erzähle irgendeine lustige Anekdote über Mr. Bowyer und den Vorfall auf dem Parkplatz – es spielt keine Rolle, daß es gar keinen Vorfall gegeben hat, denk dir einfach etwas Passendes aus. Vorsicht – sag nichts in der Richtung, daß Männer bei Autos manchmal etwas eigen sind, vor allem bei teuren.

Wenn er nach deiner Wohnung fragt – sprich weder über den Typ von unten noch über sein lautes Liebesleben; erzähl statt dessen von Mrs. Mellish, ihrem hohen Alter und daß du regelmäßig nach ihr siehst. Vorsicht – es muß sich so anhören, als ob du die Besuche bei Mrs. M. gerade noch in deinem vollen Terminkalender unterbringen kannst – nicht so, als hättest du nichts Besseres zu tun.

Wenn er sich nach deiner Familie erkundigt – kein Wort darüber, daß dich der Hühnerpopo-Mund deiner Mutter immer noch aus der Fassung bringt. Und daß dein Dad mit einem Muster an Tugendhaftigkeit verheiratet ist. Auch deine Stiefschwester Bee solltest du nicht erwähnen, allein schon ihr Name könnte sein Interesse wecken. Erzähle, daß in deiner Familie ein enger Zusammenhalt besteht und daß ihr euch regelmäßig seht. Dies ist aus zwei Gründen erforderlich: Erstens, weil eine solche Familie weniger Gesprächsstoff bietet als eine verbitterte, überkandidelte Mutter in Worcestershire und ein einschüchternder Vater mit neuer Ehefrau. Zweitens könntest du ein wenig neurotisch wirken, wenn du dich über deine Familie ausläßt.

Wenn er nach früheren Beziehungen fragt – sag nichts vom perfekten Peter oder daß er den Job in New York angenommen hat. Andy könnte dich sonst für eine Klette halten – jemanden, den man nur loswird, indem man den großen Teich überquert. Behaupte einfach, es gäbe schon seit einer Weile niemand Festes mehr in deinem Leben. Dann stehst du weder als Nonne noch als Flittchen da, sondern bewegst dich irgendwo in der Mitte – genau das, was Männer haben wollen, oder?

Ich denke, die wichtigsten Themen wären damit abgedeckt, nicht wahr? Ich meine, wenn er anfangen sollte, von Kunst zu reden, von Filmen, Büchern (Hilfe) oder sonstigen

Dingen, auf die ich mich nicht vorbereitet habe, dann muß ich mich eben auf meine angeborene Schlagfertigkeit und meinen brillanten Verstand verlassen. Ha! Und er müßte den größten Teil der Unterhaltung allein bestreiten.

14. Februar

Sechs Uhr morgens. LIEBER GOTT, HILF MIR! LASS MICH STERBEN, ICH KANN DIE SPANNUNG KEINEN MOMENT LÄNGER AUSHALTEN!

Neun Uhr morgens. Höchste Alarmstufe. Bin nach den obigen Zeilen eingeschlafen und zu spät wach geworden; muß mich wahnsinnig beeilen; habe keine Zeit mehr, die Gesprächsthemen mit Sally zu besprechen. (Ich faxe ihr die Liste ins Büro durch. NB: Benutze einen Decknamen, falls einer ihrer Kollegen Andy kennt.)

Bin pünktlich zur Arbeit gekommen. Muß dringend etwas beichten. Also, um nicht lange um den heißen Brei herumzureden – ich habe auf dem Weg vier – na gut, viereinhalb – Mandelcroissants gegessen. Ich war so ausgehungert und übermüdet, daß ich Angst hatte, in ein hypoglykämisches Koma zu fallen und auf diese Weise DAS ESSEN ganz zu verpassen ... Mit den Knöpfen an meinem Kleid habe ich sowieso keine Probleme mehr. Sie halten gut ... zumindest, wenn ich gerade und aufrecht sitze. Außerdem zirkuliert im Moment dermaßen viel Adrenalin in meinem Körper, daß die Kalorien der Croissants bestimmt nicht bis zu meinem Busen vordringen ... oder?

15. Februar

Ich hab's vermasselt. Ja klar, wie hätte es auch anders sein können. Ich hab's vermasselt, vermasselt und nochmals vermasselt! Sie ist unwiderruflich dahin, meine einzige, absolut einmalige Chance auf Glück, Zufriedenheit, eine ganze Schar wundervoller Kinder ... und natürlich auch auf den Vorsitz in der Nachbarschaftshilfe, auf elterlichen Respekt, Beförderung, einen kleinen Po ... kurz, auf einfach alles. Und so ist es passiert – die Nachwelt soll ruhig erfahren, welche Schande ich über mich gebracht habe ... Vielleicht lerne ich ja etwas daraus. HA!

Andy kam während der Arbeit zu mir ins Büro und meinte: »Ich hole dich gegen Viertel vor acht ab, wenn es dir recht ist.« Ich habe geantwortet: »Okay, aber drück einfach nur auf die Klingel, ich komme dann sofort runter. Wir haben Holzschwamm im Treppenhaus, und die Sanierungsarbeiten machen unheimlich viel Dreck.« Eine Ausrede, klar, aber ich wußte, daß ich mehr als genug damit zu tun haben würde, mich einfach nur fertig zu machen. Ich konnte mich nicht noch mit der zusätzlichen Sorge belasten, was Andy von dem blinkenden Neon-Jesus in der Toilette halten würde. Hoffe nur, daß Gott sich nicht an mir rächt und mich tatsächlich mit Hausschwamm bestraft.

Bin den ganzen restlichen Tag auf dem Flur herumgelaufen und habe der dünnen Clare und der neuen Schreibfee Sarah irgendwelche Instruktionen zugebellt. Bin ihnen wahrscheinlich wie ein Rottweiler im Minirock vorgekommen, konnte aber einfach nicht ruhighalten.

Ach ja, als ich morgens ins Büro kam, lag da diese Karte auf meinem Schreibtisch. Vorne war ein großes rotes Herz abgebildet, das von einem Pfeil durchbohrt wird, und darunter stand zu lesen: »Kann es kaum erwarten, Sie wiederzusehen, XXX.« Wer, um Himmels willen, mag mir diese Karte zugedacht haben und weshalb? Mr. Bowyer? Jack von der Putzkolonne? Der Typ aus Swansea, der schon die ganze Zeit versucht, mir seine Tagungsstätte als Ort für unsere Veranstaltungen anzudrehen? Habe ich mir *so* Romantik vorzustellen? Soll das eine Valentinskarte sein? Enthält sie irgendeine geheime Botschaft, die ich nicht entschlüsseln kann? Mich macht das ganz verrückt ... Ich finde, es müßte Pflicht sein, Valentinskarten mit einem Absender zu versehen. Dann wüßte jeder, woran er ist. Und ich hätte nicht meine ganze Mittagspause opfern müssen, um auf den Schreibtischen meiner Kollegen herumzuschnüffeln und vergeblich nach der entsprechenden Handschrift zu suchen.

Habe mich wahnsinnig beeilt, aus der Firma zu kommen, und trotzdem den ersten Bus verpaßt. Nun, verpaßt kann man eigentlich nicht sagen. Ich habe den Bus gesehen, ihn praktisch berührt, bin aber nicht mehr hineingekommen. Der Fahrer hat die Türen geschlossen und absichtlich so getan, als würde er mich nicht bemerken. Dabei bin ich so nah herangekommen, daß ich mir fast die Brustwarzen in der Tür eingeklemmt hätte. Und dieser dämliche Fahrer hat mich ignoriert, obwohl ich einen wilden Tanz vor seiner Scheibe aufgeführt und ihn praktisch auf Knien angefleht habe, mich doch noch reinzulassen. Wundervoller Auftritt! Mit dieser Linie kann ich jetzt wohl nicht mehr fahren. Mutter auf dem Anrufbeantworter, wehleidig wie immer; außerdem eine Nachricht von Sally, die mir viel Glück für den Abend wünschen wollte. Ich hatte völlig vergessen, ihr besagte Liste zu faxen. Wenn das mal nicht der entscheidende Fehler war!

Habe ein Bad genommen, mir anschließend die Beine rasiert und es dabei irgendwie geschafft, die ersten drei Hautschichten meines Knies abzuschälen – man könnte wirklich meinen, daß dort eine Hauptader verläuft –, Blut, wohin das Auge sah, und keine Zeit, es wegzuwischen.

NB: Jetzt hätte ich Andy erst recht nicht in die Wohnung lassen können – bei dem Bad! Es sah aus, als hätte ich dort ein Lamm geopfert oder etwas in der Art.

Konnte natürlich kein Pflaster finden, habe statt dessen eine Slipeinlage und etwas Klebeband genommen. Der Schnitt war richtig tief – da half nur noch beten, daß die Wunde während des Essens nicht brandig wird. Mein Gott, man stelle sich Andys Begeisterung vor – wenn wir uns am Ende eines wunderschönen Abends vom Tisch erheben würden und ich die Hälfte meines Beins verloren hätte.

Habe mich anschließend in mein neues Kleid gezwängt. Die Knöpfe wirkten einigermaßen stabil – vor allem mit dem Minimizer-BH darunter. Ich hatte schon länger keine Gelegenheit mehr gehabt, diesen BH zu tragen. Den Vorbau drängt er zwar zurück, doch die Fleischmassen müssen natürlich irgendwo bleiben. Also weichen sie in die Horizontale aus und legen sich ringförmig um den Körper – ein Gefühl, als hätte einem jemand weiche Gurken unter die Achseln geklemmt.

Andy hat mich mit einem Taxi abgeholt, und wir sind zu diesem vornehmen, wirklich schönen Restaurant in der Stadt gefahren. Ich war furchtbar aufgeregt und nervös, aber anstatt dieses Problem auf die coole, kontrollierte Art einer emanzipierten Geschäftsfrau der Neunziger anzugehen, gebärdete ich mich wie ein trotziger Teenager und hatte bereits drei Wodka Tonic intus, bevor wir an unseren Tisch geführt wurden. Wir fingen an, uns zu unterhalten, Andy bestellte einen ausgezeichneten Wein, und ich denke, daß ich zumindest phasenweise noch einigermaßen deutlich gesprochen habe. Ich kann mich allerdings nur verschwommen daran erinnern, denn nach dem ersten Glas war ich bereits so betrunken, daß ich alle Mühe hatte, wachzubleiben. Am liebsten hätte ich den Kopf auf den Tisch gelegt und ein kleines Nickerchen gehalten. Dabei waren wir nicht einmal bei der Vorspeise angelangt.

Um es kurz zu machen – ich habe keine Ahnung, wie der weitere Abend verlaufen ist. Was nach dem Hauptgang passiert ist, liegt für mich völlig im dunkeln. Ich weiß nur, daß ich heute morgen in meinem eigenen Bett aufgewacht bin, mein Mund pelzig, als habe jemand Stroh hineingestopft, und mein Körper nackt bis auf den Minimizer und den Schlüpfer... Selbst die improvisierte Bandage an meinem Bein war verschwunden. Wer immer mich ins Bett gebracht hat, mußte sich nicht nur mit einer zentnerschweren Scheintoten, sondern dazu auch noch mit einer blutdurchtränkten Slipeinlage abmühen. Ich habe keine Ahnung, wie ich hierher gekommen bin, was ich angestellt habe und – was am allerschlimmsten ist – wer mich ausgezogen hat. Es gibt eigentlich nur zwei Möglichkeiten, eine peinlicher als die andere: Entweder stand ich so lange schwankend vor der Haustür, bis mich der Typ aus dem Erdgeschoß aufgelesen und sich meiner erbarmt hat – oder es war Andy selbst, der mich nach oben gebracht und mir die Sachen vom Leib gestreift hat, bevor er gegangen ist. Im letzteren Fall nehme ich am besten gleich eine Überdosis Schlaftabletten. Heute ist Samstag, noch zwei Tage also, bis wir uns im Büro wiedersehen. Bis dahin muß ich mich entweder umbringen oder aber herausfinden, was genau geschehen ist.

NB: Wenn es wirklich Andy war, weshalb hat er mich dann nicht ganz ausgezogen? War mein halbnackter Anblick, vor allem mit Minimizer, so furchterregend, daß er gleich nach dem ersten Hinschauen zur Tür gestürzt ist?

Bin fast den ganzen Tag im Bett geblieben, habe sogar das Telefon klingeln lassen. Ich fühlte mich einfach nicht in der Lage, mit irgend jemandem zu sprechen, nicht mal mit Sally – sie muß mindestens 94mal angerufen haben. Irgendwann später habe ich schließlich doch beschlossen herauszufinden, was in den fraglichen Stunden passiert ist. Ich bin also nach unten gegangen, um den Typ im Erdgeschoß nach einem Aspirin zu fragen. Mußte wirklich all meinen Mut zusammennehmen, um dieses Vorhaben auszuführen. Ich stand noch etwas unschlüssig vor seiner Wohnung, als er plötzlich zur Tür herausgestürmt kam. »Ich hab' Sie ja eine Ewigkeit nicht gesehen, wie geht's?« war das erste, was er sagte. Ich habe nur schnell eine Entschuldigung gemurmelt und bin wieder nach oben geschlichen. Das war's dann also ... Kann mich jetzt ebensogut aus dem nächsten Fenster stürzen. Schließlich liegt klar auf der Hand, daß Andy nicht einmal beim Anblick meines so gut wie nackten, willenlosen Körpers in Versuchung geriet – welche Chancen habe ich dann, wenn ich angezogen und bei klarem Verstand bin??? Habe Sally am Ende doch zurückgerufen und ihr die ganze traurige Geschichte erzählt. Sie meinte, daß Andy ein wirklich netter Kerl sei, wenn er sich so um mich gekümmert und die Situation nicht ausgenutzt habe. Andererseits müsse man aber auch die männliche – sprich Dans – Perspektive in Betracht ziehen und käme dann zu dem Schluß, daß Andy schwul sei. Nun, das wäre natürlich eine gewaltige Erleichterung – ist aber ziemlich unwahrscheinlich. Es sei denn, der Sinneswandel hätte sich letzte Nacht vollzogen, ausgelöst durch meinen Anblick, bei dem Andy jegliche Lust auf Frauen verloren hat. Und was die These von dem »wirklich netten Kerl« angeht, so macht sie nur allzu deutlich, wie naiv Sally doch ist. Das Wichtigste hat sie mal wieder übersehen: Wenn Andy tatsächlich so nett wäre, würde er sich gar nicht erst mit mir verabreden, oder? Ich muß schon sagen, manchmal kapiert Sally wirklich gar nichts.

Ich sehe keinen Ausweg aus dem Dilemma. Wenn ich Selbstmord begehe, regt sich meine Mutter furchtbar auf – und macht mir bloß ein schlechtes Gewissen. Andy einfach auf den Abend anzusprechen geht natürlich auch nicht. Eher würde ich mir ohne Betäubung die Zunge piercen lassen. Eine Kündigung kommt, glaube ich, ebensowenig in Frage ... dann schon eher eine Versetzung, aber so etwas dauert ... Rein theoretisch bin ich ja Andys Vorgesetzte, da kann ich es mir erlauben, ihm einfach die kalte Schulter zu zeigen, sollte er sich je wieder in meine Nähe wagen (was sicher nicht der Fall sein wird). Und ich werde nicht länger den Aufzug bei seinem Büro benutzen. Letzteres ist vielleicht die radikalste Maßnahme, da ich immer noch an seinem Büro vorbeimuß, um die anderen Lifts zu erreichen, und das könnte schon ein wenig merkwürdig wirken ... aber in Anbetracht der Umstände geht es nun mal nicht anders.

16. Februar

Hatte heute alle Hände voll damit zu tun, das angetrocknete Blut von den Badezimmerkacheln zu entfernen. Bin so mit meinem unrühmlichen Auftritt beschäftigt gewesen, daß ich gar nicht mehr an die Selbstverstümmelungs-Prozedur mit der Rasierklinge gedacht habe. War daher ziemlich erschrocken, als ich ins Bad kam und das Licht anmachte – der Raum sah aus, als hätten dort Dreharbeiten zu einer Neuverfilmung von ›Psycho‹ stattgefunden. Habe die besten Stunden des Tages geopfert und zwei Flaschen Flüssigreiniger verbraucht, bis alles wieder sauber war. Vielleicht sollte ich meine Beine in Zukunft lieber mit Wachs behandeln. Das einzige Problem dabei ist, daß man einen ziemlich dichten Haarwuchs haben muß, um das Zeug überhaupt verwenden zu können. Wahrscheinlich müßte ich warten, bis ich so viele Haare habe wie Sean Connery, der immerhin mit einem halben Urwald auf dem Rücken herumläuft. An den Beinen fände ich so etwas allerdings nicht sonderlich attraktiv – auf dem Rücken auch nicht, wenn ich mir's recht überlege ... Ist *mein* Rücken eigentlich behaart?

NB: Sieh mit Handspiegel im Badezimmerspiegel nach.

Da ich mich zur Zeit offenbar auf einem masochistischen Erniedrigungstrip befinde, habe ich beschlossen, aufs Ganze zu gehen und Mums Anruf zu erwidern. Wenn schon leiden, dann richtig. Am Anfang die übliche Leier von wegen, ich würde mich nicht oft genug bei ihr melden und und und, dann Themenwechsel zu Dads bevorstehendem sechzigsten Geburtstag. »Weißt du, ob er vorhat zu feiern? Nicht, daß mich das etwas angeht, ich rechne sowieso nicht damit, daß er mich einlädt, weshalb sollte er auch, obwohl ... warum eigentlich nicht, schließlich habe ich dreißig Jahre mit deinem Vater zusammengelebt ...« Während sie weiter auf ihrem Lieblingsthema »Warum ich zu allen Anlässen eingeladen werden sollte, auch wenn ich gar nicht interessiert bin« herumritt, habe ich den Fernseher angestellt und mich ohne Ton durch die Programme gezappt. Jedoch ohne mit dem feinen Gehör meiner Mutter zu rechnen, denn plötzlich drang es aus dem Hörer: »Du schaltest ohne Ton zwischen den Programmen hin und her, nicht wahr? Ich kann das Klicken hören ...« Ich habe natürlich heftig widersprochen und die Fernbedienung durchs halbe Wohnzimmer geworfen, um das Beweismittel loszuwerden, aber meine Mutter wußte Bescheid. Einen Augenblick lang habe ich überlegt, sie mit ein paar Vertraulichkeiten aus dem Nähkästchen zu besänftigen und ihr von Andy zu erzählen, aber mir einen ihrer Vorträge über damenhaftes Benehmen anhören zu müssen, wollte ich dann doch nicht riskieren. Nach Ansicht meiner Mutter kann man einen Mann nur halten, indem man so tut, als sei man frei von jeglichen körperlichen Schwächen und Zwängen. Sie ist immer noch überzeugt, daß Dad die Scheidung aus dem Grund wollte, weil er sie einmal auf der Toilette gesehen hat. Sicher hätte sie ein paar interessante Tips auf Lager, wie ich Andys Respekt wiedergewinnen kann. Nachdem er mich in einem derart alkoholisierten Zustand erlebt hat, daß ich bewußtlos nach Hause geschleift werden mußte.

Oh, mir graust es vor morgen. Hoffentlich ist Andy nicht vor mir da und hat mir eine besonders geistreiche Nachricht auf den Tisch gelegt wie »Na, wieder bei Bewußtsein?« oder so.

17. Februar

Kam heute morgen ins Büro und konnte mir nicht einmal den Kopf darüber zerbrechen, was Andy mit der dünnen Clare bei der Kaffeemaschine zu suchen hatte, weil fast zu gleicher Zeit ein Riesenstrauß roter Rosen für mich abgegeben wurde – mit einem Briefchen, in dem stand: »Als kleine Ergänzung zu der Karte!!« Das Ganze war mir schrecklich peinlich – die neue Schreibfee Sarah und ein paar der anderen Mädchen kamen an meinen Tisch und stießen bewundernde »Aahhs« und »Oohhs!« aus, während Andy und die dünne Clare einfach nur zu mir herüberstarrten. Bestimmt vermuteten sie, ich hätte mir die Blumen selber geschickt, um begehrt und umworben zu erscheinen. Ich habe da ein Buch ›Wie ich ihn doch noch rumkriege – 34 Schritte bis zum Heiratsantrag‹, in dem genau so etwas vorgeschlagen wird – nämlich sich selbst einen riesigen Blumenstrauß zu schicken, damit der Freund (oder wen immer man sonst zum Heiraten bewegen will) denkt, man habe einen heimlichen Verehrer, und furchtbar eifersüchtig wird. Es ist eines der Bücher, die ich gekauft habe, als die Sache mit dem perfekten Peter zu bröckeln begann – leider hat er mich verlassen, bevor ich es zu Ende lesen konnte. Wer weiß, wie die Geschichte ausgegangen wäre, hätte ich etwas flotter gelesen ... Die dünne Clare ist verlobt – vielleicht, weil sie das Buch kennt (und es *ganz* gelesen hat). Was, wenn sie Andy jetzt erzählt, die Blumen seien nur eine List? Ich weiß, daß es nicht so ist, aber wer nimmt mir das ab? Wer wird mir glauben, daß ich die Rosen tatsächlich von einem Verehrer geschenkt bekommen habe? Nun ja, immerhin haben sie für Ablenkung gesorgt, was mir eigentlich ganz recht war, da ich deswegen die Geschichte mit Andy etwas in den Hintergrund schieben konnte. Habe heute einiges in der Sache Pozzi erledigt und abgeklärt und anschließend kurz mit Bossy Bowyer gesprochen – er scheint sehr zufrieden mit meiner Arbeit zu sein. Ist schon erstaunlich, wie gut einem plötzlich der Job von der Hand geht, wenn man etwas anderes unbedingt verdrängen will ...

Ich war quasi schon auf dem Heimweg und wollte gerade ein Dankgebet gen Himmel senden, weil ich es geschafft hatte, Andy aus dem Weg zu gehen, als er zu mir in den Aufzug einstieg. Mir brach sofort der kalte Schweiß aus – aus Angst, er würde anfangen, über DAS ESSEN zu reden, hier im Aufzug, vor allen Leuten. Ich mußte ihn schnellstens ablenken – also habe ich einfach alle meine Unterlagen fallen lassen (er denkt wahrscheinlich, ich sei vom Saufen schon etwas tattrig geworden). Jedenfalls haben mir alle geholfen, die Papiere einzusammeln, und als ich sie wieder beisammen hatte, sah ich, daß Andy dastand und meine Tasche festhielt – seltsam, daß er sich dabei nicht lächerlich vorkam. Ich habe einfach nur gesagt: »Vielen Dank, oh, ich muß zum Bus«, und bin weggelaufen. Allerdings kann ich mich jetzt nicht jeden Tag durch solche Ungeschicklichkeiten retten – für morgen muß ich mir ein paar bessere Ausreden ausdenken.

Habe bei der alten Mrs. M. vorbeigeschaut, als ich nach Hause kam, und ihr von meinem peinlichen Auftritt in besagter Nacht erzählt. Konnte sogar fast schon wieder darüber lachen. Und Mrs. Mellish hat sich königlich amüsiert, vor allem als ich auf die Episode mit der Slipeinlage zu sprechen kam. Sie fand, es sei wirklich zum Schreien komisch – die Vorstellung, wie ein Mann nervös durch die Wohnung läuft und sich »eines dieser Dinger mit Spezialsaugfläche und extra schützenden Flügeln« zu entledigen versucht. Außerdem meinte sie: »Jetzt, wo er Sie in dieser schlimmen Verfassung erlebt hat, kann es ja eigentlich nur noch besser werden.« Stellt sich nur noch die Frage, ob ich nicht noch Schlimmeres zu bieten habe. Ich habe es nicht über mich gebracht, ihr von meiner fortgeschrittenen Cellulitis zu erzählen – schließlich muß man den Leuten nicht auf die Nase binden, *wie* übel die eigene Verfassung tatsächlich ist, von meinem Hängebusen einmal ganz abgesehen. Aber es hat trotz allem gutgetan, das Debakel einmal mit etwas Humor zu betrachten ... Schade nur, daß die einzige Person, bei der ich wirklich ich selbst sein kann, eine dreiundsiebzig Jahre alte, ans Haus gefesselte, pensionierte Gerichtsdienerin ist, die kaum noch etwas hört.

NB: Überprüfe, ob Geräusche aus Mrs. M.s Wohnung an anderen Stellen des Hauses zu vernehmen sind. Wenn die Unterleibs-Aktivitäten des Typs aus dem Erdgeschoß so klar und deutlich bis zu mir durchdringen, wie sie es erwiesenermaßen tun, dann ist es umgekehrt durchaus möglich, daß er jedes Wort aus Mrs. M.s Wohnung mitkriegt – vor allem in Anbetracht der Lautstärke, die man anschlagen muß, damit sie überhaupt etwas versteht.

NB: Bin ein wenig getröstet, habe heute die Zusage für mein »Ohne-Cellulitis-leben-lernen«-Seminar erhalten. Es handelt sich um einen ganztägigen Intensivkurs, der am dritten März-Samstag in einer ehemaligen Moschee in Crawley stattfinden soll. Ich frage mich, ob das wirklich der Veranstaltungsort ist ... Soweit ich weiß, dürfen Frauen in Moscheen nicht hinein, oder zumindest nicht mit Schuhen.

18. Februar

Habe Andy heute den ganzen Tag nicht gesehen. Zuerst war ich richtig erleichtert, bin dann aber doch in Panik geraten, aus Sorge, er habe sich versetzen lassen oder etwas in der Art. Habe schließlich erfahren, daß er auf einem Fortbildungsseminar ist und vor nächstem Montag nicht wiederkommt. Ich denke, die Chancen, daß er unseren kleinen Vorfall bis dahin vergessen hat, stehen schlecht ...

Carlo Pozzi hat angerufen. Ich bin noch einmal alles mit ihm durchgegangen, habe ihn über die gebuchten Tagungsorte sowie den ungefähren Zeitplan informiert und denke, daß er soweit ganz zufrieden war. Am Ende unseres Gesprächs meinte er dann plötzlich: »Übrigens, wie haben Ihnen denn Ihre Blumen gefallen?« Wirklich großartig. Vielen Dank, Clare, mit einem Kunden über mich zu reden ... Es könnte natürlich auch die neue Schreibfee Sarah gewesen sein, vielleicht hat sie irgendwann kurz mit ihm darüber gesprochen ... Irgend jemand aus der Firma muß es jedenfalls gewesen sein – wie sonst hätte er davon wissen können? Ich habe geantwortet, daß sie mir sehr gut gefallen hätten et cetera, daß ich aber nicht wüßte, von wem sie eigentlich stammten. Und dann hat er etwas sehr Merkwürdiges gesagt: »Ist Ihnen denn nicht klar, daß Sie einen heimlichen Verehrer haben?« Ich erwiderte: »Nein, das halte ich für ziemlich unwahrscheinlich. Ich denke eher, daß meine Freundin Sally dahintersteckt. Sie möchte mir helfen, begehrt und attraktiv zu wirken«, woraufhin Pozzi in lautes Gelächter ausbrach und sagte: »Nun, da braucht sie sich jedenfalls nicht besonders anzustrengen.« Ich muß schon sagen, der Mann ist wirklich eigenartig ... Er wird sich doch hoffentlich nicht mit meinen Kollegen zusammengetan haben, um mir einen dummen Streich zu spielen? Ich hätte ihm nichts von meinem Verdacht sagen sollen, daß Sally vielleicht die Blumen geschickt hat. Wie stehe ich jetzt da – ziemlich bedauernswert und jämmerlich, nicht gerade die Attribute einer kühlen Geschäftsfrau, oder? Andererseits sollte ich mir auch nicht zu viele Gedanken machen – vielleicht wollte Pozzi einfach nur ein wenig Konversation machen und freundlich sein. Möglicherweise gehört er zu der Sorte Mensch, die nicht weiß, wie man mit Geschäftspartnern eine etwas persönlichere Unterhaltung führt, und sich deshalb bei Empfangsdamen oder Sekretärinnen erkundigt, ob es in letzter Zeit irgendwelche besonderen Vorkommnisse im Büro gegeben hat. Wenn bei uns zum Beispiel die Aufzüge steckengeblieben wären, hätte er wahrscheinlich ein Gespräch über Hydraulik begonnen.

Habe mit Dad telefoniert und vereinbart, daß ich ihn und

Jennifer morgen abend besuchen komme – welch Glück, welche Wonne. Hätte mich beinahe verplappert. Jennifer hat nämlich im Hintergrund gerufen: »Und sag ihr, daß sie ihren neuen Freund mitbringen soll, wenn sie mag.« Ich wollte schon erwidern: »Was denn für einen Freund?«, konnte mich aber gerade noch bremsen. Das war ziemlich knapp. Habe mich dann herausgeredet, er sei im Moment verreist.

NB: Wenn ich mich morgen stark genug fühle, werde ich etwas anziehen, worin ich besonders fett aussehe – damit Dad sich so richtig schön ärgert.

NB: Habe das gerade noch mal durchgelesen. Ich glaube, ich bin wirklich reif für eine Therapie. Werde gleich heute abend an die Klinik schreiben.

Ich frage mich, wie ausführlich ein solcher Brief wohl sein muß? Diese Kliniken werden wahrscheinlich mit Bewilligungsanträgen überschwemmt und wählen deshalb nach einer Art »Wahnsinns-Skala« aus – je verrückter man ist, desto schneller bekommt man einen Termin. Aber wo ich mich jetzt schon mal zu dem Schritt durchgerungen habe, bin ich nicht gewillt, jahrelang auf der Warteliste zu stehen, nur weil sich irgendein Axtmörder, der mit seiner Mutter geschlafen hat, vordrängelt. Werde mich bemühen, ziemlich neurotisch zu klingen. Also, auf geht's:

Liebe Klinik zum Inneren Kind,

Redet man eine Klinik mit »liebe« an? »Sehr geehrte Damen und Herren« kommt mir irgendwie unpersönlich vor, als sollte der Brief vor dem gesamten Klinikpersonal verlesen werden. Eigentlich wäre es gar nicht schlecht, wenn »liebe« unpassend wäre. Denn wenn jemand noch nicht mal weiß, wie man einen förmlichen Brief schreibt, dann ist das auch irgendwie verrückt, oder?

Liebe Klinik zum Inneren Kind,

ich bin verrückt – können Sie mir helfen?

Liebe Klinik zum Inneren Kind,

ich trage immer nur dann Jeans, wenn ich meinen Vater besuche – weil ich nämlich weiß, wie sehr er sich über meinen dicken Hintern aufregt. Finden Sie das normal?

PS: Zu Ihrer Information: Mein Vater ist mit einer schlanken Frau verheiratet.

Liebe Klinik zum Inneren Kind,

es bereitet mir Schwierigkeiten, mich damit abzufinden, daß Größe 38 von Marks & Spencer nicht sonderlich bequem zu tragen ist – wissen Sie eine Lösung?

Liebe Klinik zum Inneren Kind,

ich glaube, daß Cellulitis eine Krankheit ist, von der nur minderwertige Subjekte heimgesucht werden – spricht das für geistige Stabilität?

Warum schreibe ich diese Entwürfe nicht einfach so, wie sie sind, auf ein Blatt Papier und schicke sie ab? Sie machen meine Probleme deutlich, wirken aber gleichzeitig ziemlich wirr und chaotisch – was meine Chancen auf baldige Behandlung sicher erhöht.

NB: Muß daran denken, den Brief in einem anderen Stadtteil einzustecken. Möchte nicht riskieren, daß jemand vom hiesigen Postamt meine Handschrift erkennt.

NB: Vermute, daß ich bald meine Tage bekomme. Konnte zwar noch keine nennenswerte Vermehrung der Barthaare feststellen, bin dafür aber in Tränen ausgebrochen, als in den Nachrichten gezeigt wurde, wie Queen Mum tattrig auf irgendeiner Eröffnungsveranstaltung herumtapste. Habe offensichtlich jenes erfreuliche Stadium der prämenstruellen Phase erreicht, wo ich einerseits heule, wenn nur irgend jemand seinen Bus verpaßt, und andererseits wild um mich ballern könnte, wenn ich einen kaputten Einkaufswagen bei Sainsbury's erwische.

NB: Vergiß nicht, ein neues Paket Binden zu kaufen (für mittlere bis starke Blutung).

19. Februar

Habe heute wahnsinnig viel geschafft in der Arbeit, jetzt, wo Andy nicht da ist. Es tut richtig gut, sich einmal keine Gedanken darüber machen zu müssen, was für eine Figur man gerade abgibt. Habe mittags eine Kleinigkeit mit der dünnen Clare gegessen, sie ist übrigens wirklich ganz in Ordnung. Sie hat von ihrem Freund Paul gesprochen und erzählt, daß er derjenige ist, der unbedingt heiraten will. Sie dagegen würde lieber ohne Trauschein mit ihm zusammenleben und alles so belassen wie bisher. Ich überlege, ob sie das nur gesagt hat, um mich aufzumuntern? Am Schluß meinte sie dann noch, daß sie Paul zwar wahnsinnig gern habe, sich manchmal aber auch nach Unabhängigkeit sehne. »Ich stelle mir oft vor, wie es wäre, jederzeit ausgehen zu können und ungebunden zu sein, so wie du, Jacqueline . . .« Seltsam, aber ich glaube, sie meinte es wirklich ernst. Bei meiner Mum könnte ich jedesmal aus der Haut fahren, wenn sie von mir als ihrer »unabhängigen Tochter« spricht. (Frage: Warum klingt das Wort »unabhängig« sofort nach »lesbisch«, »Mauerblümchen«, »unfähig, eine Beziehung aufrecht zu halten« oder »eine absolute Enttäuschung in jeder Hinsicht«, sobald es von einer Mutter in den Mund genommen wird?) Bei der dünnen Clare hatte ich jedoch nicht den Eindruck, daß sie mich beleidigen wollte . . . sehr merkwürdig. Dieser Paul muß schon ein eigenartiger Kauz sein. So etwas habe ich bisher nicht für möglich gehalten – ein Mann, der zum Heiraten drängt! Ob Paul die ›34 Schritte‹ gelesen hat? Einige der Ratschläge hätte er allerdings ein wenig modifizieren müssen. Unter anderem auch den, der lautet, daß man seinem Freund jeden Abend einen blasen solle, bis er endlich mit dem Antrag herausrückt. Hm, dies ist zum Beispiel einer der unzähligen Bereiche, wo ich beim perfekten Peter versagt habe. Sosehr ich mich auch bemüht habe, ich konnte mich einfach nicht dazu bringen, Tag für Tag etwas hinunterzuschlucken, das mehr Kalorien hat als ein Schinkenbrot.

NB: Ich denke, mit Sperma verhält es sich ähnlich wie mit Alkohol und Fruchtsäften. Es enthält »leere Kalorien« – Energien, die der Körper nicht verwerten kann, von denen man aber trotzdem dick wird.

Bin gerade von Dad und Jennifer zurückgekommen. Überraschenderweise hat er keine Anspielungen auf mein Gewicht gemacht, dafür aber vielsagend die Augenbrauen in die Höhe gezogen, als ich mir eine Handvoll von den »Erlesenen Nußspezialitäten« genommen habe, die Jennifer zum Aperitif vor mich hingestellt hat – natürlich nur, um mich in Versuchung zu führen. Habe mich für diese Gemeinheit gerächt, indem ich auf dem Nachhauseweg ein Dreierpack Ferrero Rocher verspeist habe. Im übrigen war der Abend ganz erträglich. Sie haben von dem Haus erzählt, das sie irgendwo in Portugal gekauft haben, und sich dann nach meiner Arbeit, meiner Wohnung et cetera erkundigt. Bin gut gelaunt nach Hause gekommen, bis mir plötzlich aufging, daß sich niemand nach meinem angeblichen neuen Freund erkundigt hat ... Verdammt, Jennifer wollte mir so wohl zu verstehen geben, daß sie meine Lüge von Anfang an durchschaut hat – anders läßt sich dieses Desinteresse nicht erklären. Hm, vielleicht haben sie sich aber auch einfach nur an meine Erklärung gehalten, daß es nicht viel zu berichten gibt ... Tja, was ist denn nun wahrscheinlicher?

NB: Kann nicht einschlafen, im Erdgeschoß ist alles totenstill. Habe mich so an die quietschenden Sprungfedern und das heftige Stöhnen gewöhnt, daß sie fast wie eine Einschlafmelodie für mich geworden sind. Muß wirklich aufpassen, wenn ich das nächste Mal Sex habe. Sonst falle ich vielleicht in Tiefschlaf, sobald mein Partner schwerer zu atmen beginnt ... Zumal ich ja etwas anfällig bin für Pawlowsche Reflexe.

21. Februar

Sorry, hatte in den letzten Tagen nicht viel Zeit zum Schreiben, in der Arbeit war es furchtbar hektisch. Man stelle sich vor, der Typ von unten hat mich morgen abend zu einer Dinner-Party in seine Wohnung eingeladen. Hoffentlich hat er es nicht aus Mitleid getan, weil er denkt, ich käme sonst nie unter die Leute. O Gott, und hoffentlich ist es nicht deshalb, weil er für ein Jahr oder so weg muß und einen Dummen braucht, der seine Pflanzen gießt, ihm die Post nach Guatemala (oder wohin auch immer) nachschickt und seinen Wagen umparkt, falls die Straße neu gepflastert wird. Ist allerdings ziemlich unwahrscheinlich – denn er hat mit Kunststoffen zu tun, und es gibt daher eigentlich keinen triftigen Grund, weshalb er für längere Zeit in den Dschungel versetzt werden sollte.

NB: Erwähne auf gar keinen Fall – auch nicht, wenn die Konversation furchtbar schleppend sein sollte –, wie hellhörig das Haus ist und wie gut du das Liebesleben deines Gastgebers akustisch vom Wohnzimmer aus verfolgen kannst. Hüte dich außerdem, ihn als den »Typ von unten« zu bezeichnen. Ich glaube, mit richtigem Namen heißt er Richard ... ähm, Roger ... oder doch Charles? Nein, es war Richard ... Oh, am besten warte ich, bis ihn jemand mit seinem Namen anspricht, die anderen Gäste werden sicher wissen, wie er heißt. Es sei denn, außer mir kommt nur noch die alte Mrs. M. – o je, hoffentlich hat er sie nicht auch eingeladen. Ist zwar etwas gemein von mir, aber ihr wäre durchaus zuzutrauen, daß sie plötzlich anfängt, die Melodie aus der Fitneßwerbung zu summen, und mir dabei vielsagend zuzwinkert – sie hat nun mal eine Schwäche für Insider-Witze.

23. Februar

Sorry, habe gestern nichts geschrieben. Also, irgendwie bin ich es leid, mich ständig zu entschuldigen ... Schließlich zwingt mich niemand, Tag für Tag etwas einzutragen, es ist mein Tagebuch, da kann ich soviel oder sowenig hineinschreiben, wie ich will ... Okay, okay, ich weiß, daß ich regelmäßig etwas eintragen sollte, weil es sonst kein richtiges Tagebuch ist; es ist aber nicht leicht – sich täglich die Zeit dafür zu nehmen und sich immer wieder aufs neue zu motivieren. Aber ich sehe es ein und verspreche, mich zu bessern. Von jetzt an will ich versuchen, keinen Tag mehr auszulassen, und wenn ich nur ein »Hallo« oder ein »Habe letzte Nacht gut geschlafen« notiere, okay? Würde mich so wenigstens an die Regeln halten ... Eine Zeile zählt doch wohl, oder etwa nicht? Oh, was bin ich heute gereizt. Scheine diesmal ganz besonders unter dem prämenstruellen Syndrom zu leiden; bin heute morgen mit schlimmen Schmerzen im Kiefer aufgewacht – wahrscheinlich habe ich die ganze Nacht mit den Zähnen geknirscht; erstaunlich, daß ich nicht den ganzen Mund voller Quecksilberstückchen hatte. Andys Existenz habe ich offenbar völlig verdrängt – habe schon seit Tagen weder an ihn noch DARAN gedacht. Bin anscheinend blockiert (sagt das Therapiebuch). Entweder das – oder einfach nur gleichgültig. Letzteres ist allerdings wenig wahrscheinlich. Als ob es mir egal sein könnte, was Andy von mir hält, nachdem er mich in volltrunkenem Zustand nach Hause schleifen mußte ... Sally jedenfalls meint, es sei ein gutes Zeichen. Endlich könnte ich lernen, mich so zu akzeptieren, wie ich bin – mit meinen kleinen Fehlern und Schwächen (Warzen, Cellulitis, Schnurrbart, dickem Hintern, brüchigen Nägeln et cetera pp.) – VON WEGEN! Du meine Güte, Sally hat wirklich Nerven.

Andy ist ab morgen wieder in der Firma – das dicke Ende kommt also noch, vorausgesetzt, er schneidet mich nicht völlig, sondern legt mir statt dessen ein Informationsblatt der Anonymen Alkoholiker auf den Schreibtisch.

Oh, ich habe noch gar nichts über die Party bei meinem Nachbarn geschrieben (er heißt *tatsächlich* Richard, aber meine Bezeichnung paßt viel besser zu ihm). Es waren sechs Leute da: Ich (klar), der Typ von un ... Verzeihung, Richard, ein Kollege namens Graham, May und Will – ein Pärchen aus Glasgow – und dann noch dieses unverschämt hübsche Mädchen namens Tory. Zuerst dachte ich ja, der Name solle so etwas wie eine Sympathiebezeugung für eine gewisse politische Partei darstellen, aber es handelt sich schlicht um eine schrecklich niedliche Abkürzung von Victoria ... igitt! Im Laufe des Abends bin ich dann zu dem Schluß gekommen, daß Tory Erdgeschoßtyps Partnerin bei seinen geräuschvollen Sexspielchen sein muß – ihrem Nebelhornlachen nach zu urteilen. Es war eigentlich ein sehr netter Abend, außer daß man mir als erster vom Nachtisch angeboten hat, den ich bedenkenlos und höflich angenommen habe – ohne zu ahnen, daß May und Tory ihre Portion ablehnen würden! Wann werde ich es je lernen? Du darfst es NIE, WIRKLICH NIE, zulassen, daß man dir vor allen anderen Gästen den Nachtisch serviert. Denn sonst stehst du als DIE FETTE, GIERIGE da, die von den anderen mitleidig belächelt wird, während sie sich mit reinem, überlegenem Gefühl in Enthaltsamkeit üben ... und wahrscheinlich bringen sie es nur so fertig, auf den Nachtisch zu verzichten. Eigentlich würden sie nämlich selbst gern welchen essen, aber die Lust vergeht ihnen schnell, wenn sie sehen, wie irgend so eine FETTE KUH das Zeug hinunterschlingt.

NB: Generelle Regel: Die Leute merken immer erst dann, wie fett du bist, wenn sie dich beim Nachtisch- oder Schokoladeessen ertappen. Wenn du also bei einer Dinner-Party den Nachtisch unbedingt haben mußt, dann iß ihn wenigstens nicht am Tisch. Sieh zu, daß du beim Abräumen helfen kannst – sicher gibt es ein paar günstige Augenblicke in der

Küche, wo du die Reste ohne Zeugen in dich hineinlöffeln kannst. WAS NIEMAND SIEHT, ZÄHLT AUCH NICHT. Nur wenn du vor Fremden oder Leuten ißt, die dir ein schlechtes Gewissen einflößen, nimmst du zu.

Im nachhinein kommt es mir fast so vor, als ob dieses ganze Essen extra so konzipiert war, daß ich mich wegen meines Gewichts schlecht fühlen sollte. Habe es geschafft, als letzte zu erscheinen, obwohl ich nur eine Etage höher wohne – worüber Richard auch gleich einen Witz gerissen hat. Dabei war ich schon um halb sieben fertig, und um acht sollte es erst losgehen. Ich wollte aber auf keinen Fall zu früh kommen – so etwas wirkt spießig und vermittelt den Eindruck, man hätte sonst nichts zu tun. Ich habe also extra noch eine ganze Weile Fernsehen geguckt (ohne Ton, damit man es unten auf keinen Fall hören konnte), um mich ganz cool zu verspäten. (Was immer man darunter zu verstehen hat – ob es wohl irgendeinen Ratgeber gibt, in dem man nachlesen kann, wie viele Minuten genau eine »coole Verspätung« ausmachen? Das wäre schön zu wissen. Anscheinend falle ich nämlich immer unter zwei wenig wünschenswerte Kategorien: Ich bin entweder »bemitleidenswert früh« oder »zu spät, um noch den Anschluß zu finden«.) Mir ist inzwischen klar, daß ich – um so richtig cool zu wirken – durch meine Wohnung rasen und ein paar schwere Sachen hätte umstoßen müssen. Wenn sich die Frauen in der Werbung verspäten – weil sie ihre Tage haben, ihre Beine rasieren oder ihr Haar waschen –, laufen sie immer hektisch umher, hüpfen auf einem Bein, während sie sich die Hosen hochziehen, und lassen dabei Schuhe und alles mögliche andere fallen – oder etwa nicht?

Dieser Knabe namens Graham war leicht übergewichtig, ein Grund vielleicht, weshalb Richard mich eingeladen hat – eine kleine dicke Freundin für seinen kleinen dicken Freund.

Das Essen hat aber trotz allem sehr gut geschmeckt, Richard ist ein ausgezeichneter Koch. Will, ein Schotte, war offenbar ein sehr amüsanter Unterhalter – ich kann dies nicht persönlich bestätigen, da ich kein einziges seiner Worte verstanden habe. Die anderen Gäste jedoch brachen bei fast jeder seiner Bemerkungen in schallendes Gelächter aus oder grinsten zumindest. Sofern er also nicht gerade unter irgendeinem schrecklichen Sprachfehler litt, was ich ebenfalls nicht beurteilen konnte, muß er sehr geistreich gewesen sein. Bin schließlich dazu übergegangen, genau auf die Mimik der anderen zu achten, um beim kleinsten Anhaltspunkt ebenfalls in beifälliges Gelächter auszubrechen – einmal ist es mir sogar gelungen, den anderen zuvorzukommen. Ich sah, wie seine Freundin anfing zu lächeln, als er zu einer neuen Geschichte ansetzte, und habe die Gelegenheit sofort beim Schopf ergriffen. Natürlich habe ich – wen wundert's – gelegentlich auch mal danebengelegen, vor allem, als sich am Ende herausstellte, daß es bei einer von Wills Geschichten – und zwar ausgerechnet der, bei der ich unaufhörlich gegackert und Kommentare wie »Ist ja urkomisch, zum Totlachen« abgelassen habe – um Massenstillegungen bei den schottischen Werften ging.

Ich hoffe, ich habe den Erdgeschoß-Typ nicht enttäuscht, weil ich nicht mit dem dicken Graham nach Hause gegangen bin. Ich meine ... Er war nicht interessiert an mir, und ich nicht an ihm ... Ich weiß nicht ... vielleicht hätte ich trotzdem mit ihm schlafen sollen, aus reiner Höflichkeit ... ich lasse meine Gastgeber nicht gerne hängen.

NB: Unvermeidbare Folge der Einladung wird wohl sein, daß ich irgendwann eine Gegeneinladung aussprechen muß ... ich überlege, ob ich es Richard heimzahlen und jemand dazubitten soll, der überhaupt kein Englisch spricht. Hm, oder wäre das zu kindisch? Eine Strafe verdient er aber auf jeden Fall, denn obwohl die letzten erst nach zwei Uhr gegangen sind, hat Torys Nebelhorn noch lautstark signalisiert, was er anschließend mit ihr im Schlafzimmer angestellt hat! Wahrscheinlich wollten sie mir beweisen, daß sie nicht nur ein köstliches, kompliziertes Drei-Gänge-Menü zubereiten und literweise Wein trinken können, sondern danach auch noch in der Lage sind, wilden Sex miteinander zu haben ... Die beiden sind bestimmt gleich am nächsten Morgen um sieben zu einem Zehn-Kilometer-Lauf aufgebrochen – ich war nur nicht früh genug auf, um sie starten zu sehen. Und sicher haben sie die anstrengendere Route vorbei an den Glascontainern genommen, beladen mit Rucksäcken, in denen die zahllosen leeren Flaschen vom gestrigen Abend steckten.

24. Februar

Habe Andy heute wiedergesehen. Er kam an meinen Tisch, um mir zu sagen, daß er für die Pellet-Bosse eine Art Werbebroschüre erstellen soll, irgend so einen »Was-die-Firma-macht-und-wer-wir-sind«-Hochglanzprospekt, der an Kunden und solche, die es werden wollen, verteilt wird – ähnlich wie bei der Labour Party. Er meinte, er müsse aus diesem Grund mit jedem Mitarbeiter einen Fototermin vereinbaren und wolle mich gleich als erste fragen, da ich ja im Augenblick mit einem der wichtigsten Aufträge betraut sei und sicher am wenigsten Zeit habe. Ich war dermaßen verblüfft, kein Wort zu BESAGTEM Abend zu hören, daß ich beinahe in den Fototermin eingewilligt hätte. Dabei kommt so etwas überhaupt nicht in Frage – ich würde anderen Leuten niemals irgendwelche Fotos überlassen, die ich vorher nicht selbst gesehen habe ... zumal sie mit Sicherheit noch ein wenig retuschiert werden müßten. Ich habe Andy daher mit der Ausrede abgespeist, daß ich vor kurzem selbst beim Fotografen gewesen sei, weil ich meiner Oma ein paar Porträtaufnahmen schenken wolle (die gute alte Oma, sie ist vor vier Jahren gestorben – aber seitdem mußte sie öfter als Vorwand herhalten als noch zu Lebzeiten). Ich habe Andy gesagt, daß ich gleich heute nach den Bildern suchen würde. Phantastisch, jetzt werde ich also ein paar hundert Pfund zum Fenster rauswerfen müssen, um mich irgendwo auf eigene Faust ablichten zu lassen. Aber was sind schon zweihundert Pfund, verglichen mit den Qualen, die ich sonst ausgestanden hätte. Ich mag es mir nicht einmal vorstellen – Andy und die neue Schreibfee Sarah, wie sie die Abzüge durchgehen und sich kichernd über mich lustig machen, weil ich hier vielleicht eine Grimasse schneide oder dort diesen typischen Foto-Stierblick aufgesetzt habe – so als würde man einem Exekutionskommando gegenüberstehen oder hätte seine Hosen verkehrt herum angezogen.

Wie dem auch sei, Andy hat BESAGTEN Abend mit keinem Wort erwähnt und war statt dessen den ganzen Tag überaus freundlich und nett. Was hat das nur zu bedeuten? Habe bei Sally angerufen, um zu hören, ob sie sich einen Reim auf dieses merkwürdige Verhalten machen kann. Sie war jedoch nicht da, mußte daher mit Dan dem Schatz vorliebnehmen. Ich habe ihm erzählt, was passiert ist, er aber meinte lapidar: »Hab' ich dir nicht gesagt, daß er schwul ist? Wahrscheinlich träumt er von nichts anderem mehr als von seinem Fleischer oder sonst irgendeinem Kerl und hat die Sache mit dir total vergessen.« Mir war klar, daß er mich aufziehen wollte; habe ihn deshalb erneut gedrängt, mir doch bitte seine Meinung zu Andys seltsamen Spielchen zu sagen. »Ist dir jemals in den Sinn gekommen, Queline, daß er dich vielleicht einfach nur gern hat ... daß er es überhaupt nicht schlimm findet, dich betrunken erlebt zu haben, und nie so ein Drama daraus machen würde, wie du es jetzt tust?« An dieser Stelle endete unser Gespräch. Da Dan offensichtlich nicht bereit war, mit seinen Albernheiten aufzuhören, hatte es keinen Sinn, sich weiter um einen ernsthaften Meinungsaustausch zu bemühen.

Nach diesem Telefonat war ich richtig wütend und bin rüber zu Mrs. M. gegangen, um mich ein wenig abzulenken. Natürlich sind wir dann doch beim Thema Andy gelandet, und Mrs. M. hat sich Dans Meinung angeschlossen. Ich denke nicht, daß sie mich aufziehen wollte; trotzdem komme ich mir so vor, als ob sich die ganze Welt gegen mich verschworen hat ... Warum lassen sie bloß nicht von dieser hirnrissigen Idee ab, daß Andy mich wirklich gern hat?

25. Februar

Habe Andy heute nur im Vorbeigehen gesehen. Habe alle Buchungen für die Pozzi-Tagungsorte bestätigt, mich aber noch nicht bei Mum gemeldet. Ich wollte sie ja im Anschluß an die Birmingham-Tagung besuchen – aber wenn ich lange genug warte, hat sie sich vielleicht schon etwas anderes für das betreffende Wochenende vorgenommen. Schließlich kommt es auf die Absicht an, sie ist genausoviel wert wie ein tatsächlicher Besuch, oder nicht? Ich werde sie anrufen und ihr sagen, daß ich mich schon wahnsinnig darauf freuen würde, ein ganzes Wochenende mit ihr zu verbringen. Und wenn sich dann herausstellt, daß sie schon andere Pläne hat, kann ich so tun, als wäre ich furchtbar enttäuscht und traurig. Soll ruhig sie zur Abwechslung mal ein schlechtes Gewissen haben, bis Weihnachten hätte ich dann wenigstens Ruhe vor ihr. In der Arbeit war nicht viel los, außer daß schon wieder ein Blumenstrauß abgegeben wurde. Mir rutschte fast das Herz in die Hose, als ich sah, wie der Botenjunge damit hereinkam. Das ganze neugierige Gerede und Getuschel meiner Kollegen hätte ich nicht noch mal ertragen – aber zum Glück waren die Blumen gar nicht für mich. Bin den Rest des Tages ziemlich gereizt und angespannt gewesen – muß wohl an der prämenstruellen Phase liegen ... und natürlich an diesem Damoklesschwert, das seit der Geschichte mit Andy über mir schwebt. Ich bin sicher, daß er einfach nur auf den richtigen Augenblick wartet, um mich dann – zack bum – für mein schlechtes Benehmen niederzumachen. Fühle mich wie vor der Hinrichtung ... Ach, wenn er die Guillotine nur gleich in Gang setzen und die Tortur nicht unnötig in die Länge ziehen würde ... Ganz bestimmt plant er irgend etwas Schreckliches. Er kann DIESEN Abend nicht mit meiner Nervosität entschuldigen, das ist unmöglich, einfach unmöglich ... So nett kann niemand sein.

26. Februar

Also, wenigstens ist es jetzt raus. Ich konnte diese Spannung einfach nicht mehr aushalten, ich *mußte* etwas unternehmen. Habe den Entschluß gefaßt, als ich heute morgen im Bus saß und plötzlich merkte, daß ich mit den Zähnen knirschte ... und zwar so laut, daß die Person neben mir ungehalten und genervt stöhnte. Irgendwann muß ich wohl auch zu knurren angefangen haben, denn selbst die obdachlose Lady vor mir hat sich einen anderen Sitzplatz gesucht. Ich war es einfach leid, noch weitere schlaflose Nächte zu verbringen, bin deshalb schnurstracks in Andys Büro marschiert und habe ihn zur Rede gestellt – direkt vom Aufzug aus, ohne vorher den Mantel abzulegen oder so. Ich habe gesagt: »Hör zu, ich weiß, daß du mich für eine hoffnungslose Säuferin hältst. Und mir ist auch klar, daß du mich nackt – oder besser halbnackt – so scheußlich fandest, daß du jetzt nur noch aus Mitleid nett zu mir bist ... noch dazu, wo ich so was wie deine Vorgesetzte bin. Dan der Schatz meint, du seist schwul, was ich aber nicht glaube. Ich denke lediglich, daß du dich lieber in einen Schwulen verwandeln würdest, als mit mir zu schlafen. Warum sagst du es also nicht offen heraus, statt mich mit deiner ewigen Freundlichkeit zu quälen?«

Andy hat einen Moment lang gar nichts gesagt, doch dann sagte er plötzlich: »Könntest du uns ein paar Minuten allein lassen?« Ich war ziemlich überrumpelt, bis ich bemerkte, daß er nicht mit mir sprach, sondern mit der neuen Schreibfee Sarah! Sie war die ganze Zeit zum Diktat im Raum gewesen – einfach phantastisch! Kann nur hoffen, daß sie nichts von meiner Entgleisung mitgeschrieben hat. Wie auch immer, sie ist dann ziemlich schnell verschwunden – mit gesenktem Kopf und ohne mich anzusehen. Andy schloß die Tür und meinte: »Ich halte dich weder für eine Säuferin, noch bin ich aus Mitleid nett zu dir. Übergeordnet bist du mir lediglich rein formal, und nackt fand ich dich überhaupt nicht scheußlich – ganz im Gegenteil. Und wer ist eigentlich Dan der Schatz?« Ich wäre am liebsten im Erdboden versunken ... Oh, hätte ich nur nichts von der Vorgesetzten gesagt, ich hätte mich ohrfeigen können ... Seine sonstigen Worte waren mir nicht weiter wichtig, ich meine, was hätte er auch anderes sagen sollen? Alles der Reihe nach zuzugeben wäre wohl kaum möglich gewesen: »Ja, allerdings siehst du nackt schrecklich aus, und ja, ich bin nur aus Mitleid nett zu dir, und richtig, ich bin nicht schwul, würde dir aber jeden Mann vorziehen.« Unmöglich, oder?

Danach herrschte erst einmal betretenes Schweigen – nun, ich nehme an, Andy hat auf eine Antwort gewartet, aber ich hatte inzwischen andere Sorgen. Meine kniehohen Wildlederstiefel fingen dermaßen zu drücken an, daß ich kaum noch an den ganzen Schlamassel denken konnte. Irgendwie waren die Schuhe in dem beheizten Raum immer enger geworden, so eng, daß ich am Ende das Gefühl hatte, mir würde jemand heißes Wasser in die Waden hineinpumpen. Es war wirklich sehr warm in Andys Büro – vielleicht gehört er ja zu der Sorte von Männern, die die Heizung extra voll aufdrehen, nur damit die Frauen ihre Jacken ausziehen. Mein Selbstvertrauen war jedenfalls mit einem Mal verflogen. Draußen, in der Eiseskälte, war ich mir noch einigermaßen dünn vorgekommen – wie das bei niedrigen Temperaturen oft der Fall ist –, hier in dem Büro aber fühlte ich mich fahrig und verschwitzt.

Meine Beine brannten, als würde ich in einem Kessel mit heißem Schweineschmalz stecken. Am liebsten wäre ich auf allen vieren aus dem Büro hinausgekrochen, um die Stiefel irgendwie vor ihm zu verbergen. Habe am Ende beschlossen, ihn abzulenken: »Er ist der Verlobte meiner besten Freundin Sally.« »Bitte wer?« fragte Andy (Gott, er scheint ein bißchen begriffsstutzig zu sein). »Dan der Schatz – du weißt doch, der Mann, der dich für schwul hält – er ist der Verlobte meiner besten Freundin Sally.« »Oh«, war alles, was Andy hervorbrachte. Wahrscheinlich hatte er die Speckrollen an meinen Knien bemerkt, die mittlerweile über die Ränder meiner Stiefel quollen. Gerade als ich mich davonmachen wollte, meinte Andy: »Können wir diesen Abend nicht einfach vergessen? Ich war damals selbst ein bißchen angeschlagen. Warum treffen wir uns das nächste Mal nicht zum Mittagessen, das ist vielleicht unverfänglicher?« Tja, da wiegst du dich in Sicherheit, und schon fällst du zurück ins kalte Wasser. Er überrumpelt mich immer wieder aufs neue, ich weiß einfach nicht, wie ich auf seine konstante Freundlichkeit reagieren soll. Anscheinend bin ich nicht in der Lage, mit jemandem fertigzuwerden, der so offen und ungezwungen an die Dinge herangeht. Ohne groß zu überlegen, habe ich daher zugestimmt, mich am übernächsten Sonntag mit ihm zum Mittagessen zu treffen. Großartig, jetzt werde ich also die nächsten zehn Tage damit zubringen, mir Gedanken über ein geeignetes Outfit zu machen – etwas, das lässig und attraktiv, aber trotzdem angemessen für eine Wochenend-Verabredung wirkt.

Kam nach Hause, nachdem ich vorher noch im Studio vorbeigeschaut und mich wirklich hart von dem Naziweib in die Mangel habe nehmen lassen. Konnte selbst nicht begreifen, was eigentlich mit mir los war – Andy zur Rede zu stellen, Gymnastik zu machen, in aller Öffentlichkeit mit den Zähnen zu knirschen, wie eine Furie auf einen Teenager loszugehen, der sich an der Bushaltestelle vordrängeln wollte ... Doch dann kam die Erklärung für alles – meine Periode hat eingesetzt. Ich muß meinen Zyklus künftig im Kalender festhalten, damit ich das nächste Mal besser im Bilde bin, bevor ich wieder anfange, mich wie ein Alien in Menschengestalt zu benehmen. Das Problem ist nur, daß sich die prämenstruelle Phase als solche schlecht bestimmen läßt, da die Symptome jedesmal anders sind. Dies ist auch der Grund für ihre subtile Vernichtungskraft – die Wissenschaftler sollten sich wirklich einmal weniger mit der Atombombe beschäftigen und statt dessen untersuchen, von welcherlei zerstörerischen Anwandlungen eine Frau alle 28 Tage heimgesucht wird. Manchmal fange ich an, anderen Leuten Obszönitäten an den Kopf zu werfen, dann bilde ich mir ein, gleich an mehreren unheilbaren Krankheiten zu leiden (damit es dem perfekten Peter auch richtig leid tut, mich so schnöde verlassen zu haben), oder ich rufe Sally an, weil ich mich nicht entscheiden kann, ob ich ein Bad nehmen soll oder nicht. Ich weiß nicht, was schlimmer ist – die Aggressionen oder die Unsicherheit. Habe vorhin vierzig Minuten lang hin und her überlegt, ob ich mir ›The Bill‹ anschauen oder lieber noch mal die Tagungsplanung durchgehen soll. Bis ich mich endlich (mehr oder weniger) entschieden hatte, war ›The Bill‹ längst vorbei ..., und ich habe dann aus lauter Kummer eine Packung Kekse verspeist. Frage mich, wo die eigentlich hergekommen ist? O Gott, ich glaube, sie gehörte zu den Sachen, die ich für die alte Mrs. M. eingekauft habe.

NB: Versuche Mrs. M. davon zu überzeugen, daß sie in ihrem Alter keine Kekse mehr essen sollte ... Eine andere (vielleicht ehrlichere) Möglichkeit wäre, ihr vorzuschlagen, daß sie sich die »gefährlicheren« Lebensmittel von den »Essen-auf-Rädern«-Leuten bringen läßt ... mir kann man in dieser Hinsicht ja nicht trauen, das ist ganz offensichtlich.

NB: Irgendwie scheine ich oft unter prä- und sonstigen menstruellen Syndromen zu leiden – entweder handelt es sich um ein SWM (Syndrom während der Menstruation) oder um ein SNM (Syndrom nach der Menstruation). Vielleicht sollte ich einfach nicht darüber nachdenken.

28. Februar

Müßte mir die Beine rasieren, will das Schicksal aber nicht herausfordern ... Ich möchte nicht den Eindruck erwecken, als hätte ich einen Grund, mich schönzumachen ... Am besten, ich lasse es bleiben.

1. März

Gab in den letzten Tagen nicht viel zu berichten. An dem Abend, an dem meine Periode anfing, habe ich – wen wundert's – einen Big Mac und eine große Portion Pommes frites verdrückt ... Ja, okay, dazu kam dann auch noch ein Milch-Shake, aber den habe ich nicht ausgetrunken. Tja, nachdem ich die Kekse gegessen hatte, war mir alles andere irgendwie egal – wenn man bereits eine ganze Packung davon intus hat, dann kann man sich den Bauch auch richtig vollstopfen.

NB: Geh nie wieder nachmittags in den Supermarkt. Samstag nach 16 Uhr ist offensichtlich die Zeit, wo nur noch Verrückte bei Sainsbury's einkaufen. Ein Mann hätte sich beinahe mit mir um den letzten Topf *Hummous* geschlagen, und trotz meiner Periode glaube ich *nicht*, daß ich irgendwie schuld daran war ... Die Entschlossenheit, mit der er hinter besagter arabischer Vorspeise her war, hatte wirklich etwas Wahnhaftes an sich.

Habe zusammen mit Sally ein Video ausgeliehen, ›Schlaflos in Seattle‹. Dan hatte keine Lust, es anzusehen, er findet den Film zu schnulzig. Sally hat vor Rührung die ganze Zeit geheult, ich dagegen muß mich Dans Meinung anschließen – welche Frau ist schon so idiotisch, sich einem Mann derart auszuliefern?! Die Frau aus dem Film hat sich wegen einer Beziehung, die noch gar keine war, verrückt gemacht ... Kaum zu glauben! Ich muß sagen, daß ich wirklich ein wenig sauer auf Sally war. Als ich ihr von den neuesten Entwicklungen mit Andy erzählte, hat sie es strikt abgelehnt, mit mir über mögliche Motive für seine Einladung zum Mittagessen zu diskutieren. Alles, was ihr dazu eingefallen ist, war, daß Andy offensichtlich ein sehr netter Mann sei und ich mich einfach nur über seine Einladung freuen solle. Außerdem meinte sie noch: »Den perfekten Peter haben wir nie bis ins kleinste analysiert, und er war meistens unmöglich zu dir.« Schlechtes Benehmen brauche ich auch gar nicht zu analysieren, denn da weiß ich, woran ich bin. In Panik gerate ich erst, wenn ganz normale Leute offen und ehrlich über ihre Gefühle sprechen und sie mich – was noch schlimmer ist – allem Anschein nach mögen! Da fällt mir ein, ich habe noch nichts von dieser Klinik gehört ... Vielleicht finden sie mich doch nicht neurotisch genug.

2. März

Keith, mein vorbildlich tugendhafter, richtig Universitäts- und nicht nur Wirtschaftscollege-geprüfter Bruder, kam heute mittag bei mir vorbei, hatte ihn eine ganze Weile nicht gesehen. Es war eigentlich recht nett, nur daß ich den Fehler begangen habe, mich bei ihm über Mum zu beschweren. Ich vergesse jedesmal, daß er bei solchen Gelegenheiten gerne den Abgeklärten mimt und mir mit weihevollen Phrasen kommt, wie zum Beispiel: »Es war für sie nicht leicht, als Dad wieder geheiratet hat; du solltest etwas nachsichtiger mit ihr sein.« Als hätte sie mir das Leben nicht zur Hölle gemacht, nur weil ich die Frechheit und Dreistigkeit besitze, auch mit über Dreißig noch Single zu sein. Ob Mum sich wohl mit einer Scheinehe zufriedengäbe? Ich könnte mich irgendeinem altersschwachen russischen Dissidenten anbieten – Männer, die sich für einen britischen Paß interessieren, gibt es zuhauf. Es war schön, Keith wiederzusehen, auch wenn er die unangenehme Eigenschaft hat, die Dinge ständig aus der Perspektive von irgendwelchen Dritten zu beurteilen. Jedenfalls habe ich es geschafft, daß er sich mit mir über Jennifers Pläne für Dads sechzigsten Geburtstag amüsiert hat – sie möchte, daß wir alle – Bee und Kyle eingeschlossen – eine Schiffstour mit Dinner auf der Themse machen. »Wenn sich das nicht verhindern läßt ...«, meinte ich zu Keith, » ... können wir uns ja alle ein T-Shirt anziehen mit der Aufschrift SCHWACHSINNS-IDEE.« Ich weiß, daß Jennifer es gut meint, aber altmodischer geht's eigentlich kaum. – Keith war von der Innengestaltung meiner Wohnung nicht sonderlich angetan; er meinte, das Ganze käme ihm wie die Kulisse für eine Kindershow vor. Ich habe ihn aufgeklärt, daß knallige Farben gerade in seien – woraufhin er mich zu überzeugen suchte, daß knallig gleich geschmacklos sei, eine Ansicht, die ich entschieden zurückweisen mußte. Beschloß, ihm nichts von Andy zu erzählen. Er hätte mir wahrscheinlich einen seiner neunmalklugen Universitätsratschläge gegeben, mit denen ich sowieso nichts anfangen kann. Habe dafür zugegeben, Jennifer mit dem angeblichen neuen Freund belogen zu haben ... was Keith überraschenderweise ziemlich lustig fand. Er meinte, ich solle die Sache nicht aufklären, und hat sogar vorgeschlagen, ich solle jemanden zu Dads Geburtstag mitbringen, der dann besagten Freund spielt. Für meinen Geschmack war Keith sich ein bißchen zu sicher, daß es bis zu Dads Geburtstag keinesfalls einen richtigen Freund geben könne. Beim Abschied habe ich ihn gefragt, ob *er* denn eine Freundin mitbringen würde. Er meinte nur: »Jack ... du weißt, daß ich beruflich meinen Weg gehen will, und dazu muß ich ungebunden und frei sein – für einen jungen Mann in den Dreißigern völlig normal. Du dagegen hast deine beste Zeit hinter dir, bist ein Mauerblümchen und versuchst, diese traurige Wahrheit zu verleugnen, indem du so tust, als seist du eine Karrierefrau.« Ich *denke*, er wollte mich auf den Arm nehmen, ich selbst müßte aber schon ein Halluzinogen einnehmen, um Mums Phrasen (aus seinem Mund) lustig finden zu können.

4. März

Allmählich wird's langweilig – diese ewigen Schuldgefühle, weil ich nicht jeden Tag etwas in dieses Buch schreibe ... Vielleicht sollte ich zu ein oder zwei Einträgen pro Monat übergehen und nur noch die interessantesten Ereignisse zusammenfassen ... Hm, ich weiß nicht ... Wie soll ich entscheiden, welches die interessantesten Ereignisse sind? »Interessant« ist sowieso das falsche Wort, die Verglichen-mit-dem-Rest-nicht-ganz-so-banalen-und-trivialen-Ereignisse trifft es da schon eher.

Hatte heute eine Art »Gipfeltreffen« mit Mr. Bowyer. Nur er und ich ... War ein bißchen besorgt, daß Andy sich hintergangen fühlen und aus Rache unser Mittagessen absagen könnte. Habe Mr. Bowyer daher erst mal allein in den Konferenzraum gehen lassen und bin selbst ein paar Sekunden später durch die andere Tür hineingeschlüpft – die Tür, die man von Andys Büro aus nicht sehen kann –, damit er nicht denkt, wir würden uns gegen ihn verbünden. Mr. Bowyer sagte, daß Carlo Pozzi und seine Kollegen die erste Tagung mit Spannung erwarten würden (nur noch ein Monat – 9. April, Glasgow) und mit der bisherigen Organisation sehr zufrieden seien. Anschließend kündigte er an, daß ich in nächster Zeit einmal für einen Tag nach Glasgow fahren solle, um mich persönlich von den Gegebenheiten zu überzeugen – schließlich sei dies unsere erste Tagung, und da käme es natürlich besonders darauf an, daß alles ganz glatt lief. Zu guter Letzt meinte er noch, daß Andy mich begleiten solle. Ihn darüber zu informieren hat Mr. Bowyer mir überlassen ... O Gott, wie soll ich das nur anstellen, ohne dabei puterrot zu werden? Ich weiß, daß es zu seinem Job gehört – der wichtigste Mann der Marketingabteilung muß einfach dabeisein –, aber trotzdem will ich nicht den Eindruck erwecken, daß ich um seine Teilnahme gebeten hätte. Vielleicht sollte ich ihm eine Mail schicken, das würde doch ziemlich nonchalant wirken, oder? Eine knappe, nüchtern-sachliche Mitteilung darüber, daß wir in Kürze einen Tag miteinander verbringen werden, nur wir beide ... Vielleicht so was wie:

MAIL
An: ~~ANA~~, ähm ... Andrew Canfield, Marketing-Abteilung
Von: Jacqueline Pane, Senior Conference Organizer

Betreff: Pozzi-Tagungsreihe

Bezugnehmend auf eine Besprechung mit Mr. Bowyer teile ich Dir mit, daß Du und ich allein für einen Tag nach Glasgow fahren sollen, wir beide, nur Du und ich. Zweck: Gemeinsam, als Team, sollen wir Hand in Hand dafür sorgen, daß am 9. April alles reibungslos abläuft. Die Möglichkeit einer Übernachtung besteht, nicht mit mir ... nun, natürlich schon *mit* mir, aber in getrennten Hotelzimmern, insofern also doch nicht *mit* mir. Sollte Dich darüber informieren, daß diese Entscheidung ausschließlich und allein von Mr. Bowyer getroffen wurde, ich habe nichts damit zu tun ... Genauer gesagt, habe ich selbst erst auf oben erwähnter Besprechung davon erfahren ..., von der Du im übrigen nicht einfach so ausgeschlossen warst – wir hatten nur noch ein paar andere Dinge zu klären.

Das ist ganz okay, oder? Es wird vielleicht ein bißchen oft erwähnt, daß wir allein und als Team fahren, was er unter Umständen falsch – beziehungsweise richtig – verstehen könnte. Aber er soll natürlich keinesfalls denken, daß hier irgend etwas falsch zu verstehen ist. Jeder im Büro muß wissen, daß alles ganz korrekt abläuft ... Werde dafür sorgen, daß meine Mitteilung an alle Abteilungen weitergeleitet wird.

Die neue Schreibfee Sarah soll den Text abtippen und ihn an Andy weiterleiten. Sieht dann so aus, als sei ich zu beschäftigt und viel zu desinteressiert, um ihn persönlich auf die Angelegenheit anzusprechen. Werde außerdem versuchen, Sarah von meiner Gleichgültigkeit gegenüber Andy zu überzeugen. Habe mich seit dieser für mich äußerst schmeichelhaften Szene in Andys Büro kaum getraut, sie auch nur anzusehen. Wenn ich sie also zum Diktat in mein Büro bitte, werde ich ganz nebenbei behaupten, an einer äußerst ungewöhnlichen Form des Tourette-Syndroms zu leiden – das ist dieser Tick, bei dem man zwanghaft und in aller Öffentlichkeit mit Schimpfworten um sich wirft ..., und meine seltene Variante wird nun sein, daß ich frei erfundene, völlig willkürliche Anschuldigungen herausschreie; Anschuldigungen, die sich immer gegen Leute richten, mit denen ich nichts zu tun habe ... und an denen ich auch überhaupt kein näheres Interesse habe. Sicherheitshalber sollte ich Sarah vielleicht sagen, daß mein Problem unter uns bleiben muß. Sonst denkt sie nachher, alle anderen Kollegen wüßten Bescheid, und läßt entsprechende Bemerkungen gegenüber Mr. Bowyer, der dünnen Clare oder Andy fallen. Obwohl es vielleicht gar nicht so schlecht wäre, wenn Andy von meiner angeblichen Krankheit erfahren würde. Denn ganz gleich, ob wir je ein Verhältnis miteinander haben werden oder nicht – sollte ich einen meiner hysterischen Anfälle bekommen, könnte ich sagen, was ich wollte, und es hinterher auf das Syndrom schieben.

NB: Erkundige dich bei Dan dem Schatz, was er an einer PNF (Potentiellen Neuen Freundin) abstoßender fände: a) einen anfallartig auftretenden Sprachdefekt oder b) eine beste Freundin, deren Verlobter denkt, du seist schwul.

5. März

Mr. Bowyer kam vorbei, um mir mitzuteilen, daß seine Sekretärin Flugtickets nach Glasgow besorgt habe, und zwar für den 26. März. Habe ihm nicht gesagt, daß Andy noch gar nichts von der Reise weiß. Muß jetzt wirklich etwas unternehmen. Bringe es einfach nur nicht über mich, die neue Schr.fee Sarah anzusprechen – sie wirkt eigentlich ziemlich schüchtern, aber was, wenn sie eine dieser Frauen mit stahlhartem Inneren ist, von denen man so oft hört? Ich werde ihr die Nachricht morgen diktieren, kurz bevor ich gehe.

Sally hat mich zum Mittagessen abgeholt – sie war nicht übermäßig begeistert von der Sprachsyndrom-Idee, mußte aber zugeben, daß sie ein ziemliches Potential in sich birgt. Sally muß man oft sehr lange bereden, sie ist wahnsinnig überzeugt von diesem »Werde-geliebt-für-das-was-du-bist-und-nicht-für-das-was-du-gern-wärst«-Quark. Es kostet mich manchmal einige Kraft, bis sie einsieht, wie schwierig ihr Anspruch zu verwirklichen ist – vor allem, wenn man sich gerade mitten in einem Selbsterfahrungsprozeß befindet und noch gar nicht weiß, wohin dieser Prozeß einmal führen wird. Sie und Dan der Schatz haben sich kennengelernt, als beide noch keinerlei Ahnung hatten, wer sie selbst waren. Ich denke, unter solchen Umständen ist alles viel einfacher – man erfährt sich gemeinsam und kann zur Not verhindern, daß der Partner ein Ich entdeckt, das einem nicht gefällt.

8. März

Habe in den letzten Tagen nichts geschrieben, weil ich jede Hysterie wegen der morgigen Verabredung mit Andy vermeiden wollte. Und da ich bei jedem Versuch, mich mit etwas anderem zu beschäftigen, doch wieder nur an das Mittagessen denken mußte, habe ich seit meinem letzten Eintrag an gar nichts mehr gedacht und einfach alles ausgeblendet – eine ziemlich praktische Überbrückungsmethode, nicht wahr? Obwohl ... man soll sich ja andererseits auch aufgeschlossen und offen geben – was mache ich nur, wenn mein Blick jetzt völlig leer ist?

Wunderbare Neuigkeiten! Die Klinik hat geantwortet, sie bieten mir für den 1. April ein erstes Orientierungsgespräch an (hoffentlich kein Aprilscherz?). Ich finde das deshalb so phantastisch, weil der Termin vor der ersten Pozzi-Tagung und vor Dads Geburtstag liegt. Und da hoffe ich doch, ihnen ein paar Tips zu entlocken, wie ich mich bei beiden Anlässen am besten verhalte. Hm, »Orientierungsgespräch« klingt ein wenig ominös. In meinem Buch steht, daß man zunächst ein paar Vorgespräche hat und dann dem Berater oder Therapeuten zugeordnet wird, der dem Gesprächsleiter am geeignetsten erscheint. So ein Mist, das bedeutet also, daß ich mich noch ziemlich lange hyperneurotisch aufführen muß, um auch wirklich den besten Therapeuten zu bekommen.

9. März

Post-Rendez-vous-mit-Andy-Eintrag. Hatte ein T-Shirt, eine lange Strickjacke (zur vollständigen Bedeckung meines Pos) und einen langen Rock an ... Wollte eigentlich die Hose von M&S tragen, konnte aber nicht riskieren, daß Andy das Größe-42-Schild entdeckt.

NB: Kaufe ein paar Kleider in Größe 34, schneide die Etiketten heraus, und nähe sie in die Kleider, die du trägst, ein, um sie in Zukunft an allen exponierten Stellen deiner Wohnung herumliegen zu lassen.

Die Strickjacke war sehr teuer, aber zusammen mit dem

T-Shirt sah es sicher so aus, als hätte ich mir einfach ein paar ganz legere Freizeitklamotten übergeworfen.

Andys Vorschlag, sich in einem dieser französischen Cafés zu treffen, war mir eher unangenehm – ich fühle mich dort immer völlig fehl am Platz, solange ich nicht ›Le Monde‹ durchblättere und eine halb ausgetrunkene Espressotasse vor mir stehen habe. Jedenfalls sind wir genau zur gleichen Zeit eingetroffen, was sehr gut war, da ich mir so keine Gedanken machen mußte, wer von uns nun weniger cool wirkte et cetera. Nachdem wir unser Essen bestellt hatten, meinte Andy: »Hör zu, ich würde gern noch einmal klarstellen, was bei unserer letzten Verabredung passiert ist. Ich glaube, du wußtest nicht mehr so recht, was du tatest, also habe ich dich ins Bett gebracht und dich im übrigen in Ruhe gelassen ... Irgendwie habe ich erwartet, daß du am nächsten Tag anrufen würdest ... und als du dich dann nicht gemeldet hast, dachte ich, du wärst nicht interessiert an mir. Aber das liegt ja nun alles hinter uns, und wir können noch mal ganz von vorn anfangen.«

Ein Glück, daß das Café diese breiten, aufklappbaren Speisekarten hat. So konnte ich mir wenigstens gleich etwas vors Gesicht halten, als ich das Wort »Verabredung« hörte. Ich war vor Schreck wie gelähmt, wußte überhaupt nicht, was ich sagen sollte. Seine Direktheit machte mich so verlegen, daß ich mir richtig nackt und entlarvt vorkam. War dann auch nicht in der Lage, angemessen zu reagieren. Das einzige, was ich schließlich hervorbringen konnte, war die Feststellung, daß es zwischen *tarte aux pommes* und *tarte couverte* eigentlich nur einen Unterschied gibt: Bei der einen Torte sind die Äpfel auf dem Teig, bei der anderen darunter ... Aber selbst das hatte ich noch aus der Speisekarte abgelesen.

Auch wenn es mir anscheinend nicht gelingt, mich bei Andy wie eine Erwachsene zu benehmen, war es trotzdem sehr nett mit ihm. Nach dem Essen haben wir uns noch ein bißchen die Beine vertreten, ein Programmpunkt, der mir nicht ganz so gelegen kam. Ich weiß eben einfach nicht, wie man so etwas macht – mit einem Mann, der einem gefällt, spazierenzugehen. Muß man ihn die ganze Zeit über anschauen – damit er merkt, daß man sich für das interessiert, was er sagt? Aber wenn man dann dabei stolpert und hinfällt? Oder sollte man lieber nur auf den Weg schauen und dem Begleiter einfach hin und wieder zustimmend beipflichten, während er redet? Wobei dann allerdings der Eindruck entstehen könnte, daß man nicht fähig ist, sich beim Gehen zu unterhalten. Oder sollte man von jedem ein bißchen tun – also sowohl den Begleiter als auch den Weg im Auge behalten – und riskieren, daß einem schwindlig wird und man das Gleichgewicht verliert? Ich konnte mich nicht entscheiden, habe also tatsächlich jede Taktik ausprobiert. Bin allerdings sicher, daß es besser ausgesehen hätte, wenn ich nur bei einer geblieben wäre. Mit seinem Angebeteten spazierenzugehen ist wirklich keine leichte Aufgabe.

NB: Denk an das Kapitel »Wie gehe ich mit einem PNF spazieren«, wenn du dein Selbsthilfebuch schreibst.

Als wir uns voneinander verabschiedeten, sagte Andy, daß er sich schon auf den Trip nach Glasgow freuen würde. Bowyers Sekretärin ist mir offenbar zuvorgekommen – der beste Beweis dafür, daß es doch einen Gott gibt. Jetzt brauche ich mich wenigstens nicht in Lügen zu flüchten hinsichtlich irgendwelcher Sprachprobleme ... obwohl ich die Idee an sich im Hinterkopf behalten sollte, sie ist wirklich genial.

Zu Hause erwartete mich bereits eine Nachricht von Sally. Ich müsse sie unbedingt gleich anrufen, weil sie alles über das Treffen erfahren wolle. Während ich den Anrufbeantworter zurückspulen ließ, fiel mir plötzlich etwas ein: Wenn ich jedesmal mitbekam, was der Typ von unten mit seiner Nebelhornfreundin trieb, dann würde er sicher auch hören, wenn in meiner Wohnung etwas abging? Da ich mit dergleichen Aktivitäten im Augenblick wenig eingedeckt bin, bin ich im Prinzip aus dem Schneider. Aber es täte mir sicher auch in therapeutischer Hinsicht ganz gut, mich bereits jetzt auf eine bessere, sexuell aktivere Zukunft einzustellen. Wenn er also das nächste Mal ausgeht, werde ich Sally herbestellen und sie unten vor seiner Tür postieren. Anschließend gehe ich zurück in meine Wohnung und fange an zu stöhnen und ein paar unanständige Dinge zu murmeln (ich habe so lange keinen Sex mehr gehabt, daß ich mich wahrscheinlich erst einmal in der ›Marie Claire‹ schlau machen muß). Und dann kann Sal mir sagen, was sie gehört hat. Wenigstens brauche ich mir wegen der guten alten Mrs. M. keine Sorgen zu machen – sie ist so schwerhörig, daß ich einen Baum in meinem Wohnzimmer fällen könnte, ohne daß sie etwas davon mitkriegen würde. Jedenfalls hatte ich ein richtig gutes Gefühl, was die Verabredung mit Andy anging, bis Sally plötzlich fragte, ob wir uns geküßt hätten. Mittags küßt man sich doch nicht, oder? Oh, wieso mußte Sally nur mit dieser Frage ankommen? Jetzt werde ich die ganze Nacht wachliegen und grübeln, weshalb er es nicht getan hat. Obwohl ich eigentlich auch ganz froh darüber bin, denn bei Tag sieht meine Haut viel schlechter aus als bei Nacht, vor allem wenn man so nah herankommt. Und außerdem wäre ich mir komisch vorgekommen, tagsüber beim Küssen die Augen zu schließen.

11. März

Gibt nicht viel zu berichten, habe in der Arbeit total rotiert, wollte mein Büro und meinen Schreibtisch aufräumen, habe die Sachen am Ende aber doch nur hin- und hergeschoben. Na ja, wenigstens sieht es jetzt so aus, als habe ich alles unter Kontrolle – oh, und ich habe den hellrosa Plastikfüller und diesen komischen Behälter für Büroklammern, Stifte et cetera weggeschmissen. Ich hasse diese Dinger, sie sind zu nichts anderem nutz, als das Ergebnis einer guten Maniküre zu zerstören. Erst laufen die Stifte darin aus, und wenn man dann nach einer Büroklammer oder einem Schnellhefter kramt, verschmiert man sich nur die Nägel mit dem Zeug. Andy ist immer noch so nett zu mir – ich frage mich, was er für eine Kindheit hatte. Vielleicht ist er ja von Mary Poppins erzogen worden.

Bin seit Sonntag jeden Tag zur Gymnastik gegangen. Das Cellulitis-Seminar ist nicht mehr weit, und da muß ich etwas tun. Sonst nimmt mich der Leiter gleich beiseite und sagt, daß es für mich keine Hoffnung mehr gibt und ich doch bitte gehen soll ... oder schlimmer noch, er fragt mich, ob ich schon einmal über eine Amputation nachgedacht habe.

13. März

Habe heute mit Andy und der dünnen Clare zu Mittag gegessen. Brauche, glaube ich, nicht erst zu erwähnen, daß das nicht meine Idee war. Ich saß in der Kantine und aß einen Salat (vorher hatte ich auf dem Klo ein paar Sandwiches verdrückt, um später, mit nichts als einem kleinen Teller Salat, richtig schön schlank zu wirken). Hatte mir aus dem Büro einen Stapel Unterlagen mitgebracht, in denen ich geschäftig herumblätterte – nur damit niemand auf die Idee kam, ich säße gegen meinen Willen allein. Tatsächlich war ich dann – wenn auch eher unabsichtlich – völlig vertieft in meine Papiere, als ich die dünne Clare und Andy fragen hörte, ob sie mir Gesellschaft leisten dürften. Andy meinte noch, ob ich nichts anderes als diesen Salat essen würde. Aber bevor ich etwas erwidern konnte, sagte die dünne Clare: »Oh, sie ißt immer so wenig, ich weiß nicht, wie sie das macht.« ICH HÄTTE DICH UMBRINGEN KÖNNEN, CLARE! Die versteckte Anspielung darin war wirklich mehr als deutlich; ich wußte jedenfalls sofort, was sie eigentlich sagen wollte: »Oh, laß dich von dem Salat nicht täuschen. Es ist zwar richtig, daß sie sich mit dem Essen zurückhält, aber auch nur, wenn andere Leute dabei sind. Sonst, hinter verschlossenen Türen, stopft sie sich wahrscheinlich Tag und Nacht mit dem fettigsten, ungesundesten Zeug voll. Klar, daß sie sich schämt, so etwas in Gegenwart ernährungsbewußter, maßvoller Leute, wie wir es sind, zu tun. Sie ist ja auch nicht gerade die Schlankste – im Gegensatz zu mir. Es ist also nur angebracht, daß sie ihre ekelhaften Eßgewohnheiten verbirgt. Und anderen den Anblick erspart, wenn sie gierig ihr Essen hinunterschlingt ... wie ein Wildschwein, das nach Trüffeln wühlt.« Vor Scham wäre ich fast in Ohnmacht gefallen. Das einzige, was mich noch aufrecht hielt, war der Gedanke, daß ich bei dem Essen mit Andy weder eine Vorspeise noch einen Nachtisch zu mir genommen hatte. Aber trotzdem mußte ich jetzt damit leben, daß meine bewährte Spartaner-Tour (Nulldiät vor Zeugen, Naschereien nur im stillen Kämmerlein) ein für allemal aufgeflogen war. Mir wurde vor Verlegenheit richtig schlecht; die dünne Clare hätte ebensogut ein Hologramm an die Wand projizieren können – zur optischen Verdeutlichung, wie meine Brüste und mein Bauch aussehen, wenn ich in der Badewanne sitze. Ich mußte schnell handeln, bevor Andy im Geist mit der Aufzählung all der Dinge beginnen konnte, die ich in seiner Gegenwart je verzehrt hatte. Also warf ich die Gabel auf den Tisch, schob den Teller verächtlich zur Seite, gab vor, satt zu sein, und stürmte unter dem Vorwand, noch etwas Dringendes erledigen zu müssen, hinaus.

14. März

Möglicherweise habe ich gestern ein wenig überreagiert. Die dünne Clare kam heute zu mir und meinte, daß es ihr und Andy leid täte, mich gestern in der Kantine gestört zu haben; sie hätten nicht gewußt, daß ich allein sein wollte. Entweder kann sie sich hervorragend verstellen, oder sie hat tatsächlich noch nicht bemerkt, wie fett ich bin ... Läßt sich alles im Moment schlecht beurteilen. Jedenfalls fand ich es ziemlich anmaßend, wie sie von sich und Andy gesprochen hat: als würden sie alles miteinander teilen und gemeinsam ein kollektives Bedauern empfinden. Aber davon abgesehen, ist es mir allemal lieber, für eine unfreundliche, ungesellige Person gehalten zu werden als für fett und gierig.

Habe beobachtet, wie die neue Schreibfee Sarah nachmittags ein KitKat gegessen hat. Frage mich wirklich, wie sie das fertigbringt – einen Schokoladenriegel in aller Öffentlichkeit auszupacken. Hat sie denn gar keine Angst, ausgelacht oder bemitleidet zu werden?

16. März

Hui! Bin gerade von meinem Cellulitis-Seminar wiedergekommen. Es war einfach Spitze. Ich kann mir jetzt wirklich vorstellen, daß es ein Leben ohne Cellulitis gibt. Es erfordert viel Kraft und Einsatz, aber es ist zu schaffen – man muß nur daran glauben. Habe mich gestern pünktlich um halb zwölf in dieser ehemaligen Moschee eingefunden. Es waren ungefähr zwanzig Leute da, einschließlich der Gruppenleiterin (die – wie ich zugeben muß – auch nicht so aussah, als habe sie das Cellulitisproblem voll im Griff ... aber ich vermute, sie arbeitet daran). Als erstes wurde uns die »Ohne-Cellulitisleben-lernen«-Grundausrüstung überreicht ... und wir mußten noch mal extra dafür bezahlen. Mich hat das etwas geärgert, weil ich dachte, die Kursgebühr von 95 Pfund plus Mehrwertsteuer (oder besser 95 Pfund plus Fettsteuer, haha!) würde alles abdecken. Aber anscheinend war diese Grundausrüstung schon Bestandteil der Weiterbehandlung in der Zeit nach dem Seminar, und wir durften diese anschließend auch mit nach Hause nehmen – zusammen mit dieser äußerst hilfreichen Anleitung:

OHNE CELLULITIS LEBEN LERNEN – DAS MANTRA:

1. Cellulitis ist keine Seuche.
2. Cellulitis ist eine Krankheit, sie ist nicht lebensbedrohlich und kann geheilt werden.
3. Cellulitis ist erblich.
4. Cellulitis breitet sich aus. Wird sie nicht behandelt, befällt sie innerhalb weniger Jahre den ganzen Körper, Füße und Lippen ausgenommen.
5. Erfolgreiche Menschen haben keine Cellulitis. Cellulitis kann und wird Ihr Leben zerstören.
6. Cellulitis gewinnt nur dann die Oberhand, wenn Sie es zulassen – gemeinsam gehen wir dagegen an.

Diese Liste soll man sich an den Kühlschrank oder den Badezimmerspiegel hängen – also dahin, wo sie einem leicht ins Auge fällt. Klingt gut, ist aber nicht ganz ungefährlich. Was, wenn sie ein Unbefugter entdeckt, zum Beispiel dieser freche Fensterputzer? Ich stelle mir gerade vor, wie er draußen auf dem Sims steht und in die Welt hinausbrüllt: »Sie haben also auch Cellulitis, meine Liebe? Meine Alte hat das gleiche Problem, schrecklich, nicht wahr?« Nein, da ist es schon besser, ich hänge das Blatt zwar an den Kühlschrank, tarne es aber mit einem strikten, sehr löblichen Diätplan.

Nachdem wir also für unsere Ausrüstung bezahlt hatten, standen wir alle etwas unschlüssig herum, haben uns die

Checkliste durchgelesen und die übrigen Bestandteile unseres Sortiments gemustert, als da wären verschiedene Lotionen, ein paar Gläser mit getrockneten Blättern und ein Handschuh, der wie ein mittelalterlicher Topflappen aussieht. Anschließend forderte uns die Seminarleiterin auf, einen Kreis zu bilden und uns vorzustellen – aber nur mit dem Vornamen, damit die Anonymität gewahrt bliebe. Nachdem jede brav ihren Namen genannt hatte, forderte uns die Leiterin auf, der Reihe nach aufzustehen und anzugeben, wo wir Cellulitis hätten und weshalb wir darunter litten. Ich wäre auf der Stelle gegangen, hätte sich nicht prompt diese Wahnsinnige zu Wort gemeldet und gestanden, bis auf Gesicht und Hände über und über mit Orangenhaut überzogen zu sein. Daraufhin beschloß ich, doch noch zu bleiben. Es waren unglaublich viele Frauen da, die an den gleichen Körperstellen wie ich Probleme hatten und ganz offen und freimütig darüber reden konnten, links, rechts, in der Mitte ... Es war ein regelrechter Cellulitis-Rausch. Ich beschloß, mich ein wenig kürzer zu fassen, wenn ich an die Reihe kam. Als es soweit war, stand ich auf und gab zu, ein paar kleine Dellen auf den Oberschenkeln zu haben. Meine Güte, dieser plötzliche Neid auf den Gesichtern der anderen – das war mir die kleine Unaufrichtigkeit schon wert. Danach folgte erst mal die Mittagspause, in der es allerdings nichts zu essen gab. Mir waren inzwischen erste Zweifel gekommen, ob man mit Gesprächen über Fettzellen und dergleichen tatsächlich einen ganzen Tag füllen kann. Aber es stellte sich dann heraus, daß das Seminar sowieso mehr in Richtung moralische Unterstützung denn praktische Hilfe zielte – ich nehme an, die Theorie ist genauso wichtig wie die Praxis. Den Rest des Tages haben wir damit verbracht, uns über unsere Cellulitis-Erfahrungen auszutauschen. Eine Frau, Julia, sprach ganz offen über ihre jahrelangen Versuche, das Problem einfach zu verleugnen. Sie habe sich ein Leben eingerichtet, in dem man nie in den Spiegel schauen und immer nur Kaftans tragen durfte. Bis sie sich eines Tages doch ihrem Leid stellen mußte, weil ihr Sohn seinen Vater gefragt hatte: »Warum hat meine Mami überall auf ihrem Popo und ihren Beinen kleine Mondkrater, die wie Orangenschalen aussehen?« Die Leiterin meinte, daß wir es schon schaffen würden, woraufhin alle in Freudengeheul und wilden Applaus ausbrachen. Ich hab' mich den ganzen Tag über weitgehend zurückgehalten, bin bewußt auf Distanz zu diesen chronisch Cellulitiskranken gegangen, um so den Eindruck aufrechtzuerhalten, daß ich das Problem unter Kontrolle hätte und damit umzugehen wüßte.

Der Tag endete damit, daß uns die Leiterin noch einige Hinweise zu der Grundausrüstung mit auf den Weg gab. Der mittelalterliche Topflappen ist anscheinend zur Massage gedacht. Dreimal täglich soll man damit über die Problemzonen fahren – dreimal täglich! Meine Problemzonen sind dermaßen zahlreich, daß ich schon auf einen Halbtagsjob umsatteln müßte, wollte ich dieser Behandlungsvorschrift Folge leisten. Mit den getrockneten Blättern lassen sich zwei Arten von Kompressen herstellen – eine heiße und eine kalte –, und zum Glück muß man sie nur einmal pro Tag auflegen. Die verdammten Lotionen dagegen sollen wieder dreimal täglich verwendet werden, morgens, mittags und abends vor dem Schlafengehen. Oh, ich ahne schon, was für einen Spaß ich in Zukunft haben werde ..., vor allem, wenn ich zum Beispiel mittags nicht nur zwei Brote hinunterschlingen, sondern mich auch noch völlig ausziehen und diverse Cremes auf meiner Haut verteilen muß ..., und das alles in meiner kurzen Pause.

Bin kurz bei Mrs. M. gewesen, sie hat sich gerade ›The Good Sex Guide‹ angeschaut – eine optimale Sendung für sie, weil man selbst als normal hörender Mensch gar nicht darauf achtet, was gesagt wird, sondern ausschließlich auf die Bilder starrt. Als ich ihr von meinem Seminar erzählte, wollte sie wissen, was Cellulitis denn eigentlich sei!! Gott, muß Sex früher wunderbar gewesen sein ... wenn dich dein Mann nie nackt dabei sehen wollte. Wahrscheinlich wollte überhaupt niemand irgend jemanden nackt sehen, kein Wunder also, daß diese Leute keine Ahnung von Cellulitis hatten. Bestimmt ist Cellulitis erst nach der sexuellen Revolution erfunden worden.

18. März

Habe jetzt einen guten Platz für die Mantra-Liste gefunden – die Unterseite des Gemüsefachs im Kühlschrank. Muß mich auf den Boden legen, um sie lesen zu können – nicht besonders bequem, aber wenigstens wird sie dort niemand sonst finden.

19. März

Eine Woche, nur eine Woche noch ... Eine Woche, und ich fahre mit Andy nach Glasgow.

NB: Denk nicht zu oft an den Trip mit Andy, allerhöchstens ... einmal pro Stunde.

22. März

Konnte heute einfach nicht zur Gymnastik gehen – werde das restliche Wochenende nichts mehr essen, um es wiedergutzumachen.

Habe in einem Atlas geblättert und zufällig entdeckt, daß Glasgow nur ein paar Meilen nördlich von Gretna Green liegt – dem Ort, wo man ohne Aufgebot und ohne jede Wartezeit heiraten kann.

NB: Schlage keine malerische Spazierfahrt durch die Gegend um Gretna Green vor – Andy fühlt sich sonst vielleicht gedrängt, dir einen Antrag zu machen.

23. März

Habe Mum angerufen – hatte plötzlich Angst, daß das Flugzeug nach Glasgow sonst vielleicht abstürzen könnte ... als Strafe dafür, daß ich sie so vernachlässige. Habe ihr gesagt, daß ich sie am ersten Wochenende im Mai besuchen würde. Konnte vermutlich ein paar weitere Bonuspunkte auf meinem »Verdiene-es-nicht-bei-einem-Flugzeugabsturz-zu-sterben-weil-ich-eine-gute-Tat-begangen-habe«-Konto sammeln, indem ich ganz einfach nicht reagierte, als sie losgiftete: »Wenn da nicht ohnehin diese Tagung in Birmingham wäre, würdest du dich bestimmt nicht zu mir herbemühen.« Habe als nächstes versucht, ihr von dem Treffen mit Keith zu erzählen – ein weiterer Fehlschlag. Keith war nämlich wieder einmal schneller als ich gewesen und hatte ihr schon längst davon berichtet. War dann schon richtig verzweifelt, weil ich unbedingt etwas anbringen wollte, wofür sie mich einmal nicht kritisieren würde ... Habe ihr deshalb von Jennifers unsinnigen Plänen für Dads Geburtstag erzählt. O Gott, wie sie hochging – sie spuckte Gift und Galle: »Diese Frau hat keine Ahnung von deinem Vater; als wir noch zusammen waren, haben wir so etwas gehaßt, Freizeitunternehmungen, die als Dinner ausgegeben wurden. Ich würde mir eher die Augen ausstechen lassen, als auf einem Boot zu essen, bla, bla, bla, bla ...«

NB: Jennifer eignet sich wirklich hervorragend als menschlicher Schutzschild, wenn es darum geht, Mums Angriffe auf die eigene Person abzuwehren.

Ich glaube es einfach nicht, so viel Pech kann doch wirklich niemand haben, offenbar ist es mein Schicksal, für den Rest meines Lebens behaart und allein zu bleiben. Ich habe gerade festgestellt, daß jeden Augenblick mit dem Beginn meiner Periode zu rechnen ist – das muß es sein, eine andere Erklärung gibt es nicht, weshalb ich plötzlich nicht mehr in meinen grauschwarzen Wickelrock hineinpasse. Warum, zum Teufel, läßt sich das Ding nicht um meine Taille wickeln? Dafür sind diese verdammten Röcke doch schließlich da – zum Herumwickeln, eine andere Funktion haben sie nicht.

Ich bin heute morgen aufgestanden, habe den Kühlschrank aufgemacht, mich auf den Boden gelegt, mein Cellulitis-Mantra gelesen, meine Oberschenkel mit dem mittelalterlichen Topflappen bearbeitet, bis sie fast bluteten, und dann angefangen, mich anzuziehen. Wie immer hatte ich mir meine Sachen schon gestern abend vor dem Schlafengehen zurechtgelegt. Ich habe herausgefunden, daß ich nur dann gut schlafen kann, wenn ich genau weiß, was ich am nächsten Tag tragen werde (entsprechend wichtig ist es, wenn ich auswärts übernachte, meine ganze Garderobe mitzunehmen). Andernfalls liege ich die ganze Nacht wach und mache mir Sorgen, weil am Morgen alles so schnell gehen muß, daß ich vielleicht nicht merke, wenn meine Strümpfe falsch herum sitzen, meine Schuhe altjüngferlich wirken oder ich in einer bestimmten Bluse bescheuert aussehe.

Dummerweise hatte ich diesen Rock für einen zuverlässigen Verbündeten gehalten und ihn gestern abend nicht extra anprobiert, wie ich es sonst immer mache. Meine Existenz stand auf dem Spiel – der Rock wollte sich einfach nicht wickeln lassen. Dabei hing der Erfolg des heutigen Tages vom Tragen dieses Kleidungsstückes ab. Es ist nämlich mein einziger Rock, in dem ich beim Gehen einigermaßen schlank aussehe. Und ausgerechnet heute habe ich eine Besprechung im achten Stock. Um dorthin zu gelangen, muß man den ganzen Flur bis zum hinteren Aufzug durchqueren; außerdem hatte ich mir vorgenommen, ganz lässig an Andys Büro vorbeizuschlendern. Die beiden Enden des Rocks berührten sich zwar noch, aber eigentlich sollten sie sich ein Stück überlappen - klar, denn sonst wäre es kein Wickelrock, sondern eher eine Art Lendenschurz ... hinten geschlossen, vorne an prekärer Stelle offen, so wie es bei manchen afrikanischen Stämmen üblich ist. Ich gebe zu, im Notfall würde auch ich tausendmal lieber meine Muschi entblößen als meinen Po – keine Frage –, nur daß hier überhaupt kein wie immer gearteter Notfall vorlag. Sicher, wenn mir jemand mit vorgehaltener Pistole ein Stück Stoff reichen und sagen würde »Bedecken Sie hiermit entweder Ihren Po oder Ihre Muschi«, dann würde ich auf jeden Fall den Po wählen. Aber hier ging es gar nicht um Leben und Tod, es war noch viel wichtiger. Dieser Rock hatte sonst immer seinen Dienst getan – als verdammter Wickelrock –, aber jetzt war er offenbar in Streik getreten. Keine Verhandlungen, keine Vorwarnungen, keine Schlichtungsbereitschaft – er hatte einfach die Arbeit niedergelegt und einen völlig unkooperativen Standpunkt eingenommen. Dieser Rock ist mein Freund gewesen, ich hab' ihm vertraut und wußte, daß wir auf gutem Fuße standen. Er gehörte zu den wenigen Dingen in meinem Leben, die ich wirklich geliebt habe. Weshalb mußte er mich so im Stich lassen – ausgerechnet jetzt, wo ich ihn am dringendsten gebraucht hätte? Warum, oh, warum nur wollte er mir nicht mehr passen? Oben ging er immer noch zu, doch unterhalb des Nabels klaffte er hoffnungslos auseinander und gab ein pyramidenähnliches Stück Fleisch preis. Ich habe erst noch überlegt, den Schlitz bis hinunter zum Saum mit Klebeband zuzukleben, bin dann aber doch davon abgekommen. Das Band wäre bestimmt auch an meinen Strümpfen hängengeblieben und hätte sie mir heruntergezogen ... von den Laufmaschen ganz zu schweigen.

Ich wußte nicht, was ich tun sollte. Habe in der Arbeit angerufen und gesagt, daß ich später käme. Brauchte etwas Zeit, um nachzudenken – und zwar schnell. Habe in meiner Not Sally angerufen (zum Glück ist sie seit kurzem arbeitslos). Ihr erster Ratschlag lautete, daß ich unter diesen Umständen eben nicht an Andys Büro vorbeischlendern solle. Ich war so fertig mit den Nerven, daß ich die Beherrschung verlor. »Daß ich das vergessen kann, wenn ich nicht in meinen Schlankmacher-Rock reinkomme, ist doch völlig klar, du Schaf. Aber ich muß trotzdem noch zu dieser Besprechung gehen. Also, denk jetzt bitte mit: Soll ich bei den Sachen bleiben, die ich mir gestern ausgesucht habe, und einfach nur den rebellischen Rock gegen den unglaublich teuren schwarzen Rock austauschen? Du weißt schon, das Teil, das ich mir zum Trost gekauft habe, als es mit dem perfekten Peter auseinanderging – das ich aber fast nie anziehe? Oder soll ich das dunkelblaue Kostüm mit dem knielangen Rock nehmen, das mir zwar ganz gut steht, in dem ich mich aber kaum bewegen, geschweige denn Luft holen kann?«

Sally machte ihren Fehler wieder wett, indem sie, ohne lang zu fackeln, eine knallharte Entscheidung traf: »Bleib bei deiner Wahl von gestern abend, die Zusammenstellung ist wenigstens gut überlegt, nimm den schwarzen Rock dazu, und im übrigen viel Glück.« Bin gerade noch rechtzeitig zu der Besprechung gekommen. Zum Glück scheint niemand bemerkt zu haben, daß ich einen anderen Rock anhatte als ursprünglich vorgesehen. War aber trotzdem den ganzen restlichen Tag etwas befangen. Dieses »Ich-habe-etwas-an-was-ich-sonst-fast-nie-trage-und-deshalb-wirke-ich-bestimmt-bemitleidenswert-und-so-als-müsse-ich-mir-besondere-Mühe-geben«-Gefühl wollte mich einfach nicht loslassen. Bestimmt kann sich jeder noch daran erinnern, wie es war, wenn man als Kind feine Sonntagsschuhe anziehen mußte. Ehrlich gesagt, habe ich dieses Gefühl immer noch, wenn ich in neuen Schuhen zu einer Feier gehe ... Übrigens nicht nur zu Feiern –

und nicht nur bei Schuhen ... Neues ganz allgemein bereitet mir Beklemmungen. Wenn ich mir neue Sachen kaufe, trage ich sie erst mal im Haus – räkele mich damit vor dem Fernseher oder wische die Schränke in der Küche aus. Und erst nach einer Weile ziehe ich sie dann auch außerhalb meiner Wohnung an. Ich möchte nicht, daß mich die ganze Welt anstarrt und denkt: »Oh, schaut euch die an, wie sie sich verzweifelt bemüht. Soviel Geld für Kleider auszugeben, wo es doch sowieso keinen Zweck hat, HA!«

NB: Frag Mrs. M., ob sie dir einen kleinen provisorischen Einsatz an dem widerspenstigen Rock anbringen kann ... hm, sieht dann vielleicht ein bißchen sehr nach siebziger Jahre aus.

25. März

Morgen geht's auf nach Glasgow, *och aye the noo!* ... Wird *noo* so geschrieben? Und was ist das eigentlich? Vielleicht finde ich es in Glasgow heraus.

Andy hatte angeboten, mich mit dem Taxi abzuholen, aber mir war es lieber, ihn erst am Flughafen zu treffen ... Es ist schon nervenaufreibend genug, den ganzen Tag mit ihm zu verbringen, da werde ich meine Qualen doch nicht unnötig verlängern.

27. März

Oh, meine Güte, das wird mir niemand glauben, ich kann es selbst kaum fassen, was passiert ist ... Glasgow war ein Desaster, ein absolutes, hoffnungsloses, nicht zu übertreffendes Desaster. Am besten, ich berichte von Anfang an. Ich bin gerade erst zur Tür hereingekommen, kann Sally jetzt wahrscheinlich nicht mehr anrufen, es ist zwei Uhr morgens. Ich meine, sie ist zwar arbeitslos, aber trotzdem braucht sie ihren Schlaf. Wie vereinbart, haben Andy und ich uns vor dem Scot-Air-Schalter zum Einchecken getroffen. Und wer taucht plötzlich vor uns auf, als wir gerade unsere Tickets hervorholen? Carlo Pozzi! Ich hatte keine Ahnung, daß er mitkommen würde, Mr. Bowyer hatte nichts dergleichen gesagt. Jedenfalls ist er plötzlich da, schaut Andy mehr als merkwürdig an und sagt dann zu mir: »Ich dachte, Sie würden alleine fliegen; ich meine, es ist doch nur für einen Tag, und Sie wollen lediglich noch einmal nach dem Rechten sehen, nicht wahr?« Bevor ich etwas erwidern konnte, ergriff Andy, der mit einem Mal eigenartig erregt schien (vielleicht war Flugangst mit im Spiel, der Arme sah richtig unglücklich aus), das Wort: »Wir waren der Ansicht, daß die Marketing-Abteilung ebenfalls vertreten sein sollte, schließlich gibt es auch hier einige Dinge zu überprüfen.« Ich glaube nicht, daß Carlo ihn gehört hat, weil er sich, ohne Andy auch nur die geringste Beachtung zu schenken, gleich wieder an mich wandte: »Ich habe mir schon die ganze Zeit gewünscht, Sie bald wiederzusehen. In der Nähe von Glasgow sitzen ein paar meiner Kunden, mit denen ich mich treffen muß. Und als ich hörte, daß Sie für einen Tag hinfliegen würden, dachte ich, wir könnten gemeinsam reisen und heute abend vielleicht zusammen essen gehen.«

GOTT, und ich habe die ganze Zeit gedacht, er sei hinter der dünnen Clare her ... Wie konnte ich nur so blind sein. Ich kann es nicht fassen, daß ich bisher nichts gemerkt habe. Es liegt doch so offensichtlich auf der Hand ... Er ist hinter Andy her, er ist schwul, ganz klar: gutaussehend, elegant gekleidet, besonders nett zu Frauen ... Es paßt alles zusammen. Die ganzen Aufmerksamkeiten mir gegenüber, schon bei unserer ersten Besprechung, und später die vielen Telefonate ... Sie sollten nicht Clares, sondern Andys Aufmerksamkeit erregen! Ich bekam richtig Panik, daß ich den beiden im Weg sein könnte. Obwohl ich eigentlich ziemlich sicher bin, daß Andy nicht schwul ist, ganz gleich, was Dan der Schatz dazu sagt. Es sei denn, ach herrje, es sei denn, ich war wieder einmal total naiv und begriffsstutzig. Vielleicht ist Andy doch schwul, und ich habe nur nicht mitbekommen, daß er Carlo diese ganz speziellen Signale ausgesandt hat, die nur von Verliebten verstanden werden (habe leider keine Ahnung, um was es sich bei solchen Signalen konkret handelt; könnte sein, daß mein Empfänger leicht defekt ist).

Ich war völlig verunsichert, wie ich mich weiter verhalten sollte. Erwarteten die beiden, daß ich jetzt so eine Art Anstandsdame für sie spielte, mich dabei aber weitestgehend im Hintergrund hielt? Oder wollte Andy – wenn er denn doch nicht schwul war – gerade nicht mit Carlo allein sein, weil er befürchtete, sonst gleich vernascht zu werden? Im Flugzeug habe ich jedenfalls zwischen den beiden gesessen, so daß alles ganz normal aussah. Der Flug selbst war allerdings recht ungemütlich, da die beiden allem Anschein nach nicht miteinander reden wollten. Ich mußte also gleich zwei Unterhaltungen führen, was nicht nur anstrengend war, sondern auch bisweilen zu Verwirrungen führte. So habe ich zu Andy gesagt, daß ich noch nie in Venedig gewesen sei, obwohl wir beide gerade über die Schaffung von eigenen Firmenparkplätzen gesprochen hatten. Ich hoffe, er hat mich nicht für verrückt gehalten.

In Glasgow angekommen, beschloß ich, mich gleich dünnzumachen und sofort zu meiner Arbeit im Kongreßzentrum zu eilen. Da Carlo jedoch erneut für den Abend ein Restaurant vorschlug, in dem er schon mal gewesen sei, habe ich einfach erwidert, daß wir uns ja alle dort treffen könnten. Diesmal schauten gleich beide etwas konsterniert aus der Wäsche. Ich hatte keinen blassen Dunst, weshalb – ich wollte ihnen bloß entgegenkommen, und sie machten ein Gesicht, als hätten sie in eine saure Zitrone gebissen ... Kann man das so sagen? Ist letzten Endes auch egal, es war jedenfalls nicht meine Absicht, ihre Pläne zu durchkreuzen ... Andy und ich sind anschließend zum Kongreßzentrum gefahren, wo alles ganz reibungslos verlief. Andy hat sich allerdings den ganzen Tag eigenartig still verhalten - vielleicht war er sauer auf mich, weil ich ihm den Abend mit Carlo verdorben habe. Andererseits wußte er aber genausowenig wie ich, daß Carlo nach Glasgow kommen würde, glaube ich zumindest. Vielleicht war er nur deshalb so still, weil ihm einfach nichts einfiel, worüber er mit mir reden konnte. Außerdem hatten wir einen ziemlich turbulenten Flug hinter uns – daran könnte es auch gelegen haben.

Am Abend haben wir uns dann alle in diesem wirklich schönen Restaurant getroffen, aber das Essen selbst war unglaublich anstrengend. Carlo verfiel ständig ins Italienische – wahrscheinlich, um noch attraktiver und interessanter auf Andy zu wirken. Ich dagegen fand es ziemlich unangenehm, auf italienisch zu antworten, weil ich vor Andy nicht als Angeberin dastehen wollte. Trotzdem durfte ich unseren wichtigen Kunden nicht einfach vor den Kopf stoßen. Also habe ich die Unterhaltung teils auf italienisch, teils auf englisch geführt – was aber nur dazu führte, daß mich keiner der beiden richtig verstand. Überhaupt war Andy wieder ziemlich schweigsam – ich denke, daß er Angst vor dem Rückflug hatte. Die beiden Männer wechselten jedenfalls kaum ein Wort miteinander, es mußte sie also ganz schön erwischt haben. Ich fühlte mich so unbehaglich in meiner Rolle als Anstandsdame (oder was immer ich sonst gewesen sein mag), daß ich für drei geredet habe. Bin zu dem Schluß gekommen, daß die Drei eine Unglückszahl für jede Art von Zusammenkunft ist, ich konnte mich überhaupt nicht entspannen. Um so rätselhafter kommt es mir vor, daß sich manche Leute immer noch auf flotte Dreier einlassen ... Ein Essen zu dritt ist schon schlimm genug, wenn zwei der Anwesenden nicht miteinander reden. Aber wie soll man unter gleichen Umständen erst gemeinsam zum Orgasmus kommen?!

War dermaßen erschöpft und ausgelaugt, daß ich auf dem Rückflug eingeschlafen bin ... oder sagen wir besser, vor mich hingedöst habe, weil ich nicht riskieren wollte, daß mein Kopf unkontrolliert hin und her schwankt. Es gibt nichts Blamableres, als im Sitzen zu schlafen: der Kopf sackt langsam nach vorne, so lange, bis das Kinn die Brust berührt, sich dann jemand plötzlich bewegt und man ihn wieder ruckartig hochhebt, immer noch tief schlafend. Dann verweilt man ein paar Sekunden in dieser Stellung, bis das ganze Spiel von vorne beginnt. Der Kopf fängt an zu kippeln, in ganz bestimmtem Rhythmus – einmal vor, dann zurück, vor, vor ... zurück, zurück ... vor ... nur daß er diesmal nicht auf der eigenen Brust, sondern auf der Schulter des Nachbarn landet – und dann sitzen beide in der Falle. Der Nachbar wagt es nicht, sich zu rühren – schließlich ist er Brite und möchte kein Aufsehen erregen. Und das, obwohl die übrigen Passagiere schon seit geraumer Zeit wie gebannt herüberstarren und kaum noch stillsitzen können, weil sie alle nur auf den einen, unsäglich peinlichen Moment warten ... den Moment, wo sich der Mund des Schlafenden leicht öffnet und ein feiner Speichelfaden langsam, ganz ganz langsam, auf die Zeitung des Nachbarn zu tröpfeln beginnt. O nein, so etwas wird mir nie passieren, jetzt nicht und auch in Zukunft nicht. Ich würde mich keinesfalls zum Gespött irgendwelcher gelangweilter Reisender machen. Ich würde wach bleiben, und wenn ich dabei draufginge, flankiert wie ich war von dem Objekt meiner Begierde und einem der wichtigsten Kunden meiner Firma.

Schwul hin, schwul her, sie hätten wahrscheinlich trotz allem einen Riesenspaß, wenn ich schlaff mit dem Kopf hin und her wackeln würde ... Jeder würde sich amüsieren – ich auch, wenn es um jemand anderen ginge.

Kam völlig deprimiert nach Hause – mein großer Tag ruiniert, die Chance meines Lebens verpaßt. Wenn Andy doch schwul sein sollte, was sagte das über mich aus? Nur das Übliche – daß ich nicht einmal fähig war, den Unterschied zwischen einem komplexen sozialen Sachverhalt und einem Laib Brot zu erkennen.

NB: Keine Tampons mehr im Haus, Periode auf dem Vormarsch. Muß mich mit einer halben Rolle Toilettenpapier und einer alten Unterhose behelfen – der krönende Abschluß eines wunderbaren Tages.

30. März

Hatte die letzten Tage keine Lust zu schreiben ... Hatte, ehrlich gesagt, nicht einmal Lust zu atmen, obwohl das weder besondere Anstrengung noch großes Nachdenken erfordert.

Bin Andy aus dem Weg gegangen, kann nicht mit ansehen, wie er hüftschwingend über den Korridor tänzelt. Fairerweise muß ich zugeben, daß er das bisher nicht getan hat – zumindest soviel ich weiß –, aber vielleicht habe ich es nur nicht bemerkt. Ich gehe also davon aus, daß er tänzelt.

Habe mich nicht besonders konsequent an meine Ohne-Cellulitis-leben-Kur gehalten. Als ich das letzte Mal auf dem Fußboden lag, um das Mantra zu lesen, haben sich meine Haare unter dem Kühlschrank verfangen, und ich wäre beim Aufstehen beinahe skalpiert worden ... Muß mich vielleicht nach einem anderen Platz für die Liste umsehen. Obwohl es mir eigentlich egal sein kann, wie ich aussehe ... falls Andy tatsächlich »anders« sein sollte als andere Männer. Oder?

Gut, daß ich mich gerade jetzt so mies fühle – dann schneide ich wenigstens morgen bei meinem Therapie-Orientierungsgespräch gut ab. Kann mich nicht entscheiden, ob ich Sachen anziehen soll, in denen ich richtig niedergeschlagen und von Minderwertigkeitskomplexen gebeutelt wirke (so daß der Gutachter gleich Mitleid mit mir bekommt und mir einen richtig fähigen Therapeuten zuweist), oder ob ich lieber etwas nehme, was mir gut steht. Wenn ich mich für die Trauer-Kluft entscheide, muß ich etwas zum Wechseln mitnehmen, weil ich anschließend noch zur Arbeit muß. Ist aber kein ernsthaftes Problem. Wichtig ist allein, daß ich in den Klamotten auch verrückt genug wirke.

NB: Denke, ich ziehe die Jeans an. Damit der Therapeut gleich versteht, weshalb ich Dad damit ärgern kann. Wenn ich mir's recht überlege, ist es vielleicht besser, wenn ich zuerst meine Arbeitsklamotten anziehe. Und mich erst später auf dem Klo der Klinik ins Verrückten-Outfit werfe. Nur für den Fall, daß mich unterwegs jemand sieht.

1. April

Heute ist der Tag meiner zweiten Geburt – der Beginn eines neuen, besseren, wunderbaren Lebens im Zeichen der Therapie.

Habe mich in aller Herrgottsfrühe auf den Weg zur Klinik gemacht. War sehr in Sorge, nur ja nicht zu spät zu kommen, da ich meine wertvolle Therapiezeit nicht gleich mit dem Thema »Pünktlichkeit« vergeuden wollte. Bin am Ende schon dagewesen, bevor die Klinik überhaupt aufgemacht hat. Habe zuerst überlegt, vorne auf den Eingangsstufen zu warten, um einen besonders verzweifelten Eindruck zu erwekken. Doch nachdem mir klar wurde, daß mich dort nur die Putzfrau finden würde, bin ich ins Café um die Ecke gegangen. Habe mich in dem Laden nicht sehr wohl gefühlt, weil mich die alte Griechin, die dort beschäftigt war, so merkwürdig musterte, während sie mir Kaffee einschenkte. Als ob sie dachte: »Sieh an, schon wieder eine von diesen Spinnerinnen, die meinen, der Schuppen um die Ecke wüßte die Antworten.« Sieben Cappuccinos später bin ich erneut zu den Pforten der Klinik getrabt – jetzt trennten mich noch zehn Minuten von dem Augenblick, in dem ich das Licht der Erkenntnis erblicken würde.

Vorher mußte ich aber noch einmal dringend zur Toilette, aus wirklich triftigem Grund. Daher war es mir auch ziemlich egal, was sich die Empfangsdame dabei dachte, wenn ich direkt nach meinem Eintreffen zum Klo eilte. Habe also meine Notdurft verrichtet (also wirklich, solche Details gehören eigentlich nicht in ein Tagebuch!) ... danach meine Jeans angezogen, und bin zurück in den Wartebereich. Ich glaube nicht, daß die Empfangsdame meinen Kleiderwechsel bemerkt hat – sie hätte es wahrscheinlich nicht einmal registriert, wenn ich meinem Hals mit einem stumpfen Buttermesser zu Leibe gerückt wäre ... Sie hat mich schlicht und einfach ignoriert. Ich vermute, daß das Personal solcher Kliniken darauf trainiert ist, den Patienten keine Beachtung zu schenken – immerhin könnten welche darunter sein, die unter Paranoia oder extremen Schuldkomplexen leiden – einem dieser Geisteszustände eben, wo die Betroffenen meinen, die anderen würden alles mögliche Schlechte über sie denken, auch wenn das gar nicht der Fall ist.

Wie auch immer, ich habe mich hingesetzt und plötzlich kalte Füße bekommen. Ich meine, im Grunde wollte ich eigentlich nur über meine Eltern sprechen und mir bestätigen lassen, wie furchtbar sie sind und daß alles allein ihre Schuld ist. Okay, und dann vielleicht noch über die eine oder andere dünne Person herziehen ... die dünne Clare ausgenommen – bin inzwischen wirklich der Ansicht, daß sie in Ordnung ist ... und außerdem kann sie ja nichts dafür, daß sie eine gute Figur hat. Ich hatte das Gefühl, bereits eine halbe Ewigkeit im Wartebereich zu sitzen, als mir mit einem Mal etwas einfiel. Wahrscheinlich war es gar nicht ratsam, dem Therapeuten eine Liste zu geben, auf der die Punkte, über die man reden beziehungsweise nicht reden wollte, aufgeführt waren. Wenn ich das täte, würde er sich natürlich gerade auf den

Punkt stürzen, über den ich am allerwenigsten sprechen mochte, und ich würde dann schmollend dasitzen und mit zusammengebissenen Zähnen einsilbige Antworten geben – meine übliche Reaktion, wenn Mum von mir wissen will, was ich denn für Männer kennengelernt hätte und wie ich sie an mich zu binden gedächte.

Endlich, Punkt zehn Uhr (alle Uhren in dieser Klinik sekundengenau aufeinander abzustimmen kostet sicher jedesmal einen halben Arbeitstag), steckte eine Frau den Kopf aus einer der Türen am Ende des Gangs heraus und rief meinen Namen auf. Ich schlurfte über den langen Korridor und betrat einen winzigen, engen, in Brauntönen gehaltenen Raum – die Wände sahen aus, als seien sie mit Schlamm dekoriert – vielleicht die Therapeutenvorstellung von einer neutralen Farbe. In der Mitte standen zwei ziemlich unbequem aussehende Stühle, und auf einem davon saß eine – ich konnte es kaum glauben – wahnsinnig dicke Frau!! Ich war völlig überrumpelt, wußte nicht, was ich denken sollte. Eine Therapeutin mit Übergewicht! Wie konnte jemand mit dieser Qualifikation dick sein und trotzdem gute Arbeit leisten? Wenn sie gut wäre, dürfte sie nicht dick sein, stimmt's? Das wäre wie eine geschiedene Eheberaterin oder eine konservative Labour-Abgeordnete ... obwohl es so etwas ja geben soll ... aber das steht auf einem andern Blatt; jedenfalls ist klar, was ich meine, oder?

Sie war so dick, daß sie den Stuhl total ausfüllte; man hätte meinen können, daß der Stuhl zu ihrem Körper gehörte (was für eine Therapeutin vielleicht gar nicht so schlecht wäre ... wenn man bedenkt, daß sie ihr Leben fast nur im Sitzen zubringt).

Ich wußte nicht, ob ich ihr offen ins Gesicht sagen sollte, daß ihr Übergewicht ein Schock für mich war, oder ob ich lieber so tun sollte, als würde ich ihren Leibesumfang gar nicht bemerken (HA!). Um dann gleich zu meinen eigenen Problemen überzugehen, als da wären mein fetter Hintern, die ganze Cellulitis-Geschichte et cetera – selbstverständlich so diskret, daß sie nicht denkt, ich würde sie kritisieren. Während ich noch unschlüssig hin und her überlegte, stellte ich fest, daß bereits fünfzehn Minuten vergangen waren! Würde die Frau denn gar nicht den Mund aufmachen? War dies eine Art Test? Wer zuerst spricht, hat verloren. Aber dann, nach Minuten, die mir wie Stunden vorkamen, hat sie endlich doch etwas gesagt. Ihre Stimme klang sehr weich und sanft, was mir gefiel. Sie wollte wissen, welche konkreten Anliegen mich dazu gebracht hätten, an eine Therapie zu denken. Mir war sofort klar, der Frau mußte etwas auf den Kopf gefallen sein ... Ich meine, ich saß vor ihr und hatte meine Jeans an! Ein Blick, und schon weiß man, weshalb ich therapiebedürftig bin. Es folgte eine weitere Pause, in der ich überlegte, ob ich mit verächtlicher Miene aufstehen und hinausgehen sollte. Habe mich dann aber dagegen entschieden. Die Frau sollte nicht meinen, daß ich neben allem anderen auch noch unter einem kleinen Aggressionsproblem litt. Schließlich habe ich erklärt, daß ich selbst nicht genau wüßte, weshalb ich hier sei, aber hoffte, daß sich meine wichtigsten Probleme in der Therapie herauskristallisierten, damit sie anschließend behoben werden könnten. Ich meine, im Kern trifft das die Sache, oder?

Ich hätte es natürlich auch kürzer machen und sagen können: »Nun, ich habe einen dicken Hintern, und er überschattet mein ganzes Leben.« Aber dann hätte sie wahrscheinlich erwidert: »Ja, das kann ich mir vorstellen, vor allem, wenn Sie oft in diesen Jeans herumlaufen.« Und wenn sie mir so gekommen wäre, hätte ich schlecht erwidern können: »Schau dich doch selbst an, Fettarsch«, weil ich damit nur wieder neue Problembereiche offenbart und sie auf meine Empfindlichkeit oder sonst was gestoßen hätte. Und das wäre nicht nur ärgerlich, sondern auch komplett irrelevant gewesen, da sie schließlich mit der Sache angefangen hatte, aber ich wäre natürlich am Ende an allem schuld gewesen.

Nachdem ich also meine Erklärung abgegeben hatte, saßen wir uns erneut schweigend gegenüber. Ich hoffte, daß sie die wuchtigen Ausmaße meiner in Jeans gehüllten Oberschenkel bemerken und fragen würde: »Haben Sie Probleme mit Ihrem Gewicht?« Aber leider tat sie das nicht.

Es ist schon ziemlich irritierend, daß man bei einer Therapie anscheinend selbst herausfinden muß, welche Probleme man eigentlich hat. Phantastisch, als nächstes werden sie versuchen, mir irgendwelche Argumente zu verkaufen, die meine Eltern von jeglicher Schuld freisprechen! Jedenfalls habe ich dann plötzlich gemerkt, daß mir nur noch fünfzehn Minuten blieben – fünfzehn Minuten, und mir war noch überhaupt nichts klarer geworden. Ich mußte ihr irgend etwas anbieten, am besten etwas Pikantes – sonst würde sie mich womöglich nicht wieder empfangen. Also habe ich ihr erzählt, daß ich früher immer mit Männern geschlafen habe, um ihre Sympathie zu gewinnen – und zwar auch mit solchen Männern, die mir selbst gar nicht besonders gefielen. Und dann habe ich noch gesagt, daß ich diese Methode heute eigentlich nicht mehr anwenden würde. Ich hätte nämlich ein wenig das Vertrauen darauf verloren, daß meine Freizügigkeit die Leute tatsächlich dazu bringen würde, mich zu mögen. Aber die Therapeutin hat schon wieder nicht verstanden, worauf es mir ankam! Sie schien zu denken, daß sich mein Problem um dieses Mit-Männern-schlafen-nur-um-gemocht-zu-werden drehen würde. Dabei ging es mir ausschließlich darum, zu klären, weshalb ich das Vertrauen in das Funktionieren dieser Methode verloren hatte! Ich meine, mit Männern ins Bett zu steigen, um sich beliebt zu machen, ist doch nichts Besonderes, alle Frauen tun das ... Unnormal ist nur, am Erfolg dieser Taktik zu zweifeln. Ich meine, früher hätte ich mit Andy gleich an seinem ersten Arbeitstag in der Firma Sex gehabt – im Lagerraum, noch bevor er aus dem Mantel hätte schlüpfen können – völlig überzeugt davon, daß er mich dafür lieben würde. Heute hätte ich dagegen eher die

Befürchtung, daß er den Lagerraum (und mich) für den Rest seines Lebens meiden würde.

Gerade als ich der Therapeutin noch einen weiteren Leckerbissen anbieten wollte, stand sie auf und sagte: »Unsere Zeit ist um, vielleicht haben Sie Lust, nächste Woche wiederzukommen. Dann können wir uns weiter unterhalten.« O ja, kann mir kaum etwas Schöneres vorstellen, als weitere Wortwechsel in Lichtgeschwindigkeit zu führen. Ich sehe es schon kommen, daß ich hier in Shorts und einem Bustier aufkreuze, nur damit die Frau begreift, um welches »Anliegen« es geht. Vielleicht komme ich aber auch gar nicht wieder – das wird ihr eine Lehre sein; sie wird es noch bereuen, daß sie mir heute so gar keine Einsichten geboten hat.

NB: Vermeide den trügerischen Schluß, daß das Fernbleiben deiner Person eine Enttäuschung für andere darstellen könnte – das Gegenteil ist viel wahrscheinlicher.

8. April

Weiß nicht, weshalb ich doch wieder zu dieser Frau gegangen bin. Morgen findet die erste Pozzi-Tagung in Glasgow statt, zu der ich in aller Herrgottsfrüh hinfliegen muß. Habe also, weiß Gott, Besseres zu tun, als mich mit einer übergewichtigen Therapeutin abzugeben, die ein »Anliegen« nicht mal dann erkennen würde, wenn es direkt auf ihrer Nasenspitze säße!

Ich glaube, die neue Regel, nur einmal pro Woche zu schreiben, gefällt mir nicht, aber ich muß mich daran halten ... Warum, weiß ich selbst nicht genau. Ich denke nur, daß man zu einem einmal gefaßten Entschluß stehen sollte, oder? In der Arbeit war wegen des Endspurts für morgen dermaßen der Teufel los, daß ich seit unserem Liebe-die-sich-nicht-beim-Namen-zu-nennen-wagt-Trip nach Glasgow kaum ein

Wort mit Andy gewechselt habe. Gesehen habe ich allerdings, daß er neulich ein lachsrosa Hemd trug – bin jetzt um so verwirrter! Ich meine, wie soll ich mir Gewißheit verschaffen, ohne ihn direkt darauf anzusprechen? Was, wenn Andy bisher gar nicht weiß, daß er schwul ist? Und ich ihn sozusagen erst dazu bringe, sich zu outen? Eine Tirade voller Anschuldigungen habe ich mir ja gerade erst geleistet – ich weiß nicht, ob ich mir das nochmal erlauben kann, selbst wenn er alle Platten von Judy Garland gesammelt haben sollte.

Habe heute morgen, als ich aus dem Haus ging, den Typ von unten getroffen. Mir ist mit Schrecken eingefallen, daß meine Gegeneinladung mehr als überfällig ist. Habe daher gleich einen Termin für den 19. ausgemacht. Kann es schließlich nicht bis in alle Ewigkeit aufschieben; dieses Wochenende war mir zu früh, aber bis nach dem Besuch bei Mum wollte ich denn doch nicht warten. Hey, ich habe eine Idee – warum lasse ich mir für das kommende Wochenende nicht einfach ein paar Elektroschocks verpassen? Immerhin hätte ich dann einen Hattrick verflixter Samstage vorzuweisen.

Brauche, glaube ich, gar nicht erst zu erwähnen, daß meine Therapiestunde ein Flop war. Hatte wieder meine Jeans an, diesmal mit Gürtel und eingestecktem T-Shirt, aber trotzdem hat sie *immer noch nichts* zu meinem Gewicht gesagt. Vielleicht hätte ich das Thema selbst ansprechen sollen ... aber irgendwie wollte ich das nicht. Erstens, weil ich nicht weiß, ob sie mich, verglichen mit sich selbst, überhaupt für dick hält; und zweitens, weil ich keine Lust auf eine hochnäsige Ermahnung hatte, wer von uns beiden denn nun mehr Anlaß hätte, sich um sein Gewicht zu sorgen. Obwohl, wenn ich mir's recht überlege ... Wir stehen in keinem Wettstreit miteinander, oder? Ihr Übergewicht sollte wirklich nichts mit meinem zu tun haben. Nur daß ich anscheinend ein kleines Problem damit habe, Ratschläge von einer Person anzunehmen, die doppelt soviel wiegt wie ich ... Vielleicht liegt es aber auch einfach an mir selbst. Vielleicht bin ich zu sehr auf dieses Problem fixiert, viel mehr als andere ... Nein, das kann nicht sein, da wäre ich ja paranoid. Das nächste Mal muß ich versuchen, gar nicht auf ihr Gewicht zu achten ... Vielleicht sollte ich es mal mit der Sofa-Nummer probieren. Wenn ich liege, brauche ich sie nicht anzusehen ... Ja, das ist vielleicht gar keine schlechte Idee.

10. April

Ich weiß, eigentlich dürfte ich heute nichts schreiben – erst wieder am Dienstag nach der Therapie. Aber wir hatten gestern die erste Pozzi-Tagung, da kann ich nicht bis nächste Woche warten. Ich glaube, die Tagung war ein voller Erfolg. Bis auf den Anfang vielleicht, als ich nach vorne marschierte, um die Teilnehmer zu begrüßen ... Das Podium bestand aus einer hölzernen Plattform, und die Bretter haben richtig laut geknarrt, als ich zum Mikrofon ging – etwas, worauf ich überhaupt nicht vorbereitet war. Ich stand da wie versteinert, starrte in das Meer von Gesichtern und wußte, was alle dachten: »Die Frau muß eine Tonne wiegen, um eine so stabile Konstruktion zum Ächzen zu bringen.« Da dieser Gedanke aber zum Glück nicht ausgesprochen wurde, habe ich mich schnell wieder gefaßt. Der ganze Tag verlief ziemlich hektisch, ich konnte mich nicht eine Sekunde lang hinsetzen – was aber nicht weiter schlimm war; ich hatte das dunkelrote Kostüm an, darin ist an Sitzen sowieso nicht zu denken. Ehrlich gesagt, fiel mir auch das Laufen schwer, aber es ist nun mal eins meiner Lieblingskostüme, weil es alles so wunderbar in Form preßt. Am Ende des Tages kam Carlo zu mir und überschüttete mich mit Lob für die gelungene Veranstaltung. Irgendwie sah er aus, als wolle er mir noch etwas anderes sagen – irgend etwas erklären vielleicht ... Ach, ich weiß nicht. Mir ist es sowieso lieber, wenn unsere Beziehung auf das Geschäftliche beschränkt bleibt – ich lege überhaupt keinen Wert darauf, mir seine Gefühlsduseleien für Andy anzuhören ... Weder für Andy noch für sonst einen Mann, um genau zu sein.

NB: Verhalte dich in Zukunft höflich, aber kühl, wann immer du mit Carlo zusammentriffst – womöglich gerätst du sonst zwischen die Fronten. Das fünfte Rad am Wagen – was für eine reizende Rolle.

Was soll's, für mich zählt letztlich nur, daß die Tagung reibungslos verlaufen ist und ich meine Jacke anbehalten konnte. Ein paar Leute meinten zwar, daß es im Saal ein wenig zu kühl sei, aber darauf habe ich mich erst gar nicht eingelassen, sondern erklärt, im Haus gäbe es ein Problem mit der Zentralheizung. Das stimmte zwar nicht ganz, aber wenn es zu warm geworden wäre, hätte ich in meiner Jacke vielleicht doch etwas seltsam ausgesehen. Also habe ich den Thermostat immer schön nach unten gedreht.

15. April

War heute wieder bei der Therapie. Mußte anschließend schnell zur Arbeit und konnte daher nicht mein komplettes »Sehen-Sie-denn-immer-noch-nicht-wie-fett-ich-hierin-bin«-Outfit anlegen. Bin einfach so erschienen, wie ich zur Arbeit gehe. Trotzdem hat sie wieder nichts zu meiner Figur und meinem Äußeren gesagt. Vielleicht wartet sie auf den rechten Augenblick; vielleicht hat sie gedacht: »Gott, die Frau sollte nie wieder Jeans tragen«, fand das Thema jedoch noch zu explosiv. Habe ihr vom perfekten Peter erzählt, und davon, wie er sich nach New York abgesetzt hat. Sie wollte wissen, was ich unter »perfekt« verstünde. Woraufhin ich zur Antwort gab: »Das ist jeder, der mich nicht will.« Huch, eigentlich hatte ich das so gar nicht sagen wollen, es klingt zu pathetisch und jämmerlich. Aber hinterher war ich doch ganz froh, daß es mir einfach rausgerutscht ist. Wahrscheinlich konnte ich so noch ein paar Punkte sammeln, um mich für einen wirklich guten Therapeuten zu qualifizieren. Gott, ich kann es kaum erwarten, endlich zu einem richtigen Experten zu kommen. Am Schluß hat sie mir noch eine Hausaufgabe gegeben. Ich soll all meine positiven Eigenschaften auf einem Blatt auflisten und dieses Blatt dann irgendwo gut sichtbar aufhängen. Du meine Güte, unter dem Kühlschrank wird es allmählich eng.

MEINE POSITIVEN EIGENSCHAFTEN:

~~Nase~~

Äh ... meine Füße? Nein, eher nicht. Dafür ist die zweite Zehe am linken Fuß zu lang.

Augen? – Ja, die Augen sind gut, nicht wahr? Groß und braun ... nur, daß das linke einen kleinen grünen Fleck am äußeren linken Rand der Iris hat; man sieht ihn nur, wenn ich den Kopf zum Licht drehe, aber trotzdem ist es ein Makel, oder? Und meine Wimpern sind auch nicht lang genug.

Haar? – Mein Haar ist in ganz ordentlichem Zustand, man sieht, glaube ich, nicht, daß es gefärbt ist ... Nun, nicht wirklich gefärbt, sondern getönt – um ihm mehr Glanz und Fülle zu verleihen, wie es so schön heißt. Einmal habe ich selbst versucht, es zu tönen, mit irgend so einem Zeug, das »Black Magic« hieß. Danach sah ich aus, als hätte ich eine geschmolzene LP auf dem Kopf. Es war furchtbar, ich mußte wochenlang ein Kopftuch tragen. Und meine Hände konnte man vergessen ... als hätte ich für einen Auftritt bei den Black & White Minstrels geprobt. Nein, ich kann nicht unbedingt behaupten, daß ich mit meinem Haar einen Blumentopf gewinnen könnte.

Hände? – Igitt, die nun wirklich nicht. Wenn ich meine Tage habe, sehen sie immer so aufgequollen und dick aus – wie rohe Cocktailwürstchen.

Fingernägel? – Meine Fingernägel sind gar nicht so übel. Ich darf sie nur nicht zu lang wachsen lassen, weil sie dann eigenartig verbogen und krumm werden. Aber ich denke, die Nägel gehen gerade noch so als positives Merkmal durch.

Lippen? – Hm ja, die Lippen. Meine Unterlippe ist in Ordnung, schön geschwungen und voll, doch die Oberlippe ist viel zu dünn. Die beiden passen irgendwie nicht zusammen. Vielleicht ist mir die Oberlippe erst nachträglich eingesetzt worden, etwa weil ich bei der Geburt gar keine hatte. Vielleicht bin ich ohne Oberlippe zur Welt gekommen und benötigte deshalb ein Transplantat ... aus einem Stückchen zusammengerolltem Fleisch, das sie mir aus der Achselhöhle entnommen haben oder so. Aber davon müßte ich eigentlich wissen, oder? Ich glaube kaum, daß sich meine Mutter eine solche Gelegenheit hätte entgehen lassen – mir von all dem Leid zu berichten, das sie erdulden mußte ... mit ihrem Baby ohne Lippe.

Was ist mit meinen Brüsten? Meine Brüste sehen eigentlich ganz manierlich aus, solange ich liege – wünschte, das würde auch auf die anderen Positionen zutreffen. Aber dazu wäre schon eine bahnbrechende Erfindung notwendig, die zumindest das Gesetz der Schwerkraft aufhebt. Ich weiß nicht, wie es möglich ist, daß manche großen Brüste trotz Schwerkraft straff und aufgerichtet bleiben. Sind sie innen hohl? Ich werde nie die Schmach vergessen, als ich in der Schule durch den Bleistift-Test fiel. Irgendein Mädchen mit perfekter Figur hatte in einer Zeitschrift gelesen, wie man selbst überprüfen könne, ob man einen BH tragen muß oder nicht. Man muß einfach einen Bleistift unter den Busen klemmen und sehen, ob er dort hält. Wenn ja, dann ist ein BH angesagt, wenn nicht, dann geht es auch ohne. Wir waren damals erst vierzehn; kein Wunder also, daß der Bleistift unter den Brüsten der meisten herausfiel. Bei mir blieb jedoch nicht nur der Bleistift hängen, sondern ich hätte auch noch den Schulranzen und das Mäppchen darunterklemmen können.

Bauchnabel? – Ist in Ordnung, denke ich; allerdings nichts, worüber man in Begeisterungsstürme ausbrechen müßte.

Gott, ich finde es ein bißchen deprimierend, meine guten Eigenschaften aufzulisten; mit den schlechten täte ich mich, glaube ich, leichter. Zumindest hätte ich mehr vorzuweisen.

17. April

Habe ganz vergessen, daß der Typ von unten übermorgen zum Essen kommt! Muß unbedingt noch ein paar andere Leute einladen. Bin nicht scharf darauf, mit ihm und Nebelhorn allein dazusitzen und mich über Themen wie »Fitneßprogramme« oder »die Häufigkeit von Sex in dauerhaften Beziehungen« unterhalten zu müssen. Habe Sally angerufen; sie war nicht da. Hatte statt dessen Dan den Schatz an der Strippe, der meinte, daß sie kommen könnten – Gott sei Dank. Habe Dan gesagt, daß sie um halb sechs, spätestens aber um sechs hier sein sollten, weil ich ihnen ja noch meine Garderobe vorführen müsse. Dan fragte, ob er sich diesmal nicht aus der »Was-soll-ich-anziehen«-Übung ausklinken dürfe. Daraufhin mußte ich ihm zum millionsten Mal erklären, daß seine Gegenwart fast noch wichtiger ist als die von Sally, und zwar zum einen, weil er mir als Mann gute Tips zu Klamotten, PNFs et cetera geben kann – und zum anderen, weil er für mich lediglich theoretisch einen Mann darstellt; er ist schließlich der Freund meiner besten Freundin.

Dan entgegnete, er wisse nicht, was ich damit meine, daß er nur theoretisch ein Mann sei. »... nun ja, für mich bist du so etwas wie ein Eunuch im Harem; ich komme in den Genuß deiner männlichen Meinung, ohne daß es mich wirklich zu kümmern braucht, was du von mir hältst.« Danach hat er kaum noch etwas gesagt und bloß gemeint, sie würden mich ja dann am Samstag sehen. Hoffentlich denkt er nicht, daß ich ihn für einen richtigen Eunuchen halte. Ich nehme an, er weiß, daß Sally mir von seiner Aufregung erzählt hat, als er vor ein paar Jahren glaubte, einen Knoten an seinen Hoden entdeckt zu haben – der Knoten hat sich als Pickel herausgestellt, aber Sally sagt, daß Dan noch immer nicht darüber lachen kann. Eine Person muß ich noch einladen, dann wären wir zu sechst – eine gute Zahl, oder? Ich denke, ich wage es und frage Andy ... Begründen könnte ich es damit, daß er mich in das französische Café eingeladen hat. Ja, ich werde es ganz ausdrücklich so formulieren, damit er nicht glaubt, ich würde ihn immer noch mögen. Ich weiß, daß die Dinner-Partys dynamischer, erfolgreicher Gastgeber zumeist aus acht Personen bestehen, aber ich möchte vermeiden, daß Andy und ich gleich drei Paaren gegenübersitzen ... Das wäre vielleicht ein zu deutlicher Wink mit dem Zaunpfahl, oder?

NB: Muß Sally sagen, daß sie sich nicht zu ausführlich über ihre Hochzeitspläne ausläßt – Andy denkt sonst, es handle sich um ein abgekartetes Spiel, und fällt vor lauter Panik in Ohnmacht.

18. April

Andy sagte, daß er furchtbar gern zum Essen komme – einfach so, ohne lange zu zögern und zu überlegen ... Seltsam.

Habe heute einen Testdurchlauf veranstaltet und das Essen für morgen probegekocht. Habe ausschließlich diese ganz einfachen »Sie brauchen lediglich ...«-Rezepte aus der TV-Werbung genommen, aus denen irgendwelche längst vergessenen Filmstars immer die raffiniertesten Gourmet-Gerichte zaubern. Natürlich habe ich von jedem Gang nur eine winzige Portion gekocht, wollte sichergehen, daß es nichts zu beanstanden gab, also keinen widerlichen Beigeschmack oder farbliche Disharmonien. Merkwürdigerweise schien alles in Ordnung zu sein – hoffentlich bedeutet das nicht, daß ich irgend etwas falsch gemacht habe.

19. April

Bin aufgewacht und war gleich dermaßen in Panik wegen heute abend, daß ich gar nicht registrierte, wie früh es noch war. Stand mit dem Einkaufswagen vor Sainsbury's, die Hände krampfhaft um den Griff gepreßt, die Knöchel weiß vor Anspannung, und habe mir die Nase an der automatischen Eingangstür plattgedrückt, weil der Laden erst in einer halben Stunde aufmachte. Habe auch ein paar Sachen für die alte Mrs. M. eingekauft. Mir gefiel der Blick nicht, den mir der Kassierer zuwarf, während er das halbe Brot und die portionierten Einsame-Single-Packungen in die Kasse eingab – wahrscheinlich dachte er, die Sachen seien für mich, trotz meiner diskreten Hinweise, daß ich für eine alte Dame Besorgungen erledigen würde. Habe mir aber alles in eine separate Tüte packen lassen und um einen gesonderten Kassenzettel gebeten, damit er sehen konnte, daß ich die Wahrheit sagte. Nachdem ich mit dem Kochen fertig war, habe ich mich ans Tischdecken gemacht. Hat eine halbe Ewigkeit gedauert, mußte ungefähr vierundsiebzigmal von vorn anfangen, es sah einfach nicht perfekt aus. Wußte nicht, ob ich die Blumen auf dem Tisch lassen sollte, bis die Gäste Platz nahmen, oder ob ich sie besser gleich auf die Anrichte stellen sollte – es ist so schwierig, alles ganz korrekt zu machen. Habe ein Bad genommen und beschlossen, diesmal auf die Beinrasur zu verzichten, da es a) sowieso nichts nutzt und b) niemanden interessiert.

Um die Teezeit herum hatte ich nichts anderes mehr zu tun, als richtig schön in Panik zu geraten.

Sally und Dan der Schatz kamen erst gegen sieben – war ziemlich verärgert. Dan meinte: »Ich finde, das steht dir wirklich großartig!« Wahrscheinlich wollte er witzig sein, ich hatte nämlich noch meinen Bademantel an. Anschließend hat er sich gleich vor dem Fernseher zu ›Blind Date – Verabredung mit einer Unbekannten‹ niedergelassen, während Sally und ich anfingen, meine Kleider durchzusehen. Habe die Gelegenheit genutzt, ihn darauf hinzuweisen, daß die Haremsinsassen ihren Eunuchen normalerweise keine unkontrollierte Benutzung der Fernbedienung gestatten. Sally hat den langen schwarzen Rock und die rote Seidenbluse für mich ausgewählt – mit dem völlig korrekten Hinweis, daß ich heute abend etwas Bequemes tragen müsse, also etwas, worin ich mich auch bewegen könne. Die Bluse war eine besonders gute Wahl, da sie wirklich weit geschnitten ist und ich heute überhaupt keine Lust hatte, mir über die unfreiwillige Präsentation meines Pos Gedanken zu machen. Es ging schon auf acht zu, als mir dann doch noch etwas Schreckliches einfiel. Sollten der Typ von unten und sein Nebelhorn als nächste eintreffen, würden bereits alle Gäste da sein, wenn Andy kam, und dann müßte er denken, er sei in irgendeinen verschworenen Kreis geraten ... Nicht auszudenken. Ich habe Sally und Dan schleunigst wieder nach unten auf die Straße geschickt, wo sie warten sollten, bis ich ihnen ein Signal gab – schnelles An- und Ausgehen des Klolichts würde ihnen anzeigen, wann sie wieder hochkommen durften (sprich, sobald die anderen alle da waren).

Das Essen war – denke ich – okay; offenbar hat niemand gemerkt, daß das meiste aus dem Supermarkt stammte und gar nicht von mir zubereitet war. Unangenehm wurde es nur, als irgend jemand – ich glaube, es war das Nebelhorn – plötzlich damit anfing, was das nur alles für traurige Verlierer seien – die Menschen, die auf Bekanntschaftsannoncen antworteten oder sogar selbst welche aufgaben ... Fast wäre ich vom Stuhl gekippt. Während alle anderen noch pflichtschuldig zustimmten, wartete ich nur darauf, daß sie sich mir zuwenden und sagen würde: »Du bist doch auch eins dieser einsamen Herzen, nicht wahr, Jackie?« Ich rechnete also jeden Augenblick damit, aufs Schafott geschleppt zu werden, aber dann hörte ich Andy sagen, daß es im Prinzip doch keine schlechte Methode sei, um jemanden kennenzulernen! Igitt, ich hoffe, er spricht nicht aus Erfahrung. Ich könnte nie für jemanden schwärmen, der sich zu so etwas herabläßt. Ich weiß, ich habe selbst schon mal mit dem Gedanken gespielt, aber bei mir ist das etwas anderes. Einen Mann, der so etwas tut, würde ich jedenfalls nicht anrühren.

Die Gäste sind gegangen. Habe beschlossen, heute nicht mehr aufzuräumen – morgen ist auch noch ein Tag.

20. April, 5.30 Uhr

Kann jetzt schreiben: Er ist endlich eingeschlafen. Es ist kaum zu glauben – Andy ist ungefähr eine Stunde, nachdem alle weg waren, noch mal zurückgekommen. Er hat auf die Klingel gedrückt und gleich – ehe ich ihn reinlassen konnte – gerufen, daß er endlich wissen müsse, wie ich zu ihm stünde! Und ob ich ihn gegen Carlo ausspielen würde (es schien nicht der rechte Augenblick, ihn über Carlos homosexuelle Neigungen aufzuklären).

All das hat er von der Straße aus in die Sprechanlage gesagt ... Ich wußte nicht, wie ich darauf reagieren sollte, denn ich war bereits im Bademantel. Mir war zwar bewußt, daß Andy ein gewisses Interesse an mir haben mußte, dennoch befürchtete ich, daß er sich gleich wieder abwenden würde, wenn er mich in dem abgetragenen Stück sah (Frottee ist kein besonders schlankmachendes Gewebe). Ich wußte allerdings auch, daß mir nicht genügend Zeit blieb, um mir schnell noch ein passendes »Oh-du-hast-mich-gerade-beim-Aufräumenertappt«-Outfit zusammenzusuchen. Also entschied ich, das Licht zu löschen.

Nachdem ich den Türöffner gedrückt hatte, kam er blitzschnell die Treppe hoch und küßte mich! Der attraktive Andy küßte mich – trotz des uralten Bademantels und allem. Zum Glück hatte ich mir bereits die Zähne geputzt; und meine Aufmachung hat ihn wohl, dank seiner Leidenschaft, auch nicht gestört. Konnte mich aber trotzdem nicht richtig entspannen. Habe mir dauernd ausgemalt, wie seine Hände plötzlich aufhören würden, mich zu streicheln ... spätestens wenn sie den dichten Urwald erreichten, der im Augenblick auf meinen Beinen heranwuchs. Doch erstaunlicherweise schien Andy nichts davon zu bemerken. Bevor ich mir irgendwelche Sorgen machen konnte, weil ich keine aufreizende Unterwäsche trug, lagen wir bereits auf dem Boden und hatten heißen Sex miteinander. So ist es immer, nicht wahr? Man gibt Unsummen für erotische Büstenhalter und Schlüpfer aus, hat aber die erste sexuelle Begegnung mit dem Mann seiner Träume, wenn man einen Frotteebademantel und alte Unterhosen trägt.

Es ging alles ziemlich schnell und leidenschaftlich vonstatten, so daß ich nicht zu befürchten brauchte, irgendwelche wenig schmeichelhaften Stellungen einnehmen zu müssen. Außerdem ist es mir gelungen, den Bademantel fast die ganze Zeit über zuzulassen. Andy hat also hoffentlich nichts Abstoßendes zu Gesicht bekommen. Und da er offensichtlich die Nacht hier verbringt, ist ihm wohl auch entgangen, daß ich meine Beine nicht enthaart habe. Bin aufgestanden, um dies zu Papier zu bringen und mich schnellstens zu rasieren – für den Fall, daß er vor mir wach wird.

NB: Ich denke, man darf nun davon ausgehen, daß er nicht schwul ist. Aber ich sollte trotzdem noch auf Anzeichen von Bisexualität achten, nur für alle Fälle.

21. April

Habe den ganzen Sonntag mit Andy verbracht. Wir haben wieder miteinander geschlafen, bin dabei auf dem Rücken liegen geblieben und habe den Bauch eingezogen. Andere Stellungen kann ich erst in Erwägung ziehen, wenn ich etwas abgenommen habe. Will ihn mit all den Speckrollen, dem hängenden, ausladenden Fleisch nicht erschrecken. Man weiß ja nie, wie er reagieren würde. Offenbar hat er immer noch nicht gemerkt, wie fett und unattraktiv ich bin. Anschließend wollte er gar nicht sofort gehen, sondern hat mir beim Aufräumen geholfen! Er konnte erstaunlich gut abwaschen – ob das ein Anzeichen von Bisexualität ist?

Wir sind zusammen spazierengegangen, und er hat meine Hand gehalten – i i i i i i! Diese betonte Zärtlichkeit ist schon sehr suspekt. Er meinte, daß er mich gern weiter treffen würde, wir uns in der Arbeit jedoch diskret zurückhalten sollten. HILFE! Das geht mir alles ein bißchen zu schnell. Ich wußte, woran ich war, als ich einfach nur von ihm geschwärmt habe. Und jetzt stecke ich plötzlich mitten in einer ernsten Diskussion über ein ... ein ... eine RICHTIGE BEZIEHUNG. Dazu noch mit jemandem, der mich wirklich mag ... AAAAAAAAHHH!!!! Das ist nicht mein Ding. Auf dem Gebiet kenne ich mich überhaupt nicht aus. Erfahren bin ich nur in folgendem:

1. Von Leuten schwärmen, die nicht einmal wissen, daß ich existiere.
2. Mich nach Personen sehnen, die Tausende von Meilen weggezogen sind.
3. Stockbetrunken mit Männern schlafen und mich anschließend fragen, ob sie wohl irgendwann noch mal anrufen.
4. Total benebelt mit Männern schlafen, die ich nicht mag,

bei denen ich mich aber beliebt machen möchte, und mich anschließend wundern, wenn sie mich trotzdem nicht mögen.

Von Dingen wie »Ich mag dich, du magst mich, also laß uns eine reife Beziehung aufbauen, die auf gegenseitigem Respekt und gegenseitigem Vertrauen beruht«, habe ich dagegen keine Ahnung.

Ich habe mit so etwas noch nichts zu tun gehabt, bin darin überhaupt nicht geübt. Ich besitze keine richtige Ausrüstung, ja nicht einmal die richtigen Schuhe, habe kein Examen abgelegt ..., noch nicht einmal irgendwelche Vorprüfungen.

Andy dagegen schien sich in dem Beziehungs-Labyrinth auszukennen, also war ich einverstanden, mich in der Arbeit diskret zu verhalten.

NB: Versuche herauszufinden, ob Andy deshalb für Diskretion ist, weil es ihm a) peinlich ist, mit dir gesehen zu werden, oder er sich b) eigentlich für eine andere Kollegin interessiert und sie nicht vor den Kopf stoßen will. Gerade ist mir noch ein sehr plausibler dritter Grund eingefallen – er ist tatsächlich bisexuell und möchte Carlo nicht verlieren.

22. April

Bin heute nicht zur Therapie gegangen. Irgendwie sehe ich keine Notwendigkeit mehr, seit ich mir Andy geschnappt habe ... Vielleicht bin ich auch zu siegessicher ... Ich gehe nächste Woche wieder hin und denke mir eine brillante Entschuldigung aus.

23. April

Bekomme wohl bald wieder meine Tage. Habe heute morgen um halb sieben über der Kloschüssel gehangen und an dem blauen Tintenfleck herumgeschrubbt, der das Becken unten schon seit Jahren verunziert.

Der menstruelle Putzwahn – ein Segen für jede Frau, HA!

27. April

Ein Gutes hat dieses Diskretions-Gehabe, wie ich zugeben muß: Andy kann sich nicht einfach so heranschleichen und im Fotokopierraum an mir herumfummeln. Es besteht also keine Gefahr, daß er die Speckrollen entdeckt, die ich im Stehen leider nun mal habe. Bisher konnte ich es so einrichten, daß er mich immer nur im Liegen berührt hat – und darum werde ich mich auch weiterhin bemühen, solange es irgend geht.

29. April

Hatte heute wirklich keine Lust auf die Therapie – bin zwar hingegangen, habe aber kein Sterbenswörtchen gesagt. Kam mir ein bißchen kindisch vor, aber die Frau hat ebenfalls geschwiegen, es ist also nicht nur meine Schuld.

30. April

Habe bei der Gymnastik mit Sit-ups begonnen, kann aber leider nur am Nacken einen Effekt feststellen – scheine dort plötzlich ein richtiges Stahlgerüst statt Muskeln zu haben. Vielleicht belaste ich meinen Körper an der falschen Stelle?

NB: Die positive Wirkung von Sit-ups wird wahrscheinlich sowieso aufgehoben, wenn man anschließend gleich zwei Avocado-Schinken-Sandwiches verdrückt.

1. Mai

Bin gestern abend mit Andy im Kino gewesen. Er hat während des Films nicht meine Hand gehalten. War unschlüssig, ob ich seine nehmen sollte oder nicht. Habe mich am Ende entschieden, es sicherheitshalber zu lassen. Vielleicht gehört er ja zu diesen Leuten, die nur bei ganz speziellen Gelegenheiten Händchen halten und es wirklich hassen, wenn man es im falschen Moment tut. Beim Spazierengehen schien er es zu mögen, aber was, wenn er in bezug auf Kino ein »Wie-unverschämt-du-hast-versucht-meine-Hand-zu-halten-obwohl-ich-mir-einen-Film-ansehen-wollte«-Typ war? Man kann nie wissen, also habe ich darauf verzichtet.

Alles in allem hatten wir einen sehr netten Abend, bis auf einen wahnsinnig peinlichen Moment. Andy ist nach dem Kino mit zu mir gekommen (ich hatte mir vorher noch die Beine rasiert, ahnte schon, daß dies vielleicht ganz sinnvoll sein würde), und wir landeten relativ schnell im Bett. Wir waren gerade dabei, uns leidenschaftlich zu küssen, als mir plötzlich klar wurde, daß Andy versuchte, mich von hinten zu nehmen! Obwohl ich seine Absicht erkannte, habe ich die drohende Gefahr zunächst ignoriert, bin stur auf dem Rücken liegen geblieben und habe die Schultern fest in die

Matratze gedrückt. Andy hat sich davon aber nicht beirren lassen und zielstrebig weiter geschoben und gedrängt. Ich war vor Schreck wie versteinert – wenn er meinen Po so zu sehen bekam, war alles aus, *game over, rien ne va plus.* Unter keinen Umständen durfte ich ihm den Vogelperspektiven-Blick auf mein Gesäß gestatten. Ganz egal, wie wild er auf mich sein mochte – auf allen vieren zu knien ist keine schmeichelhafte Position für mich; und ich würde sie niemals freiwillig einnehmen, da müßte ich schon ins Koma fallen. Eine gute Ausrede mußte her, sonst sah ich dicke (ha!) Probleme auf mich zukommen. Habe Andy gesagt, ich würde unter akutem Schwindel leiden. Andy wirkte ein wenig perplex und meinte dann: »Hat das nicht was mit Höhenangst zu tun?« »Ja«, erklärte ich, »aber bei mir ist es so schlimm, daß ich meinen Rücken nicht vom Laken heben kann.« Danach schien Andy die Lust vergangen zu sein. Ich hätte nichts dagegen gehabt, mit ihm zu schlafen, aber besser, man verzichtet auf Sex, als einen PNF zu verlieren – das ist der kurze Augenblick der Hingabe nicht wert.

NB: Sei immer auf der Hut. Es gibt nicht allzu viele Beschwerden, die als überzeugende Entschuldigung dienen können, daß man bestimmte Positionen beim Sex ablehnt.

6. Mai

Es ist nicht zu fassen! Ich bin rausgeflogen! Man hat mich vor die Tür gesetzt! Die fette Therapeutin hat mich fallenlassen, hat mir einen Tritt versetzt! Bin heute, wie immer, zu meiner Sitzung gegangen, war, zugegebenermaßen, ein bißchen spät dran, dachte aber, daß uns das wenigstens etwas Gesprächsstoff liefern würde. Nun ja, ich saß also da und wartete, ob sie etwas sagen würde. Und tatsächlich hat sie schließlich gefragt, ob ich noch wüßte, daß heute unser letztes Orientierungsgespräch sei. Ich sagte: »Ja, natürlich weiß ich das noch.« Wie hätte ich es auch vergessen können? Schließlich bin ich nur zu diesen Sitzungen gekommen, um genügend Punkte für den eigentlichen Therapeuten zu sammeln. Daraufhin meinte sie, daß sie sich die Sache habe durch den Kopf gehen lassen (ich hasse Leute, die so etwas sagen) und zu dem Schluß gekommen sei, daß ich keine Therapie bräuchte! Ich müsse lediglich lernen, mich nicht ganz so stark auf kleine Nebensächlichkeiten zu fixieren! Ich brauchte keine Therapie? Brauchte keine Therapie? Am liebsten wäre ich vom Stuhl aufgesprungen, hätte mich umgedreht, meine Strickjacke gelüftet und ihr meinen Hintern präsentiert. Und geschrien: »Schauen Sie genau hin, schauen Sie ganz genau hin. Und sagen Sie das dann noch mal!« Ich kochte vor Wut. Da habe ich in Gegenwart dieser Frau Jeans getragen, und sie hält es trotzdem nicht für nötig, mir eine Therapie zu verordnen! Ha! Ich ahne, wo der Hase im Pfeffer liegt. Da sie selber dick ist, leugnet sie die unbestreitbare Tatsache, daß man mit dickem Hintern unmöglich glücklich sein kann. Ich weiß es jedenfalls, auch wenn sie es nicht tut – offensichtlich versteht sie nicht viel von ihrem Job. Vielleicht sollte ich lieber zu den Weight Watchers gehen, dort wird Übergewicht wenigstens ernst genommen.

NB: Bevor du dich den hiesigen WWs anschließt, überzeuge dich zuerst, daß du nicht das dickste Mitglied wärst. Kannst ja so tun, als ob du nur ganz zufällig in ihre Versammlung geraten bist und dich eigentlich bloß nach geeigneten neuen Tagungsorten umsiehst.

8. Mai

Bin gestern abend mit Andy aus gewesen. Er sagte, ich sei wunderbar und hätte einen phantastischen Körper. O Gott, irgend etwas stimmt mit ihm nicht ... Ich wußte es, ich wußte es, ich wußte es! Er hätte sich sonst doch niemals für mich interessiert. Oh, warum, warum mußte ich nur auf ihn hereinfallen?

9. Mai

Muß nachdenken, muß Abstand gewinnen, bin völlig durcheinander, mein ganzes Weltbild bricht zusammen. Was hat das nur alles zu bedeuten? Zuerst sagt die fette Tante, ich bräuchte keine Therapie, und jetzt kommt Andy daher und meint, ich sei wundervoll. Am Wochenende fahre ich zu Mum. Es wird sicher schrecklich; aber wenigstens brauche ich dort nicht zu befürchten, daß mich irgend jemand für großartig halten könnte.

10. Mai, 22.30 Uhr

Bei Mum ... wirklich sehr nett hier. Bin gegen halb eins eingetroffen und bekam zum Mittagessen ein paar Salatblätter, circa zwei Tage alt, eine Scheibe trockenen Schinken und dazu steinhartes Brot vorgesetzt. Verschönt wurde dieses appetitliche Mahl durch eine von Mums Lieblingslitaneien: »Wenn du erst 59 Jahre alt bist, wirst du vielleicht verstehen, weshalb Pünktlichkeit so wichtig ist. Es ist schon traurig, daß du – wenn du schon zu spät dran bist – nicht einmal die Güte besitzt, kurz an einer Telefonzelle anzuhalten. Auf eine halbe Stunde kommt es dir vielleicht nicht an, aber ich habe mich auf dich gefreut, und du hast mich warten lassen ...«

In einem Anflug von Überlegenheit, die mich selbst erstaunte, konnte ich mir die Bemerkung verkneifen, daß ich mich – nach dem Zustand des Mittagessens zu urteilen –

wohl eher um zwei Jahre verspätet hätte. Wenn ich wissen will, was Mum von mir hält, muß ich mir nur die Mahlzeiten ansehen, die sie mir auftischt. Wenn Keith da ist, hält sie frisches warmes Brot, verschiedene ausgefallene Käsesorten, feine Wurstspezialitäten, exotische Früchte und diesen wahnsinnig teuren Salat, der bereits gewaschen und zerkleinert in Tüten steckt (Sally nennt ihn den Millionärs-Salat), bereit. Und was besonders bemerkenswert ist, sie bietet alles in reichlichen Mengen an. Komme ich dagegen allein, kann ich von Glück sagen, wenn sie irgend etwas im Haus hat, dessen Haltbarkeitsdatum noch nicht länger als einen Monat abgelaufen ist.

Eine weitere Lieblingsbeschäftigung von Mum ist, mich in irgendwelche besonders hinterhältigen Fallen tappen zu lassen – dieses Wochenende machte sie da keine Ausnahme. Heute abend tat sie so, als sei es ihr größter Wunsch, sich gemütlich mit mir hinzusetzen, bei einem Gläschen Wein und ein paar Knabbereien, und sich von mir erzählen zu lassen. Ich hatte mich also gerade von dieser trügerischen Herzlichkeit einlullen lassen und war dabei, ihr von den Pozzi-Tagungen zu berichten, als ich mich vorbeugte, um mir eine Handvoll Chips zu nehmen. BUMS, schon schlug sie zu, flink wie eine Leopardin, ihre Stimme schrill, ihr Mund nur noch ein Hühnerpopo: »Weißt du überhaupt, wie viele Kalorien dieses Zeug hat? Ich kann es einfach nicht mit ansehen, wie du das alles in dich hineinstopfst. Ist das dein drittes Glas Wein? Hast du dir schon mal überlegt, daß Alkohol fast nur aus Zucker besteht? Könnte es sein, daß du ein Alkoholproblem hast?«

Meine Reaktion? Nun, ich hatte mehrere Alternativen zur Auswahl: Ich konnte zum neunjährigen Kind mutieren, zornig losheulen, unzusammenhängende Worte ausstoßen; oder ganz ruhig und gelassen erklären, daß ich mich mit dem Kaloriengehalt der zur Zeit erhältlichen Lebensmittel unserer westlichen Zivilisation ganz gut auskenne; oder aber eine extra große Handvoll Chips aus der Schüssel nehmen, sie mir in den Mund stopfen und möglichst geräuschvoll zermalmen. Wie gewöhnlich habe ich mich für die von mir persönlich bevorzugte, nämlich die dritte Alternative entschieden. Denn auf diese Weise lassen sich zwei Fliegen mit einer Klappe schlagen: Ich zahle es meiner Mutter heim und komme trotzdem noch in den Genuß der Chips. Ich wäre wahrscheinlich nicht da, wo ich heute bin, würde sich meine Mutter durch meine Eßgewohnheiten nicht so wunderbar auf die Palme bringen lassen. Es ist schließlich alles ihre Schuld, also soll sie ruhig dafür bezahlen.

NB: Verwandeln sich alle erwachsenen Frauen in trotzige Teenager, wenn sie nach Hause kommen, oder ist das nur bei mir so?

Das Problem mit Mum ist, daß sie nicht weiß, wann sie aufhören muß – sie ist wie eine tollwütige Hündin, die mit Schaum vorm Maul über eine Ratte herfällt und den Kadaver auch dann noch hin- und herschleudert, wenn das Tier schon längst tot ist. In ihrem vorigen Leben war sie vermutlich eine Hyäne. Jedenfalls schien sie beschlossen zu haben, ihre Mission an diesem Wochenende endgültig zu vollenden – mich also komplett zu brechen/kleinzukriegen/zu erniedrigen – und mir ein für allemal klarzumachen, wie sehr ich doch auf der ganzen Linie versagt hatte. Einmal in Fahrt, war sie nicht mehr zu bremsen. Ich habe die ganze Schüssel Chips aufgegessen – hatte eigentlich gar keinen Appetit darauf, mußte ihr aber zeigen, daß ich mich nicht geschlagen gab. Mum saß da, den Mund nun endgültig zum Schließmuskel transformiert, und strickte ... Ein ohrenbetäubendes Geklapper, sie versteht es meisterhaft, ihre Wut mit Hilfe der Nadeln auszuagieren. Ich habe den Fernseher angemacht, und schon ging es wieder los, der nächste Schwall vernichtender Gehässigkeiten ... »Mein Gott, dieser geistlose Quatsch! Ist das die Unterhaltung, die du und deine Freunde amüsant finden? Liest du nie ein Buch? Ich schaue mir immer nur die Nachrichten und diese wunderbaren Tiersendungen an. Bist du dermaßen anspruchslos, daß du diesen Idioten ertragen kannst, der nichts als Schwachsinn für seine schwachsinnigen Zuschauer von sich gibt?« War einen Moment lang versucht, sie damit zu schockieren, daß meine absolute Lieblingssendung ›Beadle's About‹ sei, habe es dann aber doch gelassen. Die Genialität meiner Erwiderung wäre meiner Mutter wahrscheinlich sowieso entgangen – bin nämlich nicht sicher, ob sie weiß, wer Jeremy Beadle war.

Gott, bin ich froh, daß ich hierher gekommen bin. Wenn man bedenkt, daß ich mein Wochenende mit einem netten, attraktiven Mann hätte verbringen können, der mich für großartig hält ... aber in die Falle bin ich nicht getappt, o nein, ich nicht. Ich bin Andy ein ganzes Stück voraus – je mehr Zeit er mit mir verbringt, desto weniger großartig wird er mich finden. Ist ja auch logisch. Je öfter er mich sieht, desto eher entdeckt er Dinge an mir, die ihm nicht gefallen und die ihn abstoßen. Ich sollte Mum dankbar sein für diesen kleinen Auffrischungskurs. Jetzt stehe ich wenigstens wieder mit beiden Beinen auf der Erde und weiß um die Tücken der Selbstsicherheit.

11. Mai

Bin heute morgen völlig steif aufgewacht, kein Wunder, nachdem ich dermaßen angespannt ins Bett gegangen war. Ich wette, Keith schläft hier tief und fest wie ein Murmeltier. Habe den Fehler begangen, Mum vor meiner Abreise noch zum Essen einzuladen – dummerweise ohne an die damit verbundene Autofahrt zu denken, bei der ich am Steuer sitzen würde. Obwohl ich mit Mum immer extrem vorsichtig und nie schneller als fünfzehn Stundenkilometer fahre, benimmt sie sich jedesmal so, als hätte man sie zwangsweise in den vordersten Wagen einer wildgewordenen Achterbahn verfrachtet. Sie bleckt die

Zähne, ringt nach Luft, kneift die Augen zu, umklammert krampfhaft den Gurt, sobald ein anderes Auto fünf Kilometer entfernt am Horizont auftaucht, und schreit dabei: »Siehst du denn nicht, wie dicht du an dem Auto dran bist? Du fährst wie eine Irre – geht so etwas in London als normal durch?« Erneut übte ich mich in extremer Selbstbeherrschung, indem ich darauf verzichtete, das Steuer herumzureißen, die Beifahrertür zu öffnen und Mum hinauszustoßen – eine reife Leistung meinerseits, finde ich. Habe das Gaspedal bis zum Anschlag durchgetreten, als ich nach London zurückfuhr. Obwohl ich Mum mit dieser Raserei wohl kaum treffen konnte – mich durch einen Autounfall zum Krüppel zu machen wäre für mich schlimmer als für sie. Wenn ich allerdings gleich dabei draufginge, sähe die Sache schon wieder anders aus ... Man weiß also nie.

14. Mai

Kann es nicht fassen, bin sprachlos. Als ich von meinem Wochenende nach Hause kam, war eine Nachricht vom perfekten Peter auf dem Anrufbeantworter. Anscheinend hält er sich demnächst für ein paar Tage in London auf und würde mich gern sehen – DU MEINE GÜTE! Ich habe die Nachricht auf dem Band gelassen; Sally kommt Ende der Woche zu mir, dann können wir uns gemeinsam damit auseinandersetzen. Vielleicht versteht sie ja, was das Ganze soll.

18. Mai

Mr. Bowyers Sekretärin hat mir heute eine Info zu einem Management-Wochenende gebracht, das Bowyer für einige der Senior Manager im Oktober veranstalten will – Entsetzen!

Anscheinend hat er ein Luxushotel auf dem Land gebucht, in dem es auch einen – dreimal darf man raten – Swimmingpool gibt! Was für wunderbare Neuigkeiten, wie ich mich auf die Aussicht freue, vor meinen Kollegen im Badeanzug zu erscheinen. Ich denke, ich werde mir einen Gips zulegen müssen, oder irgendeine ansteckende Krankheit vorschieben, Lepra zum Beispiel ... Hm, ist vielleicht keine ganz so brillante Idee ... eine Mittelohrentzündung tut es eventuell auch.

Andy hat gefragt, ob er heute abend vorbeikommen dürfe. Ich hätte ihn wirklich gern gesehen, habe aber nein gesagt. Bin mit Sally verabredet. Sie will mir helfen, Peters Nachricht zu entschlüsseln, möchte das nicht verschieben. Außerdem wollte Andy mich vielleicht sowieso nur testen – um zu sehen, ob ich schon wieder ja sage. Und dann hätte er gedacht: »Wie langweilig, jedesmal, wenn ich sie frage, ob ich vorbeikommen kann, sagt sie ja. Hat sie denn überhaupt kein Privatleben?« Es war deshalb vielleicht ganz gut, daß ich keine Zeit hatte.

19. Mai

»Hallo, Jackie, lange nichts mehr voneinander gehört. Racker' mich immer noch tüchtig ab, um hier in *The Big Apple* meine erste Million zu machen. Bin demnächst in London, dachte, ich klingel dich mal an, haha, und höre, ob du Lust auf ein kleines Treffen hättest, ganz wie in alten Zeiten, haha. Haben uns lange nicht gesehen, gibt sicher viel zu erzählen, also wie wär's, altes Mädchen? Meld' mich wieder, sobald ich wieder auf heimatlichem Boden bin.«

»Was für ein Idiot, und wie der redet«, lautete Sallys erster, hilfreicher Kommentar, nachdem sie sich obige Nachricht angehört hatte (habe sie schriftlich fixiert, damit ich das Band löschen kann). »Weißt du, ich fand ihn ja schon schrecklich, als du noch mit ihm zusammen warst, aber das hier übertrifft wirklich alles. Ich kann nicht glauben, daß du ernsthaft in Erwägung ziehst, dich mit ihm zu treffen.« Sally war völlig außer sich. Sie konnte sich gar nicht mehr beruhigen. »Jetzt, wo du jemanden kennengelernt hast, der nett ist und dich so akzeptiert, wie du bist – anders als ein gewisser Perfektionsfanatiker, der es für eine gute Idee hielt, dir zum Geburtstag eine Großpackung Schlankmacher-Pillen zu schenken!« Ich war ein bißchen verärgert, weil Sally sich ausschließlich mit der Nachricht als Ganzem auseinandersetzte, während ich sie lieber Wort für Wort analysiert hätte ... Ich wollte zum Beispiel wissen, was er ihrer Meinung nach mit »... gibt sicher viel zu erzählen, also wie wär's ...« meinte. Aber sosehr ich auch drängte, Sally ließ sich nicht darauf ein. »Woher soll ich das wissen, vielleicht hat er gar nichts zu erzählen. Vielleicht hat er einfach nur Lust auf eine flotte Nummer, solange er in London ist. Und du bist sicher die einzige Frau weit und breit, bei der er mit so was noch landen könnte. Hast du schon vergessen, wie er dich sitzengelassen hat, als er einfach so nach New York abgehauen ist?« Hm, mir wäre es lieber gewesen, wenn Sally diesen Punkt nicht aufs Tapet gebracht hätte; war aber trotzdem froh zu hören, daß sie offenbar glaubt, er könne immer noch etwas für mich empfinden.

21. Mai

Andy war gestern abend bei mir, er hatte morgens angerufen und gefragt, ob ich frei sei ... irgendwie rührend. Wir haben uns sehr gut verstanden, aber die Sache mit dem perfekten Peter wollte mir trotzdem nicht aus dem Kopf gehen. Es ist schon komisch, nicht wahr? Wie man sich auf einen Mann einlassen kann, der einem ständig das Gefühl gibt, fett und häßlich zu sein, der einen sitzenläßt und sich klammheimlich aus dem Staub macht, ohne sich je wieder zu melden – und den man trotz alledem nicht vergessen kann?

26. Mai

Hatte heute morgen eine Besprechung mit Bossy Bowyer und Carlo Pozzi, es ging um die nächste Tagung, die in ein paar Tagen stattfindet. Ich muß sagen, daß Carlo sich geradezu meisterhaft verstellen kann, man würde seine wahren Neigungen noch nicht einmal erahnen. Er hat mir einen traumhaft schönen Schal geschenkt, ein Mitbringsel von einem Wochenende in Venedig – als kleines Dankeschön für die erste Tagung, wie er meinte. Ich wünschte, heterosexuelle Männer würden ebensoviel Geschmack besitzen.

Später kam Andy zu mir ins Büro und wollte wissen, was ich von Carlo hielte – ich wußte nicht, was ich antworten sollte. Aber noch ehe ich mich sammeln konnte, fuhr Andy schon fort: »Ich könnte mir vorstellen, daß er bei Frauen sehr gut ankommt, meinst du nicht? Ein Mann kann das zwar schwer beurteilen, aber er ist doch sehr charmant, oder? Was sagst du dazu, wo du so eng mit ihm zusammenarbeitest?« Wie kommt Andy dazu, mir solche Fragen zu stellen? Wenn das seine Art sein sollte, seine Bisexualität zu artikulieren, wäre das schon sehr grausam ... Ich meine, was habe ich mit seinen geheimen Wünschen zu schaffen? Und was geht mich Carlos immense Attraktivität an?

30. Mai

Heute also Tagung Nummer zwei, habe mein blaues Kostüm getragen und dazu Carlos Schal – eine ziemlich perfekte Zusammenstellung, glaube ich, weil der Schal so wunderbar lang ist und ich damit hervorragend meinen Bauch kaschieren konnte, vor allem im Sitzen, wo es besonders schlimm ist. Als wir später noch etwas beieinanderstanden, bemerkte Carlo, wie sehr ihm der Schal an mir gefiel. Ich fand es sehr nett, daß er sich noch daran erinnerte, ihn mir geschenkt zu haben. Schwule Männer sind so aufmerksam. Die ganze Veranstaltung ist reibungslos über die Bühne gegangen, und alle schienen glücklich und zufrieden – oh, alle bis auf Andy. Er lief mit grimmiger Miene durch die Gegend und sagte kaum etwas – zu Carlo war er einmal sogar richtig frech. Will er mir auf diese Art zeigen, daß ich ihm allmählich lästig falle? Nun ja, irgendwann wurde es auch Zeit, immerhin geht die ganze Sache schon fast sechs Wochen. Und außerdem ist neulich dieses dämliche Cellulitis-Mantra unter dem Kühlschrank hervorgekommen, gerade als er in der Küche war. Er weiß nun also, daß ich Orangenhaut habe, auch wenn er sie noch nicht *live* gesehen hat. Mit einem Sinneswandel war deshalb zu rechnen. Ach, ja ...

Und dabei wollte ich ihn heute fragen, ob er mich zu Dads sechzigstem Geburtstag begleiten würde. Da habe ich wohl gerade noch mal Glück gehabt. Beinahe hätte ich ihn nämlich, unter Aufbringung all meines Mutes, gefragt: »Ob ich dich wohl zu einer anstrengenden Familienfeier entführen darf?« Wo er vermutlich längst an irgendwelchen Ausreden bastelt, weshalb er mich nicht mehr treffen kann. Habe die Tagung verlassen, ohne mich von irgend jemand zu verabschieden. Sinnlos, auch noch darauf zu warten, daß man einen Korb bekommt.

1. Juni

Hatte eine Nachricht von Jennifer auf dem Anrufbeantworter – sie will wissen, ob ich jemanden zu Dads Feier mitbringe. Wirklich wahnsinnig komisch, auf eine derart abgedroschene Phrase erwartet sie hoffentlich keine Reaktion. Habe Keith angerufen, um sicherzugehen, daß er nicht doch mit einem Mädchen auftaucht ... habe nämlich keine Lust, wieder als das Mauerblümchen der Familie dazustehen. Er sagte, er hätte es nicht vor, könne aber schnell noch jemanden engagieren, wenn ich mich dann auch richtig schön ärgern würde – sehr witzig.

War heute morgen bei der alten Mrs. M., hatte ein ziemlich schlechtes Gewissen, weil ich länger nicht mehr nach ihr gesehen hatte. Sie war gut drauf und meinte, bei mir wäre in letzter Zeit soviel Trubel gewesen und was denn eigentlich los sei. Ich habe ihr alles von Andy erzählt (natürlich nicht alles, das mit dem Sex von hinten habe ich weggelassen – bin ziemlich sicher, daß die Leute *solche* Stellungen früher nicht praktiziert haben). Sie hat sich sehr gefreut und fand, daß Andy ein »richtig sympathischer Mann« zu sein schiene. Ich wollte das Schicksal nicht herausfordern und habe ihr deshalb nicht gesagt, daß es ganz danach aussieht, als würde die Sache demnächst in die Brüche gehen.

4. Juni

Gott! Der Perfekte hat angerufen; er möchte sich heute abend mit mir treffen. Kommt alles ein bißchen plötzlich, bin nämlich schon mit Sally verabredet. Es tat ihm auch wirklich leid, daß er sich nicht früher melden konnte. Er ist zwar schon seit einer Woche hier, hatte aber offenbar sehr viel um die Ohren. Ich kann das verstehen. Habe mich nicht getraut, Sally reinen

Wein einzuschenken. Habe behauptet, Peter hätte sich schon vor ein paar Tagen mit mir verabredet. Mir sei nur das Datum entfallen. Sally meinte: »Und was ist mit Andy?« Habe ihr erzählt, daß er seit der letzten Tagung ziemlich kühl zu mir sei und wahrscheinlich vorhabe, mir den Laufpaß zu geben. Sally ließ aber ärgerlicherweise nicht locker; sie wollte mir einfach nicht glauben und meinte immer wieder, daß da noch etwas anderes sein müsse, etwas, wovon ich ihr nichts gesagt hätte. Nur, daß da nichts ist. Ich wünschte, mein Leben wäre so interessant! Gott, hätte ich doch bloß noch einen anderen Verehrer gehabt, dann hätte ich mich Andy gegenüber viel selbstsicherer verhalten. Immerhin hätte ich dann gewußt, daß er nicht der einzige Verrückte ist, der mich attraktiv findet.

10. Juni

Oh, wie bin ich glücklich, wie bin ich selig – ich brauche dich nicht, ich brauche dich nicht, weder dich, Andy, noch sonst jemanden. Ich schwebe auf Wolke sieben, fühle mich großartig. Meine Probleme sind gelöst, mein Leben hat wieder Sinn, jetzt bin ich am ZUG! Okay, okay, ich will euch nicht länger auf die Folter spannen. Hier kommt's: Ich habe mit dem perfekten Peter geschlafen – o ja, ja, ja! Der Mann, der mich verlassen hat, ist zu mir zurückgekehrt – zwischen uns ist alles wieder in Ordnung, kein Zweifel möglich, er begehrt mich immer noch. Ich will versuchen, es zu erklären. Wir haben uns auf einen Drink getroffen, ich hatte dieses schwarze Crêpe-de-Chine-Kleid an, was offenbar eine gute Wahl war. Er meinte nämlich gleich, als er in die Bar kam (mit einer halben Stunde Verspätung, ich habe jedoch nichts gesagt): »Wie ich sehe, hast du inzwischen ein wenig abgespeckt.« Ich war überglücklich! Wir haben uns wunderbar verstanden, sind nach der Bar in ein Restaurant gegangen, wo ich allerdings nichts gegessen habe. Er sollte nicht den Eindruck gewinnen, daß ich leichtfertig mit meinen Pfunden umgehe. Er hat mir alles über sich erzählt – wie seine Wohnung aussieht, was er an den Wochenenden unternimmt, wie er seine Feierabende verbringt, wo er joggen geht, welches Auto er fährt ... Mannomann, ich habe wirklich alles über sein Leben in New York erfahren. Irgendwann wurde mir klar, daß er mich immer noch sehr gern haben mußte, wenn er den ganzen Abend nur von sich sprach. Er hat mir tatsächlich dermaßen ausführlich von seinem neuen Leben vorgeschwärmt, daß wir gar nicht dazu gekommen sind, auch über meine Neuigkeiten zu sprechen. Aber dazu ist ja immer noch Zeit.

Wir haben natürlich auch einige Flaschen Wein getrunken – oder richtiger gesagt, er hat –, und plötzlich meinte er dann: »Hör zu, wir müssen schon zu dir gehen. Im Hotel sieht man es nicht gern, wenn ich jemand mit aufs Zimmer nehme.« Ich konnte mein Glück kaum fassen – wie gut, daß ich mir die Beine rasiert und Gymnastik gemacht hatte, wie gut, daß ich zu Hause gewesen war, als sein Anruf kam, und wie gut, daß es in meinem Leben immer noch niemand Festes gab ... Er kam also mit zu mir und hat mit mir geschlafen. Es war wundervoll, er hat nur ein einziges Mal gesagt, daß mein Körper noch ein wenig schwabbelig sei, aber damit hatte er schließlich recht, er war also nur ehrlich, und im übrigen war alles ganz wunderbar. Ich bin immer noch völlig überwältigt, daß der perfekte Peter wieder bei mir ist. All die Selbstzweifel, all die Unsicherheiten und Quälereien haben nun ein Ende. Der perfekte Peter begehrt mich – das allein zählt.

14. Juni

Habe nichts mehr vom perfekten Peter gehört, seit wir miteinander geschlafen haben. Bin jedoch sicher, daß er einfach nur maßlos beschäftigt ist. Er hat immer wieder betont, wieviel er in London erledigen müsse. Bin also keineswegs überrascht.

Und jetzt zu Andy. Ich denke, ich muß etwas unternehmen, jetzt, wo ich wieder mit PP zusammen bin – es wäre sonst nicht fair. Andy ist immer noch ziemlich mürrisch, hat aber bisher kein Wort gesagt, also werde ich ihm sagen, daß es vorbei ist. Das ist ja vermutlich auch der Zweck der Übung – er will, daß ich die Sache zu Ende bringe, nur damit er es nicht selbst tun muß. Ausmachen wird es ihm jedenfalls nichts, schließlich hat er mich längst satt. Ich erweise ihm also gewissermaßen einen Gefallen. Weil er so kein schlechtes Gewissen haben und ich ihm nicht leid tun muß – was in Anbetracht der Tatsache, daß wir beruflich zusammenarbeiten, sicher von Vorteil ist.

16. Juni

Also, ich bin in Andys Büro gegangen und habe gesagt: »Ich glaube, wir sollten uns nicht mehr sehen«, woraufhin er meinte: »Ich habe mir schon so etwas gedacht ... dann wünsche ich dir, daß du sehr glücklich wirst.« Was meint er damit? »... habe mir schon so etwas gedacht ... wünsche dir, daß du sehr glücklich wirst« – er ist doch derjenige, der mich loswerden wollte. Brauche mir aber wirklich nicht den Kopf darüber zu zerbrechen, das Ganze ist Schnee von gestern. Ich habe den perfekten Peter – wen interessiert da noch, was Andy meint? Oh, ich spüre es ganz deutlich – von jetzt an wird mein Leben wundervoll sein. Ich frage mich, ob wir in New York leben werden oder hier; ich könnte mich wahrscheinlich relativ problemlos in unser New Yorker Büro versetzen lassen, aber vielleicht möchte PP gar nicht, daß ich arbeite ... Ich richte mich da ganz nach ihm. Oh, ich fühle mich so lebendig, so brillant, so dünn!

NB: Habe immer noch nichts von PP gehört, aber damit war zu rechnen. Wenn man sich eines Menschen so sicher ist, *muß* man auch nicht jeden Tag miteinander reden. Ich stecke wieder mal mitten in einer prämenstruellen Phase – wahrscheinlich beschwöre ich deshalb Probleme herauf, die es gar nicht gibt. Ich bin sicher, daß PPs Schweigen überhaupt nichts zu bedeuten hat.

20. Juni

Du liebe Zeit, war das eine Hektik. Habe den Fehler begangen, Sally, die inzwischen nur noch meine Ex-beste-Freundin ist, alles von meiner romantischen Versöhnung mit dem perfekten Peter zu erzählen. Mir ist inzwischen klargeworden, daß Sally immer nur eifersüchtig auf mich war und sich nie wirklich freundschaftlich verhalten hat. Wenn es nach ihr gegangen wäre, hätte ich in irgendeiner traurigen Beziehung zu irgendeinem traurigen Kerl versauern können, und das nur, weil er mich zufälligerweise für nett hielt. Und natürlich paßt es ihr auch nicht, daß ich mich aus der Rolle des »häßlichen fetten Anhängels« befreit habe, eine Rolle, die ich jahrelang spielen mußte, nur damit sie sich neben mir schön und begehrenswert fühlen konnte. Eine andere Erklärung gibt es nicht. Sonst hätte sie sich nicht so furchtbar über meine wundervollen Neuigkeiten aufgeregt. Sie war völlig außer sich, kam mit irgendwelchen Behauptungen daher, daß Peter mich benutzen würde und daß ich einen wirklich wertvollen Menschen für diesen Mistkerl aufgegeben hätte. Es hatte alles überhaupt keinen Sinn. Ich habe gar nicht erst versucht, mich zu rechtfertigen, weil es für mich keinen Zweifel gab, daß sie nur aus Neid so reagierte. Sie verkraftet einfach nicht, daß Peter so erfolgreich und brillant ist und daß sie bei einem Mann wie ihm niemals eine Chance hätte. Wir haben uns sehr kühl und frostig voneinander verabschiedet, aber das ist mir egal, weil ich in Zukunft weder auf sie noch auf ihren langweilig-zuverlässigen Freund angewiesen bin.

25. Juni

Ich wußte es, ich wußte es – Peter hat angerufen. Er will mich heute abend treffen – wie gut, daß ich die ganze Zeit zu Hause geblieben bin, um ihn nur ja nicht zu verpassen. Er hat nicht gesagt, weshalb er mich so lange hat warten lassen, und ich habe ihn auch nicht gefragt. Interessiert hätte es mich zwar schon, aber ich weiß, daß er es nicht mag, wenn ich so unsicher und empfindlich reagiere. Außerdem glaube ich ganz fest an unsere gemeinsame Zukunft, so daß sich derartige Fragen eigentlich erübrigen, oder etwa nicht? Er meinte, daß er noch nicht sagen könne, wann er bei mir eintrifft – zum Abendessen dürfe ich jedenfalls nicht mit ihm rechnen, er habe wahnsinnig viel zu tun, ich solle also einfach aufbleiben und auf ihn warten. Wie schmeichelhaft, daß er mich sehen will, obwohl er so beschäftigt ist. Und daß ich extra für ihn aufbleiben soll, ist *der* Beweis, wie wichtig ich ihm bin. Ich wußte, daß ich mich nicht in ihm getäuscht habe – ätsch, Pech gehabt, Miss Alleswisserin Sally.

26. Juni, 6.00 Uhr morgens

Bin gerade total zerknautscht und verlegen vom Sofa hochgeschreckt. Muß eingeschlafen sein, als im Fernsehen Sendeschluß war – also ungefähr gegen vier Uhr, nicht wahr? Sehr seltsam, daß PP nicht gekommen ist. Es wird ihm doch nichts zugestoßen sein?

8.00 Uhr früh. Ich habe alle Krankenhäuser (staatliche und private) in und um London angerufen, aber dort ist niemand namens Peter Noyce – oder jemand, auf den die Beschreibung passen könnte – eingeliefert worden. Das ist schon mal eine große Erleichterung für mich. O Gott, und wenn er entführt wurde?

Peter hat mir keine Hoteltelefonnummer hinterlassen – er meinte, ich könne sowieso nichts damit anfangen, weil er fast nie auf seinem Zimmer sei. Hätte ich nach seinem letzten Anruf doch bloß die 1471 gewählt, dann wüßte ich jetzt seine Nummer. Aber wahrscheinlich ist es besser, daß ich sie nicht habe. Bestimmt ist er einfach nur aufgehalten worden. Und wäre sicher verärgert, wenn ich ihn jetzt stören oder gar aus dem Bett klingeln würde.

Muß aufhören, so unsicher zu sein, ist doch wirklich lächerlich. Bestimmt gibt es eine ganz einfache Erklärung, weshalb er gestern abend nicht aufgetaucht ist. Du darfst jetzt nur nicht verrückt spielen – WERDE ENDLICH ERWACHSEN! Was immer du auch tust, begehe nicht den gleichen Fehler wie damals – belästige ihn nicht mit deinen Problemen. Ich erinnere mich genau, daß in dem 34-Schritte-Buch ebenfalls darauf hingewiesen wurde, daß Männer so etwas nicht vertragen – und unter Umständen sogar sehr ärgerlich werden können. Ich habe es also schwarz auf weiß, daß man seine persönlichen Sorgen und Nöte für sich behalten soll. Wenn er anruft, werde ich einfach so tun, als sei nichts gewesen. Und natürlich mit keinem Wort erwähnen, daß ich mir seinetwegen die ganze Nacht um die Ohren geschlagen habe.

Du liebe Güte, ist ja auch wirklich keine große Sache! Bin zur Gymnastik gegangen – habe gleich drei schweißtreibende Übungsstunden hintereinander absolviert – möchte PP schließlich nicht enttäuschen, wenn wir uns wiedersehen. Er selbst hat übrigens ziemlich zugelegt, seit er in Amerika ist, aber bei einem Mann ist das zu entschuldigen, nicht wahr? Dicke Männer wirken nun mal nicht so abstoßend wie dicke Frauen, daran ist nicht zu rütteln. Manchmal frage ich mich nur, wie das kommt?!

28. Juni

Sally hat eine Nachricht auf dem Anrufbeantworter hinterlassen, während ich unterwegs war. Würde eigentlich gern mit ihr sprechen, werde sie aber trotzdem nicht zurückrufen. Sie würde nur wieder über PP herziehen und die Tatsachen völlig verdrehen – möchte mir das nicht anhören. Er wird sich melden, da bin ich ganz sicher. Ich habe mich geändert, bin ein besserer Mensch geworden, seit er mich verlassen hat. Sonst wäre er doch nicht zurückgekommen, oder?

30. Juni

Andy kam heute zu mir, um mir mitzuteilen, daß er seine Versetzung nach Edinburgh beantragt hat – oh, oh. Ich hätte gern mit ihm darüber gesprochen, mußte aber gleich an meinen Schreibtisch zurück – für den Fall, daß Peter anrief.

7. Juli

Kein Lebenszeichen von Peter. Allmählich fange ich doch an, mir Gedanken zu machen. Sollte Sally mit ihrer Mistkerl-Theorie recht gehabt haben? Oder ist womöglich die Cellulitis an allem schuld?

9. Juli

Ich glaube, ich werde noch verrückt. Ich habe den Abend mit PP immer wieder Revue passieren lassen, bin jede einzelne Minute durchgegangen, kann aber einfach nicht nachvollziehen, was ihm an mir mißfallen haben könnte. Er hat mich nicht von hinten gesehen; ich habe kaum etwas gesagt; im Bett habe ich alles getan, was er wollte, auch wenn es mir selbst nicht viel gebracht hat – all das kann es also nicht gewesen sein. Woran mag es nur gelegen haben?

11. Juli

Als ich nach Hause kam, lag ein Zettel von Mrs. M. auf meiner Fußmatte, ich solle doch bitte einmal bei ihr vorbeischauen. Habe mich richtig schlecht gefühlt, bin aber trotzdem nicht rübergegangen. Mußte in der Nähe des Telefons bleiben, für den Fall, daß Peter anrief. Sollte mir vielleicht einen schnurlosen Apparat zulegen; dann könnte ich wenigstens wieder baden.

14. Juli

Hasse mich mehr denn je. Habe gerade den Typ von unten getroffen – kann nur noch auswandern. Bin ihm begegnet, als ich nach unten ging, um die Post zu holen. Wir haben uns ein wenig unterhalten (ich war schon wieder auf dem oberen Treppenabsatz, damit ich ja das Telefon hörte), einfach über dies und jenes, bis er irgendwann beiläufig erwähnte, daß er übernächstes Wochenende nach New York fliegen würde. Zur Hochzeit von Nebelhorns Freundin. Er erzählte, daß es sich bei dieser Freundin um ein Ex-Model (was sonst) handele, und sie einen Mann heirate, mit dem sie seit einem Jahr zusammen sei. Und dieser Mann heißt … o Gott, ich kann es kaum niederschreiben … Peter Mistkerl Noyce, Peter Scheißer Noyce, Peter Arschloch Noyce, der unvergleichliche PERFEKTE PETER, HA! Ich dachte, ich würde umkippen, ich hatte eine Gänsehaut auf den Armen, alles drehte sich. Während ich mich mühsam am Geländer festhielt, brachte ich gerade noch hervor: »Ist er Anwalt?« Natürlich lautete die Antwort »ja« – hatte ich an ein Wunder geglaubt?

O Gott, was für eine Schande, was für eine Demütigung. Sally hatte natürlich recht: Warum, warum nur habe ich nicht auf sie gehört? O Hilfe, und ausgerechnet jetzt geht Andy nach Edinburgh … das heißt, er war ja sowieso nicht mehr an mir interessiert, der Verlust hält sich also in Grenzen. Aber man weiß nie, vielleicht hätte ich ihn noch eine Weile halten können, vor allem wenn ich weiter zur Gymnastik gegangen wäre. Wie konnte ich nur so verblendet sein? Der perfekte Peter hat nie einen Hehl daraus gemacht, was er von mir hält … und weshalb hätte sich daran plötzlich etwas ändern sollen? Ich hätte es besser wissen müssen, er gehört zu der Sorte Mann, die sich von allen Weinen die erlesensten Tropfen aussucht und sich nur alle Jubeljahre einmal zum Spaß einen billigen zu Gemüte führt – sieht ganz so aus, als sei ich sein Landwein für eine Nacht gewesen.

NB: Ich werde mir jetzt auf jeden Fall das Fett absaugen lassen, kann nicht länger warten, muß eben einen Kredit aufnehmen.

17. Juli

Versuche, in der Arbeit möglichst zurückhaltend zu sein – es soll niemand merken, daß man mit mir Schluß gemacht hat. Obwohl, von Schlußmachen kann eigentlich gar nicht die Rede sein, dazu müßte man erst mal ein Verhältnis gehabt haben, ich war gewissermaßen ... nur eine Kostprobe. Ein kleines klebriges Brötchen, das auf einem silbernen Tablett vor Peter hingestellt wurde – an dem er aber nur einmal gerochen und es dann gleich von sich geschoben hat, weil es nicht frisch und schmackhaft genug für ihn war. Unter einem hausgemachten Croissant aus einer echt französischen Patisserie geht bei Peter nichts. Ich weiß, daß ich jetzt wieder diesen Ausdruck, diese Ausstrahlung an mir habe, bei der die Leute auf Anhieb wissen, daß ich ein sitzengelassenes Mädchen bin, eine Verstoßene. Diese Negativ-Ausstrahlung ist genau das Gegenteil von dem gewissen Etwas, das Verliebte an sich haben. Ganz gleich, wie unscheinbar jemand sonst auch sein mag; wenn er verliebt ist, hat er diesen speziellen Schwung in seinem Schritt, begleitet von dieser besonders aufreizenden »Ich-gehöre-zu-einem-ganz-exklusiven-Geheimbund-und-du-kennst-die-Parole-nicht«-Selbstgefälligkeit. Tja, ich habe jedenfalls die andere Ausstrahlung, ich spüre richtig, wie es aus mir heraussickert, dieses »Seht-mich-nicht-an-ich-bin-die-Idiotin-die-langfristige-Zukunftspläne-auf-der-Basis-einer-Fünf-Minuten-Nummer-schmiedet«. Selbst im Bus, wo eigentlich niemand etwas von Peter wissen kann, halte ich den Kopf gesenkt, ziehe die Schultern ein und würde mich am liebsten in Luft auflösen.

19. Juli

Ich verlasse meine Wohnung nur noch, um zur Arbeit zu gehen, und komme danach direkt wieder zurück. Ich mag nirgendwo mehr hingehen, kann die mitleidigen Blicke der Leute nicht ertragen. Als ich gestern mit dem Bus nach Hause fuhr, hat sich eine furchtbar häßliche Frau neben mich gesetzt – sie hat sich nicht einmal nach einem anderen freien Sitz umgeschaut, nein, sie ist schnurstracks auf mich zumarschiert und hat sich neben mir niedergelassen. Und dann hat sie mir diesen seltsamen »Ja-wir-beide-sitzen-in-einem Boot«-Blick zugeworfen, so als würde sie mich an irgend etwas erkennen, als bestünde eine Art Seelenverwandtschaft zwischen uns. Gab es einen Geheimbund unter Aussätzigen, eine Art Menschen-die-niemand-liebt-Version der Freimaurer? Und war dieser vielsagende »Ich-weiß-wo-du-herkommst«-Blick ihr Erkennungszeichen? Nun, ich lege keinerlei Wert darauf, von einer häßlichen Person erkannt zu werden. Vielen herzlichen Dank, ich umgebe mich lieber mit schlanken, schönen Menschen. Werde Sally anrufen.

22. Juli

Sally hatte eine großartige Idee. Habe ihr erzählt, was mir dieses VERLOGENE SCHWEIN, besser bekannt als – igitt, ich mag den Namen gar nicht hinschreiben – Perfekter Peter, angetan hat. Ich habe ihr das 34-Schritte-Buch gezeigt, aber sie sagte, das sei alles Quatsch, und jetzt sei es an der Zeit, mein eigenes Selbsthilfe-Buch zu schreiben. Die anderen wären ja doch alle nur von Psychiatern – sprich Männern – oder irgendwelchen magersüchtigen reichen Frauen verfaßt worden, die von Übergewicht, Minderwertigkeitskomplexen, fehlendem Charisma oder sonstigen Quellen des Leids keine

Ahnung hätten. Sally meinte außerdem, daß mir das Buch dabei helfen würde, meine mörderischen Gefühle gegenüber dem VERLOGENEN SCHWEIN abzubauen. Und ein weiterer Vorteil sei, daß ich über der Arbeit vielleicht vergessen würde, der Sache mit Andy nachzutrauern – der übrigens noch immer wahnsinnig nett zu mir ist. Was wiederum bestätigt, daß er sowieso Schluß mit mir machen wollte. Hätte er noch einen Funken Interesse gehabt, wäre er jetzt unfreundlich zu mir, oder etwa nicht? Schließlich gibt es da eine Faustregel: Hat es ein Mann auf dich abgesehen, beachtet er dich kaum und ist grimmig und grob; hat er dagegen kein Interesse, ist er höflich und freundlich ... es sei denn, er ist schwul, wie Carlo, das ist dann noch mal was anderes.

NB: Vielleicht sollte ich zusätzlich ein Kapitel über »Wie handle ich mir einen Laufpaß ein« verfassen – auf dem Gebiet scheine ich eine Art Expertin zu sein.

MEIN SELBSTHILFE-BUCH

Okay, jetzt schreibe ich also mein eigenes brillantes Selbsthilfe-Buch. Ich werde es in meiner Freizeit tun, von der ich ja nun mehr zur Verfügung habe, als mir lieb ist. Ich habe mir einige der Selbsthilfe-Bücher angesehen und festgestellt, daß sie nicht nur sehr, sehr hilfreich und informativ, sondern auch furchtbar einfach zu schreiben sind und sich bestens als Klolektüre eignen. Ich kann also nicht nur anderen Frauen helfen, sondern vielleicht selbst auch noch sehr viel Geld verdienen.

Zuallererst ist mir aufgefallen, daß man eine wirklich große Schrift benutzen sollte, und zwar aus zwei Gründen: Zum einen entsteht dadurch der Eindruck, daß es sich um wahnsinnig wichtige, topaktuelle Informationen handelt, und, was noch viel besser ist, die Seiten werden schneller voll – so schnell, daß man kaum etwas schreiben muß. Hier sind ein paar Schriften, die ich am Computer im Büro ausprobiert habe ...

Okay, wie steht's mit dieser hier? Großer Gott, so was von fett – diese Schrift schreit ja geradezu heraus, wie es um die Verfasserin bestellt ist. Nein, diese kommt auf keinen Fall in Frage.

Diese hier? Hm, nein, die gefällt mir auch nicht. Sie wirkt irgendwie streng und geizig, irgendwie engherzig. Dickens hätte sie wahrscheinlich genommen, um Scrooge zu beschreiben – wenn er noch lebte und einen Computer hätte, versteht sich.

Was ist mit der hier... Ich weiß nicht, sieht ein bißchen kindlich aus, so als ob ich nicht richtig schreiben könnte.

Oh, diese hier gefällt mir gut... Sie vermittelt den Eindruck, als würde ich laut denken und ganz intim mit dem Leser in Verbindung treten – was in diesen Büchern ja auch geschieht, nicht wahr? Schließlich geben die Autoren das Geheimnis ihres Lebensstils preis – was die Leser immer ein wenig irritiert, weil ihnen ihr eigenes Leben plötzlich so trist und elend vorkommt... Aber das jeweilige Buch sagt ihnen ja dann, wie sie sich ein neues, ebenso brillantes Leben aufbauen können wie der Autor. Bis sie sich das nächste Selbsthilfe-Buch kaufen und feststellen müssen, daß sie ihren neuen erfolgreichen Lebensstil ebenfalls vergessen können. Wäre vielleicht keine schlechte Idee, viele Selbsthilfe-Bücher unter verschiedenen Pseudonymen zu schreiben. Könnte auf diese Weise all die unzähligen kleinen Dinge ausschlachten, die sich die Leute als »Problem« andrehen lassen. Ein Kunde in einer Buchhandlung muß ja nur einmal einen schlechten Tag erwischen und schon greift er zu seinem ersten Selbsthilfe-Buch, dem dann unter Umständen – je nach dem aktuellen Problem – noch viele weitere folgen... Mir ist es jedenfalls immer so ergangen. Irgendwie sieht diese Schrift ein bißchen sehr romantisch und verspielt aus... Ist aber vielleicht ganz günstig; Barbara Cartland verkauft ihre Bücher schließlich auch tonnenweise, nicht wahr? Allerdings sind das keine Selbsthilfe-Bücher im engeren Sinne –

es sei denn, du bist eine ausländische Prinzessin oder hast dich in einen arabischen Scheich verliebt.

KAPITEL 1 – LIEBE
DIE ERSTE VERABREDUNG

Okay, er will sich also mit dir verabreden. Das heißt, wir leben in einer modernen Welt, vielleicht hast du auch die Initiative ergriffen. Ist allerdings unwahrscheinlich, weil er – wie wir beide wissen – in diesem Falle nur gedacht hätte: »... ein Drink? Ob ich mit auf einen Drink komme? Wozu? Oh, bitte, lieber Gott, mach daß das nicht wahr ist – sie will etwas von mir, wie peinlich. Dabei war ich nur nett zu ihr, weil sie mir leid getan hat – in dem Alter noch Single zu sein ... Und jetzt denkt sie, ich fände sie attraktiv ...« et cetera.

Wir wollen uns also darauf einigen, daß es zu dieser ersten Verabredung gekommen ist, weil er dich gefragt hat. Bevor du tatsächlich hingehst, solltest du über die folgenden Eventualitäten nachdenken:

Er ist verheiratet und hat sich mit dir verabredet, weil er meint, er könne dich leicht flachlegen.

Er ist nicht weiter an dir interessiert, will einfach nur ein wenig gesellig sein, ein harmloses Treffen unter Erwachsenen.

Er findet dich tatsächlich attraktiv – könnte es sein, daß irgend etwas mit ihm nicht stimmt?

Er leidet an einer schweren, unheilbaren Krankheit und sucht nach einer häuslichen Frau, Typ Krankenschwester.

Nachdem wir also seine mögliche Motivation analysiert haben, sollten wir zu der Verabredung selbst kommen. Auf gar keinen Fall darfst du selbst auch nur die leiseste Idee haben, wo ihr hingehen könntet. Selbst wenn er dich fragen sollte – SCHLAGE NICHT VON DIR AUS EINEN TREFFPUNKT VOR! Dies ist sehr wichtig, weil du ihm sonst die Möglichkeit gibst, diverse Schlüsse zu ziehen. In der folgenden Tabelle sind nur einige der gefährlichsten Hinterhalte aufgeführt, in die man schnell hineintappt:

Dein Vorschlag:	Seine Schlußfolgerung:
eine Kneipe	»Gott, sie ist Alkoholikerin.«
ein Restaurant	»Gott, kann sie denn nur ans Essen denken?«
ein Konzert	»Sie ist wohl so langweilig, daß sie keine eigene Unterhaltung führen kann.« (NB: Gleiches gilt für Kino und Theater.)

Laß ihn also selbst vorschlagen, wohin ihr bei dieser überaus wichtigen ersten Verabredung geht. Und, Mädchen, denk daran, er will dich wahrscheinlich sowieso nicht wiedersehen; es ist also ziemlich egal, wohin ihr geht.

Ende des 1. Kapitels

Ich bin sehr zufrieden mit meinem ersten Kapitel; es ist kurz und prägnant und bietet eine Fülle wirklich stichhaltiger Informationen. Wünschte, ich hätte in meiner Jugend ein so praktisches Nachschlagewerk zur Hand gehabt, etwas, worin man sich schlau machen kann, *bevor* das Kind in den Brunnen fällt. Ich mußte meine Erfahrungen selbst machen, gewissermaßen nach dem Prinzip »Aus Schaden wird man klug«. Will heißen, mir ist es nicht erspart geblieben, erst einmal viele Fehler zu machen, bevor ich etwas dazugelernt habe. Und deshalb ist es auch so wichtig, vorbereitet und vorgewarnt zu sein. Wie heißt es so schön: Gefahr erkannt, Gefahr gebannt. Ich bin heute ja um vieles erfahrener und kann diesen jungen Mädchen wirklich helfen, sich in der Welt zurechtzufinden. Was für einen unschätzbaren Vorteil sie haben werden, wenn sie wissen, was Männer *tatsächlich* denken. Und um wieviel selbstbewußter sie dann an die erste Verabredung und an die Beziehung als solche herangehen werden ...

Hatte gerade eine großartige Idee. Ich werde dem Verleger vorschlagen, nach der Veröffentlichung meines Selbsthilfe-Buches einzelne Kapitel gesondert herauszubringen. Diese kleinen Hefte können die Frauen dann immer bei sich tragen, damit sie jederzeit schnelle Hilfe zur Hand haben.

Okay, und jetzt zum beruflichen Aspekt.

KAPITEL 2 – DAS VORSTELLUNGSGESPRÄCH

Wenn du zu einem Vorstellungsgespräch gehst, ist es wichtig, daran zu denken, daß die Arbeitgeber dich nie zuvor gesehen haben. Ihnen liegen lediglich die schriftliche Bewerbung und der Lebenslauf vor ... Es sei denn, du bist Model oder etwas in der Art. In diesem Fall kannst du dir das Kapitel sparen, weil Models a) niemals unsicher sind – das ist eine Tatsache – und b) äh ... siehe und beherzige a). Vor diesem Hintergrund solltest du also unbedingt darauf achten, daß du etwas anziehst, worin du professionell, schick und *vor allen Dingen* schlank aussiehst. Erweist sich letzteres als schwierig, kauf dir entweder ein Korsett, oder nimm eine große Umhängetasche mit (genauere Ausführungen hierzu weiter unten).

Angenommen, das Gespräch verlief zur gegenseitigen Zufriedenheit – weiß auch nicht genau, woran man das festmachen kann, laß uns deshalb einfach davon ausgehen, daß es so ist –, dann wird der nächste Schritt sein, den gelungenen Abgang aus dem Raum zu planen. Sicher ist dir dieses nagende Angstgefühl, sie könnten dir den Job doch nicht geben, sollten sie dein Gesäß zu Gesicht bekommen, ebenso vertraut wie mir. Aber keine Sorge, Mädchen, wir alle bilden uns ein, unsere Erfolgsaussichten bei einer Bewerbung hingen von der Größe unseres Hinterteils ab. Deshalb laß uns diese Angst ganz cool und rational angehen ... Wird dich ein Arbeitgeber tatsächlich nur deshalb nicht einstellen, weil du einen dicken Po hast?

Ja, genau so ist es. Aber keine Angst, ich kenne die ideale Lösung dieses Problems und werde sie dir verraten. Erinnerst du dich an die große Umhängetasche? Also, während du aufstehst und den Leuten die Hand zum Abschied gibst, kreise unauffällig, aber elegant, mit den Schultern, so daß die Tasche nach hinten schwingt und dein Gesäß verdeckt. Auf diese Weise werden sie lediglich die Tasche wahrnehmen, nicht aber dein riesiges Hinterteil. Denk daran – es ist noch kein Bewerber abgelehnt worden, nur weil seine Tasche zu groß war.

Wenn du keine große Tasche besitzt (ich persönlich halte sie für eine sehr empfehlenswerte Anschaffung – schließlich läßt sie sich zum gleichen Zweck immer wieder einsetzen), dann bleibt uns noch eine andere Option, die aber – wie ich ausdrücklich hervorheben muß – nicht hundertprozentig zuverlässig ist:

Wenn das Gespräch vorbei ist, steh auf und lenke die allgemeine Aufmerksamkeit beiläufig auf irgendein Objekt draußen vor dem Fenster, eine bizarr geformte Wolke, einen Kran, einen Vogelschwarm – irgend etwas, das deine zukünftigen Arbeitgeber für einen Augenblick ablenkt. In den Sekunden, wo sie nicht zu dir herschauen, eilst du zur Tür und verabschiedest dich von dieser sicheren Position aus (den Po bereits zum Korridor hingewandt). Sollte der Raum übrigens kein Fenster haben, dann suchst du dir eben irgendeinen Gegenstand auf dem Schreibtisch aus,

einen Briefbeschwerer, einen Brieföffner oder eine Briefmarke zum Beispiel.
Hier wären sie also, zwei mehr oder weniger hundertprozentig sichere Methoden, mit denen du jeden Job bekommst, um den du dich bewirbst.

Ende des 2. Kapitels

Ich finde das zweite Kapitel äußerst gelungen und wirklich sehr hilfreich. Ein wenig problematisch ist vielleicht nur, daß ich gewissermaßen vor einem weltweiten Publikum zugebe, selbst einen dicken Po zu haben. Und sollte ich später einmal zu einer Lesung oder etwas ähnlichem erscheinen müssen, werden die Gäste natürlich mit allen Mitteln versuchen, selbst einen Blick auf mein Gesäß zu erhaschen. Es ist wahrscheinlich schwierig, sich während einer solchen Veranstaltung die ganze Zeit mit dem Rücken zur Wand zu halten ... Mir ist gerade eine tolle Idee gekommen! Ich könnte ja so tun, als hätte ich mir kurz vor der Lesung ein Bein gebrochen, und erscheine dann einfach im Rollstuhl! Großartige Idee ...

NB: Sieh nach, ob es in der Arbeit Rollstuhlrampen gibt: könnte dann dort ebenfalls einen deponieren, falls ich weiter zunehmen sollte.

KAPITEL 3 – SEX
Die schmeichelhaftesten Stellungen

Okay, dann wollen wir uns jetzt einmal mit deiner »Produktpalette« beschäftigen – der »Sex-Produktpalette«. Du hast inzwischen mehrere Verabredungen hinter dir und bist bereit zum Sex. Du hast dich von deiner besten Seite präsentiert und deinen Partner dazu gebracht, daß er mit dir ins Bett gehen möchte. Du hast ihn ~~überredet, angeschwindelt, weichgekocht~~ ... äh, überzeugt, daß Sex mit dir einfach großartig ist. *Bevor* du die Sache angehst, sei vorsichtig, sehr vorsichtig – sicher möchtest du nicht, daß das erste Mal das letzte Mal ist. Dazu kann es aber kommen, wenn du ihm auch nur den kleinsten Blick auf irgendeine unattraktive Stelle deines Körpers gestattest. Denk daran – was du selber unschön an dir findest, wird ihn um so mehr abstoßen. Deshalb solltest du dir deinen nackten Körper *vorher* – und damit meine ich nicht fünf Minuten vorher, sondern mindestens einige Tage vorher – gründlich und genau ansehen. Ich weiß, ich weiß, keine angenehme Geschichte, aber es muß sein. Du erinnerst dich: Gefahr erkannt, Gefahr gebannt.

Du stellst dich also vor einen großen, blankpolierten (du möchtest ja nichts übersehen!) Spiegel, nimmst die verschiedenen Stellungen ein, an denen dein Partner interessiert sein könnte, und überprüfst, welche Teile deines Körpers abstoßend wirken. Hier ein paar Beispiele, die ich selbst zu Hause ausprobiert habe:

Die Vierfüßler-Stellung: Du wirst feststellen, daß deine Brüste auf sehr unschöne Art herunterhängen, von deinem Bauch ganz zu schweigen. Ich, für meinen Teil, habe derartig ausgeprägte Dehnungsstreifen an den Brüsten, daß mein Liebhaber sofort an irgendwelche Rüschen denken würde, und das wäre dann das Ende meiner Hoffnungen auf eine fortdauernde ~~Nummer~~ Beziehung. Obwohl ich natürlich sowieso, wie die meisten Frauen, eher auf meinen Liebhaber verzichten würde, als es jemals wieder in der Hundeposition zu treiben. Die Reiterstellung: wirklich sehr gefährlich. Grundsätzlich würde ich empfehlen, diese Position zu vermeiden, es sei denn, du bist bekleidet. Die notwendigen Bewegungen beim Sex lassen deinen Busen und deinen Bauch völlig unkontrolliert herumschwabbeln – wahrhaftig kein schöner Anblick. Und sollte dein Partner dies tatsächlich einmal nicht bemerken (was ich für sehr unwahrscheinlich halte), so sehe ich immer noch das Problem, daß du dich wohl kaum voll auf deine Aufgabe konzentrieren kannst – wenn du ständig auf Kaskaden freifallender Puddingfalten herunterstarrst.

Die Löffelstellung: Sie ist hervorragend dazu geeignet, Problemzonen zu verbergen, vor allem, wenn du es schaffst, die Decke über dich zu werfen (wie in einem Anfall von Ekstase) und auf diese Weise fast deine ganze Vorderfront zu bedecken.

Beide liegen auf der Seite und schauen sich in die Augen: keineswegs zu empfehlen. Wenn du dabei in den Spiegel schaust, wird dir drastisch vor Augen geführt, daß deine Brüste, dein Bauch und vermutlich auch deine Oberschenkel sich zwischen dir und deinem Partner zu drei ekelerregenden Fleischbergen zusammenschieben.

NB: Die Schwerkraft gehört nicht zu den besten Freundinnen einer Frau.

Die stehende Position: Stell dich mit dem Rücken zum Spiegel, beuge dich vor, und schau zwischen deinen Beinen durch ... häßlich, nicht wahr? Und, bist du jetzt nicht froh, daß du das vor ihm gesehen hast?

Zusammenfassend würde ich empfehlen, einfach flach auf dem Rücken liegenzubleiben, am besten bei gelöschtem Licht. In der Horizontalen fällt alles nach hinten, straffen sich sogar deine Wangen und dein Doppelkinn ... wenn das nichts ist!

Ende des 3. Kapitels

Also, dieses Sex-Kapitel ist mir wirklich hervorragend gelungen. Es ist offen und ehrlich, nennt die Dinge beim Namen. Ich habe mir diesen Stil aus den amerikanischen Selbsthilfe-Büchern abgeguckt. Sie reden immer von dir, als seist du ein Produkt, was auch gar nicht schlecht ist, denn du sollst dich ja möglichst gut vermarkten – wie Käse oder so. Mein Buch gibt jedenfalls sehr klare, sehr vernünftige Ratschläge zu dem heikelsten aller Themen – es macht Sex praktizierbar. Vielleicht sollte ich es den ›Guerilla-Führer zum Geschlechtsverkehr‹ nennen ... oder hieß es Gorilla? ... Nein, Guerilla ist richtig, nicht wahr? Da denkt man an einen Kämpfer oder einen Rebellen. Obwohl ich vielleicht auch etwas in Richtung ›Der Gorilla-Führer zum Sex‹ schreiben sollte – dies wäre dann die Lektüre für solche Tage, an denen man unter dem PMS leidet oder zu viele Hormone geschluckt hat ...

NB: Erkundige dich, welche Hormone den Bartwuchs fördern.

28. Juli

War gestern den ganzen Abend bei Mrs. M. und habe mit ihr Fernsehen geguckt. Der neuen Frisur der Bardame aus ›Coronation Street‹ und dem Spermiogramm ihres Freundes war zwar nicht viel Interessantes abzugewinnen, aber schließlich hatte ich bei Mrs. M. etwas gutzumachen. Habe ihr nichts von Andy gesagt, zu peinlich. Wahrscheinlich wäre sogar eine Frau, deren letzte horizontale Begegnung mit einem Mann in der Vorkriegszeit stattfand, draufgekommen, daß ich mich wie eine Idiotin benommen habe.

Hatte heute eine sehr diffizile Unterredung mit dem Filialleiter meiner Bank. Meine Güte, hat der Mann einen Aufstand gemacht – und alles nur, weil ich diesen lächerlichen Kredit beantragen wollte, ohne den Verwendungszweck anzugeben. Er sagte immer wieder, er stünde »meinem Ansinnen aufgeschlossen gegenüber«, müsse aber wissen, wozu ich das Geld benötigen würde. Ich habe versucht, ihn damit abzuspeisen, daß ich es in Förderungsmaßnahmen für meine persönliche Entwicklung investieren wolle. Als er um eine genauere Erklärung bat, bin ich ihm mit der »entscheidenden, lebenswichtigen Operation« gekommen (keine besonders gute Idee), mußte dann aber schließlich doch zugeben, daß es sich um eine Schönheitsoperation handle, allerdings nicht für mich, sondern für meine Schwester (er weiß bestimmt nicht, daß ich gar keine Schwester habe). Ich konnte ihm nicht gestehen, daß ich mich selbst operieren lassen wollte – habe keine Lust, das Gekicher der Kassierer und saugende Geräusche ihrer Münder über mich ergehen zu lassen, wenn ich den Scheck einlösen komme.

Für die Operation muß man einen Tag in die Klinik, darf aber noch am selben Abend wieder nach Hause. Mit dem Laufen soll's dann allerdings ein paar Wochen hapern. Morgen will ich mich beraten lassen, die Operation selbst kann dann am Tag darauf erfolgen. Habe jetzt auch bald Urlaub; werde nach dem Eingriff wegfahren, um den Kollegen nicht gleich wieder unter die Augen treten zu müssen. Vielleicht lasse ich mir unterwegs die Haare schneiden oder färben – ich habe irgendwo gelesen, daß man auf diese Weise von sonstigen Veränderungen ablenken kann. Die Leute würden dann meinen, ich sähe wegen meiner Frisur anders aus – und nicht wegen meiner schlankeren Oberschenkel. Ich würde vor Scham vergehen, wenn das irgend jemandem auffiele.

29. Juli

Langweile mich – sollte vielleicht weiter an meinem Selbsthilfe-Buch schreiben, aber irgendwie sind mir die Ideen ausgegangen, seit ich mit dem Sex-Kapitel fertig bin. Ich denke, das Buch sollte auch nicht allzu lang werden. Wenn man noch ein paar Fotos einfügt, sind die drei Kapitel vielleicht schon genug ... bei geschickter Anordnung, versteht sich.

30. Juli

Großer Gott! Ich kann es nicht fassen, was für Qualen Frauen über sich ergehen lassen, nur um schön zu sein – vor allem, wenn man überlegt, wie die meisten Männer aussehen. Der Chirurg, der mich bezüglich der Fettabsaugung beraten hat, war einfach grauenhaft. Man könnte meinen, bei ihm hätte jemand eine Verschönerungsoperation begonnen, dann abgebrochen und ihn in eine Art Elefantenmenschen verwandelt. Die Schwester war zwar hübsch und schlank und insofern prädestiniert, den Selbsthaß und die Unsicherheit zu verstärken, die einen zu dieser teuren Selbstverstümmelung überhaupt erst bewegen. Aber der Doktor war dermaßen unattraktiv und schien sich seiner Häßlichkeit so wenig bewußt zu sein, daß ich zu überlegen begann, was ich hier überhaupt zu suchen hatte. Doch es kam noch besser. Als ich mich frei machte, um ihm die in Frage kommenden Körperpartien zu zeigen, meinte er sehr taktvoll: »O ja, Sie haben ziemlich ausgedehnte Problemzonen, nicht wahr?« Ich hätte am liebsten erwidert: »Wo wir gerade von Problemzonen sprechen – haben Sie in letzter Zeit mal in den Spiegel geschaut? Bei Ihnen scheinen sie nämlich überwiegend im Gesicht zu liegen!« Meine »Problemzonen«, daß ich nicht lache! Und das von einem Mann, dem man am besten eine Papiertüte überstülpen sollte. Ich kenne meine Problemzonen, vielen Dank – schließlich habe ich ein halbes Leben damit verbracht, mich mit jeder Speckfalte und Delle zu beschäftigen, die möglicherweise unter diese Rubrik fallen könnten!

Zum ersten Mal, seit ich denken kann, habe ich mich meiner Nacktheit nicht geschämt, sondern spürte, wie ein gewisser Trotz in mir hochstieg. Der häßliche Chirurg zeigte mir dann stolz dieses eimerartige Gefäß und meinte: »In diesem Behälter werden wir Ihr überschüssiges Fett auffangen.« Großer Gott, das Ding sah aus wie ein Futtertrog für eine ganze Herde Zugpferde! Meine Zweifel an dem Unternehmen wuchsen von Minute zu Minute. Ich weiß, daß ich übergewichtig bin, aber wenn mir hier das Fett gleich eimerweise abgesaugt werden sollte, dann würde ich in Zukunft wahrscheinlich nicht mehr sitzen können.

Der ausschlaggebende Moment kam aber erst, als ich ihn bat, mir ein paar Fotos von bereits operierten Oberschenkeln zu zeigen. Meine Güte! Die Dinger sahen aus wie zwei magere Steaks mit Füßen! Die aberwitzige Behauptung des häßlichen Chirurgen, diese Schenkel sähen nun viel besser aus als zuvor, war der größte Schwindel, den ich je gehört habe. Ich sah sie direkt vor mir, diese ganze Horde männlicher Kurpfuscher, wie sie die Köpfe zusammensteckten und ihre Verschwörung ausheckten: »... das ist also die Strategie, Männer, den Frauen dieser Welt soll es bis ans Ende ihrer Tage dreckig gehen. Erforderlich ist dazu nur ein kurzer Crashkurs bei irgendeinem alten Metzger, dann noch schnell den weißen Kittel überziehen, die Rechnung über 1000 Pfund nicht vergessen, und schon kann's losgehen – setzt die Vakuumpumpe an, und der Sieg ist euer.«

Ich habe also all meinen Mut zusammengenommen und gesagt, daß ich es mir erst noch überlegen müsse. Der Beginn eines neuen Selbstwertgefühls vielleicht, jedoch noch zu schwach, um gleich im Anschluß zu einer glühenden Rede gegen die Unterdrückung der Frau auszuholen. Hätte er dann nämlich gefragt, wann ich denn das letzte Mal selbstbewußt im Tanga herumgelaufen wäre, hätte ich doch nur zerknirscht klein beigeben müssen. Deshalb habe ich mich einfach schnell verdrückt, in der Hoffnung, daß sie anschließend nicht über mich lästern würden.

1. August

Habe eigentlich gar keine Lust wegzufahren, jetzt, wo ich nicht wegen entstellter Oberschenkel untertauchen muß. Da aber im Moment in der Arbeit nicht viel los ist, sollte ich den Urlaub vielleicht doch nehmen. Andy ist offenbar für ein paar Tage nach Edinburgh gefahren, bevor er Ende des Sommers ganz dorthin zieht. Bin ziemlich erleichtert, so bekommt er wenigstens nicht mit, daß ich allein verreise! Mir macht das eigentlich nichts aus, vor allem, weil ich mir so keine Sorgen machen muß, daß meine Freunde mich im Badeanzug sehen könnten. Bin aber trotzdem froh, daß Andy nichts davon erfährt – es hätte ihn wahrscheinlich in der Überzeugung bestärkt, daß er an mir nichts verloren hat.

4. August

Portugal, sonniges Portugal. Bin gerade auf Dads und Jennifers Hazienda eingetroffen. Es handelt sich um eine Art nierenförmigen Bungalow mit einem Swimmingpool davor – igitt, kitschig wie ein Schauplatz aus dieser wenig erfolgreichen Seifenoper ›Eldorado‹. Die beiden sind jedenfalls stolz wie Oskar. Bin mir noch nicht sicher, ob ich es hier volle zehn Tage aushalte; werde vielleicht ein paar interessante Freunde vorschieben, denen ich für einige Tage einen Besuch abstatte. Allein zu reisen soll angeblich eine gute Erfahrung sein, nicht wahr? Mir macht es nichts aus, allein zu sein; es gefällt mir nur nicht, allein in einem Restaurant zu essen. Halte ich mir ein Buch vor die Nase, wirke ich wie eine arrogante Angeberin. Lese ich nicht, sieht es so aus, als warte ich darauf, von jemandem angesprochen zu werden. Starre ich die ganze Zeit auf meinen Teller, könnte man glauben, ich litte unter Freßsucht! Noch schlimmer als die anderen Gäste sind allerdings die Kellner. Entweder schenken sie dir ungeheuer viel Aufmerksamkeit und schwirren ständig um dich herum, vermutlich aus Mitleid – wodurch dir dann – welch Freude – für alle sichtbar das Aushängeschild »einsamer, trauriger Gast« umgehängt wird. Oder sie schenken dir überhaupt keine Beachtung, wahrscheinlich weil sie deinen Fall für zu tragisch halten und sich nicht darauf einlassen wollen. Wenn ich mich tatsächlich allein aufmachen sollte, dann werde ich einfach nur Brote essen. Habe keine Lust, mich den Attacken der portugiesischen Kellner auszusetzen.

5. August

Öde, öde, öde.

6. August

Öde, heiß, öde, sehr heiß.

7. August

Mir reicht's. Es ist furchtbar heiß, und ich kann den Pool nur dann benutzen, wenn Dad Golf spielt und Jennifer nicht da ist. Werde den Fehler nicht noch einmal begehen, mich diesen beiden im Bikini zu zeigen. Das letzte Mal hat Dad die Brauen hochgezogen und mir erzählt, wie langsam der Körper Kohlenhydrate abbauen würde. Und hat dann noch nicht mal zugegeben, daß er davon nur angefangen hat, um mich zu ärgern. Ich habe den beiden gesagt, daß ich ein paar

Freunde in Lissabon treffen würde. Keine Ahnung, wo ich tatsächlich hinfahre, aber auf jeden Fall geht's morgen los, komme, was wolle.

10. August

Bin seit zwei Tagen in diesem gottverlassenen Nest namens Escerbo – es ist wirklich großartig hier, von den Einwohnern ist niemand jünger als neunzig Jahre, außerdem scheinen sie alle kurzsichtig zu sein – es bemerkt nämlich niemand, daß ich da bin, auch wenn der Strand sonst völlig ausgestorben ist. Da wäre natürlich die alte Dame, in deren Pension ich abgestiegen bin, doch sie sitzt Tag und Nacht vor der Mattscheibe und starrt auf halbnackte Mädchen, die irgendwelche Lotterienummern verlesen ... Ich denke, ich müßte schon im G-String und mit Ringen an den Brustwarzen an der Rezeption aufkreuzen, um von ihr beachtet zu werden. Bleibe trotzdem weiterhin bei Broten – traue dem Frieden nicht genug, um in ein Restaurant zu gehen.

War ganz schön umständlich, hierher zu kommen, aber die Mühe hat sich gelohnt. Mußte zuerst den Bus nach Lissabon nehmen, weil Jennifer mich zum Busbahnhof gebracht hat. Wollte auf keinen Fall, daß sie merkt, daß ich gar nicht nach Lissabon fahre – sie hätte sonst kombiniert, daß es auch die angeblichen Freunde gar nicht gibt. Nachdem ich sicher war, daß Jennifer dem Bus nicht etwa folgte, habe ich die Landkarte hervorgeholt und den kleinsten, am weitesten von Dad entfernten Ort am Meer ausgesucht. Es mußte ein Ort an der Küste sein, auch wenn ich eigentlich gar nicht gern in der Sonne liege. Aber ich möchte nicht ohne eine gewisse Bräune nach London zurückkehren; schließlich sollen die Kollegen sehen, daß ich in Urlaub war und ein richtig wildes Leben geführt habe ... nun ja, ein Leben jedenfalls.

NB: Paß auf, daß du nicht zu braun wirst. Dad und Jennifer wissen vielleicht, daß es in Lissabon keine Strände gibt.

12. August

Muß morgen zu Dad zurück. Werde so tun, als hätte ich mir den Magen verdorben – nur damit er und Jennifer sich nicht wundern, weshalb ich mich nicht genüßlich im Pool aale. Heute morgen kam ein australischer Rucksacktourist auf mich zu und wollte wissen, ob ich ihm den Strand zeigen könne. Ich habe zweimal nachgefragt, ob er auch wirklich in Australien lebe und nicht etwa vorhabe, nach England zu kommen, bevor ich einwilligte. Ich bin vorsichtig, kann mich aber wohl nicht vor *aller* Welt verstecken. Doch bei denen, die mich im Badeanzug sehen, möchte ich wenigstens sichergehen, daß sie sich nie wieder auf demselben Kontinent aufhalten wie ich.

13. August

Bin wieder bei Dad, habe eine furchtbare Rückfahrt hinter mir. Die gesamte weibliche Bevölkerung Portugals schien in dieselbe Richtung wie ich zu reisen, und es war nicht eine einzige Frau darunter, die kein Schaf dabeigehabt hätte.

14./15. August

Rückflug von Oporto, 5.30 Uhr. Der Flug hat Verspätung. Ich versuche zu schlafen, kauere wie eine Obdachlose auf einem dieser Plastikstühle, der mit zirka 130 weiteren, völlig identischen Sitzgelegenheiten zu einer langen Reihe verbunden ist. Würde gerne etwas trinken, kann mich aber nicht rühren, weil meine verschwitzten Beine an dem Plastik kleben. Wenn ich jetzt aufstehe, reiße ich 130 Stühle mit mir hoch, da ihr zentrales Verbindungsstück an meinem Hintern klebt. Und sollten die Stühle wider Erwarten am Boden bleiben und sich meine Schenkel von der harten Plastikschale lösen, dann wird dieses furchtbare Geräusch ertönen – dieses schmatzende, saugende Geräusch, das dem ganzen Flughafen (der mittlerweile rammelvoll ist) signalisiert, daß ich nicht nur fett bin, sondern verschwitzt dazu.

Ich wette, diese Chartergesellschaften fliegen extra so früh, weil die Leute dann immer ziemlich unausgeschlafen und häßlich aussehen. Und so etwas schadet natürlich dem Selbstwertgefühl und der Zivilcourage. Die Gesellschaften können deshalb mit einiger Sicherheit davon ausgehen, daß sich die Passagiere zurückhalten und nicht etwa mit Beschwerden ankommen, nur weil sich das Flugzeug um fünf Jahre verspätet. Wir bleiben lieber alle geduldig hier sitzen und warten, bis eine Ersatzmaschine irgendwo aus der Nähe, aus Arkansas zum Beispiel, eintrifft, als eine perfekt manikürte, perfekt frisierte und natürlich superschlanke Stewardeß mit der erbärmlichen Frage zu belästigen, wann man wohl damit rechnen dürfe, die Heimat wiederzusehen.

9.30 Uhr, abends. Das Flugzeug ist jetzt endlich startbereit. Habe den ganzen Tag nichts gegessen ... Ob ich wohl etwas abgenommen habe? Schade, daß es auf den Toiletten keine Waagen gibt. Verdammt, ich habe nicht früher daran gedacht, sonst hätte ich mich kurz auf die Gepäckwaage am Check-in-Schalter stellen können. Aber das Mädchen am Schalter hätte die Anzeige wahrscheinlich gesehen und mein Gewicht eventuell über Lautsprecher verkündet. Gott, das erinnert mich an einen der schrecklichsten Flüge meines Lebens, fast hätte ich für immer die Lust am Fliegen verloren. Ich sollte eine Tagung in Südirland organisieren, es gab aber keine andere Möglichkeit, dort hinzukommen, als mit einer dieser kleinen Propellermaschinen. Ich sah meine Ende nahen – denn als wir uns zum Einsteigen bereit machten, stellte sich heraus, daß man sich vorher wiegen lassen mußte. Zum Glück sollte man sich mit dem Gepäck auf die Waage stellen. Ich habe also laut verkündet, daß ich im Baugewerbe tätig sei und ein paar interessante Ziegelsteinmuster sowie einige neuartige Bleiplatten in meinem Koffer hätte.

Mein Sitz ist wirklich unbequem; ich bilde mir ein, daß er auf dem Hinflug noch nicht so eng war, ich stoße ständig mit den Hüften und den Schenkeln gegen die Armlehnen. Habe anscheinend doch nicht abgenommen – hätte die Zervelatwurst also ruhig essen können. Überdies sitze ich in der Mitte ... Toll, dann gibt es jetzt also zwei Zeugen für die Extra-Pfunde, die ich im Urlaub zugelegt habe. Zu meiner Linken sitzt ein Typ mit einer Zeitung, der so tut, als würde er nicht bemerken, daß ich am Ende dieses Fluges wahrscheinlich mit einem Kran aus dem Sitz gehievt werden muß. Und zu meiner Rechten sitzt eine alte Dame aus Spanien, die die ganze Zeit aus dem Fenster schaut und dabei irgendwas vor sich hin murmelt. Habe keine Ahnung, was sie sagt – wünschte, ich wüßte, was fett und gierig auf spanisch heißt.

Sind mit Verspätung gelandet – wegen Gegenwind und schwerer Ladung. Die Lautsprecheransage war furchtbar undeutlich und verzerrt, aber ich glaube, der Kapitän hat gesagt: »Wir werden in wenigen Minuten in Gatwick landen, meine Damen und Herren, und bitte entschuldigen Sie die leichte Verspätung. Hierfür ist die nicht unbeträchtliche Völlerei einer gewissen Dame verantwortlich, deren Initialen JMP lauten – sie weiß, von wem ich rede. Sie konnte sich im Urlaub nicht beherrschen und hat beträchtlich an Po und Beinen zugenommen. Damit hat sie nicht nur zu einer Erhöhung des Ladegewichts beigetragen, sondern sich vermutlich auch einen sehr ungemütlichen Flug eingehandelt – die Armlehnen haben sich sicher tief in ihre Schenkel eingegraben. Geschieht ihr recht – ich hoffe nur, daß die Sitznachbarn keinen allzu unerträglichen Flug hatten.« Anschließend sagte er dann irgend etwas in einem schrecklichen Kauderwelsch, das wohl Portugiesisch sein sollte – ich denke, das gleiche noch mal.

Habe unendlich lange am Gepäckband gestanden. Meine Tasche kam zwar ziemlich am Anfang, aber ich habe gewartet, bis alle anderen Passagiere ihre Gepäckstücke eingesammelt hatten. Sie sollten nicht sehen, daß das alte zerschlissene Stück mir gehört. Es war wirklich das schäbigste Teil auf dem Band; hätte ich mir doch bloß einen teuren Koffer gekauft. Ist mir das peinlich. Mir fällt gerade ein, daß solche Taschen wahrscheinlich gern von Schmugglern benutzt werden. Um harmlos und ein wenig bedauernswert zu wirken – wie jemand, der nicht einmal Sand auf den Strand schmuggeln könnte.

Bin ich die einzige Person auf der Welt, die ein schlechtes Gewissen hat, wenn sie beim Zoll durch »Nichts zu deklarieren« geht? Soll ich stur geradeaus schauen und die Zöllner ignorieren? ... Nein, das könnte so auf sie wirken, als würde ich sie nicht mögen, und dann ziehen sie mich wegen Beleidigung raus. Soll ich lässig vorüberschlendern und mich interessiert in der angenehmen Umgebung umschauen? Nein, das sieht zu verdächtig aus; sie halten mich dann glatt für eine Drogenkurierin. Jetzt hab' ich's, ich halte den Kopf gesenkt, starre auf meinen Gepäckwagen und, ja, versuche, ein wenig traurig auszusehen – so als sei ich gerade von meinem portugiesischen Freund verlassen worden. Sicher haben die Zöllner keine Lust, jemanden zu befragen, der jeden Moment in Tränen auszubrechen droht. Hm, das ist wahrscheinlich das beste ... obwohl sie natürlich denken könnten, ich würde deshalb auf die Tasche starren, weil ich um meinen Goldbarren, die Drogen und meine 700 Zigaretten fürchte ... O Gott, was soll ich nur tun? Ich habe tatsächlich nichts zu deklarieren oder zu verstecken, aber wenn sie mich fragen sollten, werde ich mich schuldig fühlen – welchen Vergehens wegen auch immer. So wie ich mich kenne, würde ich einen Banküberfall gestehen, nur um mich besser zu fühlen.

Warte jetzt gerade auf die U-Bahn, habe den Zoll hinter mir; bin zwar – erwartungsgemäß – in kalten Angstschweiß ausgebrochen, war aber dennoch in der Lage, zu dem alten Mann hinüberzuschauen, dessen Tasche sie *tatsächlich* durchsucht haben. Und habe dann dem Beamten einen Blick zugeworfen, der besagen sollte: »Ja, Herr Zöllner, genau bei dieser Person wäre ich auch mißtrauisch geworden.« Es war ein interessierter Blick, mit dem ich gleichzeitig anzudeuten suchte, daß ich den Beamten für sehr kompetent und clever hielt – da er fähig war, hinter einer so unschuldig wirkenden Fassade das Böse zu entdecken.

16. August

Oh, wie ist es schön, wieder zu Hause zu sein. War allerdings etwas enttäuscht, so wenig Post bekommen zu haben, fast nur Reklame ... Aber was soll's, die Umschläge zu öffnen macht auch Spaß. Ein Brief ist von den Samaritern – frage mich, wie die auf mich kommen ... gefällt mir gar nicht. Sie bitten um eine Spende, aber irgendwie habe ich das Gefühl, als sei der Brief an mich persönlich gerichtet.

17. August

Habe fast den ganzen Tag mit Waschen und Bügeln zugebracht, vorhin dann auch noch den Kühlschrank entrümpelt – auf einigen Lebensmitteln waren bereits interessante Kulturen gediehen. Weiß jetzt nicht mehr, was ich noch tun soll. Bin offiziell bis zum 23. in Urlaub und kann mich vorher wohl kaum in der Arbeit blicken lassen – sonst glauben die noch, ich wüßte nichts mit meiner Freizeit anzufangen. Mrs. M. ist für ein paar Tage zu ihrer Kusine gefahren – sicher auch so ein Ort, wo ausschließlich Greise leben. Sally und Dan sind verreist, gemeinsam natürlich. Und ich habe mir fast alle Sendungen angesehen, die ich während meiner Abwesenheit aufgenommen habe. Die paar, die noch übrig sind, muß ich mir jetzt gut einteilen – damit ich abends etwas zu tun habe.

19. August

Fühle mich schlecht – leide wohl gerade unter den Folgen einer Rückkehr-Depression. Frage mich, weshalb man diese Reiserei überhaupt auf sich nimmt? Wenn man anschließend so erholungsbedürftig ist, daß man gleich wieder Urlaub nehmen könnte? Mrs. M. ist von ihrer Kusine zurück. Habe bei ihr vorbeigeschaut, sie ist fidel wie immer – hat mir erzählt, daß die Bardame aus der ›Coronation Street‹ schwanger ist; das Spermiogramm ihres Freundes kann also so schlecht nicht gewesen sein. Ich bin ja eigentlich mehr an dem Verhältnis von Ross und Rachel interessiert, aber ich glaube nicht, daß Mrs. M. eine Anhängerin von ›Friends‹ ist. Ich sollte mir die Serie auch nicht ansehen. Ich kann darüber lachen, wenn ich davorsitze. Aber sobald die Sendung vorbei ist, gerate ich jedesmal ins Grübeln, wo eigentlich *meine* fünf wunderbaren Freundinnen sind, die ständig bei mir vorbeikommen, sich auf meinen teuren Sofas räkeln und alles amüsant finden, was ich so von mir gebe. Habe beim letzten Mal ausgerechnet, daß ich wahrscheinlich sechsmal so schwer bin wie alle Mädchen dieser Serie zusammen. Und was die Mädels erst für Frisuren haben – ich habe keine Ahnung, wie sie diese schrillen, wilden Mähnen hinkriegen. Wollte ich Rachel auch nur im entferntesten ähneln, müßte ich mich wahrscheinlich an den Füßen vom Türrahmen herabhängen lassen und mich dabei fönen. Es ist aber ziemlich schwierig, in dieser Lage einen Fön festzuhalten. Rachel hat wahrscheinlich ihren eigenen, persönlichen Friseur. Habe es doch einmal versucht, ist aber leider danebengegangen – meine Haare sahen aus, als hätte ich einen Stromschlag erlitten.

20. August

Ich weiß, daß ich mir damit selbst ein Armutszeugnis ausstelle, aber ich habe soeben das ›Time Out‹ durchgeblättert und bei der Gelegenheit die Kontaktanzeigen gelesen. Muß zugeben, daß einige gar nicht so übel klangen. Ich will einfach nicht länger allein sein – bei Andy habe ich versagt, deshalb muß ich die Sache neu in die Hand nehmen, muß richtig aktiv werden. Ich werde mich ganz gezielt bemühen, neue Freunde zu finden. Sollte mich jemand in der U-Bahn anlächeln, werde ich von jetzt an zurücklächeln . . . Ich meine, es laufen dort ja nicht *nur* Verrückte herum. Außerdem werde ich auf eine von diesen Anzeigen antworten. Am besten, ich greife mir willkürlich ein paar heraus und entscheide dann, welche besonders gut aussieht . . . Ich meine natürlich, sich gut anhört . . . oder heißt es anliest? Nein, das sagt man wohl nicht, oder? Hier ist jedenfalls die Seite, in der ich mir ein paar Annoncen angestrichen habe. Es ist wirklich alles Schicksal – ich wollte nämlich eigentlich gar kein ›Time Out‹ und habe mir nur im Vorbeigehen ein altes Exemplar geschnappt – draußen vor dem Kiosk, als der Händler gerade nicht hinsah.

SIND SIE EIN VOLLBUSIGES VOLLBLUTWEIB?
Wenn ja, dann sind Sie bei mir richtig. Lasse mich gern betutteln, bin finanziell gut gestellt, habe viel Sinn für Humor und eine absolute Schwäche für dralle, gut gebaute Damen. Fühlen Sie sich angesprochen?
Dann lassen Sie es uns versuchen! Chiffre 7654

Bin mir bei dieser hier nicht ganz sicher; müßte mir wahrscheinlich keine Sorgen wegen meines Gewichts machen, aber irgendwie sind mir die Neigungen des Mannes zu eklektisch ... gut gebaut *und* drall, du liebe Zeit – wahrscheinlich wünscht er sich irgendein Monster. Nein, so etwas kommt nicht in Frage. Obwohl ... vielleicht würde er mich ja für dünn halten, und das sollte mir schon ein Treffen wert sein. Meine Güte, wäre das toll, wenn mich jemand ausnahmsweise mal unattraktiv fände, weil ich zu dünn bin ... oder besser noch, wenn er sich erst mit mir einlassen und dann Schluß machen würde, weil er mit meiner Magerkeit nicht zurechtkommt – einfach himmlisch!

UXB, WILLST DU MEINE ZÜNDSCHNUR IN BRAND STECKEN?
Sportbegeistertes Energiebündel sucht wilde, leidenschaftliche Sie, die für alle Aktivitäten – draußen wie drinnen – zu haben ist. Chiffre: 1698

Was soll UXB bedeuten? Ist er ein Fan von ›Akte X‹ oder so? Vielleicht handelt es sich ja um einen dieser Science-fiction-Codes, die nur von Insidern verstanden werden ... Oh, das wäre absolut fatal. Ich könnte von Anfang an nicht dazugehören, würde wie eine komplette Idiotin dastehen – eine Außenseiterin, die immer nur Bahnhof versteht, wenn er sich mit seinen Freunden unterhält ... Nein, ich werde ihm nicht schreiben. Ich spüre jetzt schon, wie er sich mit seinen Freunden gegen mich verbündet ... Ich würde da einfach nicht reinpassen. Ich möchte von so jemandem keinen Laufpaß bekommen. Nicht von einem Menschen, der es womöglich fertigbringt, sich meiner Mutter mit Ohren à la Mr. Spock vorzustellen. Aber wie ich meine Mutter kenne, wäre sie natürlich gerade von ihm angetan, wenn ich meine Zweifel hätte. Werde diesem Mann auf keinen Fall schreiben.

VERRUCHTES MANNSBILD sucht weibliches Pendant, mit dem er lachen und ungezogen sein kann. Du wirst nicht enttäuscht sein.
Chiffre: 4932

Ich werde nicht enttäuscht sein? Nicht enttäuscht sein? Dieser Mann hat keine Ahnung, über was ich alles enttäuscht sein kann. Aber trotzdem hört er sich irgendwie ganz nett an. Ich frage mich nur, was er mit »ungezogen« meint? ... Mir ist schon klar, daß es etwas mit Sex zu tun haben muß – Sex im Sinne von irgendwelchen Perversitäten? Oder war er früher auf einer Privatschule und kann nicht anders als in Euphemismen über die Sache reden? Das erinnert mich an diesen Martin Hardy vom Kongreßzentrum in Brighton, der sich immer über »das Biest mit den zwei Rücken« ausläßt ... habe eine halbe Ewigkeit gebraucht, um zu begreifen, was er damit meint. Scheint, milde ausgedrückt, etwas konventionell zu sein, der Mann. Oh, wo ich ihn gerade erwähne ... Was, wenn *er* die Anzeige aufgegeben hat? Das würde ich nicht überleben. Ich mag gar nicht daran denken. Die Vorstellung, zu einem Treffen zu fahren und ihm plötzlich gegenüberzustehen ... Ich müßte natürlich so tun, als sei ich aus einem anderen Grund da, und sofort wieder verschwinden. Aber er würde mich bestimmt trotzdem durchschauen, nicht wahr? Und dann seinen Freund Philip anrufen, der auch einmal bei Pellet's gearbeitet hat, und ihm erzählen, daß ich offenbar ein solches Stadium der Verzweiflung erreicht hätte, daß ich auf Kontaktanzeigen schriebe.

Moment, in dem Fall stünde er aber selbst nicht besonders gut da. Denn er müßte ja dann zugeben, selber eine Anzeige aufgegeben zu haben. Bin froh, daß mir das noch eingefallen ist. Kann also einigermaßen beruhigt sein.

Habe gerade noch mal das gesamte Angebot an PNFs überflogen und festgestellt, daß eigentlich keiner in Frage kommt – die latent lauernde Gefahr, als »bedürftig und verzweifelt« eingestuft und vielleicht von irgend jemandem erkannt zu werden, ist einfach zu groß. Ich weiß, vielleicht sollte ich doch noch mal über eine Therapie nachdenken ... oder über das Fettabsaugen ... Was von beidem würde mich letztlich wohl teurer zu stehen kommen, langfristig gesehen? Jedenfalls kann ich sowieso auf keine der Anzeigen antworten, über der Rubrik prangt nämlich ein umrandeter, nicht zu übersehender Warnhinweis, in dem die ›Time Out‹-Leute dringend raten, jemandem davon zu erzählen, sollte man sich zu einer ersten Verabredung mit einer Annoncenbekanntschaft entschließen. Ja klar, und genau das werde ich selbstverständlich tun, nicht wahr? Da könnte ich mir ebensogut gleich »Armes altes Mauerblümchen« auf die Stirn tätowieren lassen.

23. August

Gehe wieder arbeiten, Gott sei Dank! Jetzt reicht's mit dem Nonstop-Staubsaugen, es werden keine Regale mehr mit fettabweisendem Papier ausgeschlagen und keine Rabattmarken aus alten Zeitschriften ausgeschnitten und gewissenhaft nach Produkten sortiert – jetzt ist endlich Schluß mit dem ganzen Blödsinn, zumindest bis zum nächsten Urlaub.

25. August

Bin in der Arbeit, aber außer mir ist kaum jemand da. Die Leute mit dem interessanten Leben kommen wohl nicht vor Ende des Monats zurück. Hoffe nur, daß meine Bräune bis dahin nicht schon verblaßt ist – sonst wäre alle Mühe, die ich mir damit gegeben habe, umsonst gewesen.

27. August

Andy ist aus dem Urlaub zurück; habe ihn nicht gefragt, wo er gewesen ist. Er hätte mir sonst womöglich von irgendwelchen Wahnsinnsferien mit seiner Traumfrau vorgeschwärmt und stolz Bilder gezeigt, auf denen ein vollbusiges Babe an irgendeinem tropischen Strand sitzt – alles natürlich begleitet von Andys süffisantem »Wetten-du-bist-jetzt-ganz-schön-neidisch«-Blick. Er sah aber wirklich toll aus. Bossy Bowyer gibt am ersten September eine Abschiedsparty für ihn. Hoffe, Andy kommt nicht ausgerechnet mit Elle Macpherson.

NB: Soll ich zu der Abschiedsparty das Kleid anziehen, das ich bei unserer ersten Verabredung anhatte? Zum Gedenken an glücklichere Zeiten? Oder erinnert das Andy nur an meinen peinlichen Ausfall, und er ist heilfroh, daß er mich losgeworden ist? Etwas riskant, ich denke, ich lasse es lieber.

28. August

Die neue Schreibfee Sarah ist ebenfalls aus dem Urlaub zurück. Ihre Bräune sieht der von Andy verdammt ähnlich – vom Farbton her, meine ich. Und da ist noch etwas, was mir verdächtig erscheint: Sie ist einen Tag nach Andy wiedergekommen. Genau die Taktik, die man anwendet, wenn man eine Affäre verbergen will. Haben sich die beiden ineinander verliebt, hier vor meinen Augen, ohne daß ich es gemerkt habe? Ich muß es herausfinden – aber wie? Wie kann ich Sarah möglichst beiläufig fragen, ob sie mit Andy im Urlaub war? (O Gott, will ich das denn wirklich wissen?) »Hi, Sarah, gut siehst du aus, wo bist du so braun geworden ... und mit wem, wenn ich fragen darf?« Nein, das klingt absurd. Die Frage muß völlig spontan wirken, wie aus einer plötzlichen Eingebung heraus. Schließlich wechsle ich ja sonst kaum ein Wort mit ihr. Seit sie meinen Ausbruch in Andys Büro miterlebt hat, mime ich ihr gegenüber die knallharte Geschäftsfrau, die zu Untergebenen niemals freundlich ist. Ich mußte mich so verhalten, weil sie den Vorfall nie erwähnt und sich auch sonst nie etwas hat anmerken lassen, nicht einmal schief angeguckt hat sie mich – was soll man davon halten? Wie wäre es mit: »Oh, hallo, Sarah, wie geht's? Einen schönen Urlaub verbracht ..., so ganz allein?« Vielleicht sagt sie mir dann spontan, daß sie nicht allein war ... und wer sie begleitet hat. Hm, die Idee ist nicht schlecht, garantiert aber nicht in jedem Fall die gewünschte Information. Könnte es vielleicht auf Umwegen probieren. »Hi, Sarah, hast du Andy gesehen? Was glaubst du, wo man so braun wird?« Ja, das ist wirklich nicht schlecht. Sollte Sarah daraufhin verblüfft reagieren, so als fände sie die Frage irgendwie merkwürdig (was sie ja auch ist), dann ist alles in bester Ordnung. Wenn sie allerdings Anstalten macht zu antworten, dann hat sie ein schlechtes Gewissen und war wahrscheinlich mit Andy im Urlaub.

29. August

Wiedersehen mit Sally, haben uns auf einen Drink zusammengesetzt. In der Dordogne hat es anscheinend nur geregnet, und sie und Dan haben sich ständig gestritten. Hatte ein richtig schlechtes Gewissen – weil es mich geradezu euphorisch stimmte, von ihrem Pech zu hören. Ich war so froh, daß sie nicht sagte: »Der Regen hat uns allerdings gar nichts ausgemacht, weil wir sowieso den ganzen Tag im Bett gelegen und uns auf diese wundervolle Art geliebt haben, wie man sie nur in einer langjährigen, dauerhaften Beziehung erlebt.« ... Nun, so was will man ja nicht unbedingt unter die Nase gerieben bekommen, verständlich, oder?

Brauche jetzt nur noch zu erfahren, daß das Nebelhorn und der Typ von unten auseinandergegangen sind und daß die Verlobung der dünnen Clare aufgelöst ist – dann lache ich mich kaputt.

NB: O Gott, muß schnell wieder damit aufhören, mich am Unglück anderer zu erfreuen. Übernehme sonst am Ende noch das Markenzeichen einer gewissen verbitterten, bösartigen Person – den Hühnerpopo-Mund.

30. August

Bin leicht verwirrt. Die dünne Clare und Bossy Bowyers Sekretärin sind aus dem Urlaub zurück, und ihre Bräune sieht der von Andy und Sarah zum Verwechseln ähnlich. Entweder haben sie sich alle heimlich abgesprochen und sind hinter meinem Rücken zusammen weggefahren – oder ich habe die Aussagekraft der Gesichtsbräune doch etwas überschätzt.

2. September

Gestern war Andys Abschiedsfeier. Mr. Bowyer hat sich nicht gerade ein Bein ausgerissen, es war alles ziemlich bescheiden. Wir haben uns im großen Konferenzsaal versammelt, bekamen einen eher billigen Wein serviert und dazu ein paar Knabbereien, alles Sachen, die man auf diese kleinen Stäbchen spießt. Ich glaube, Andy war ein wenig beschwipst. Gegen Ende der Party kam er auf mich zu und hat ständig davon geredet, daß ihm während der Ferien irgend etwas klargeworden sei – er hat aber nicht gesagt, was. Ich hatte schreckliche Angst, daß er mir seine Liebe zu einer anderen Frau gestehen würde. Oder daß er sagen würde, wie lächerlich es ihm jetzt vorkommt, je an eine ernsthaftere Beziehung mit mir geglaubt zu haben, und wie gut es ihm inzwischen geht, so ungebunden und frei. Ich entschied mich, nicht auf die Enthüllung seiner Erkenntnisse zu warten, und bin gegangen. Als ich heute morgen ins Büro kam, fand ich einen Zettel vor, auf den Andy seine E-Mail-Adresse gekritzelt hat, samt einer kurzen Nachricht: »Würde mich freuen, von dir zu hören.« Bin nicht sicher, ob dieser Zettel speziell an mich gerichtet war – vielleicht haben alle Kollegen einen bekommen, Andy sucht vermutlich nach ein paar Brieffreunden.

Habe fast den ganzen Tag damit zugebracht, Andys Nachfolger, John Weston, einzuarbeiten. Der Mann ist extrem nervend – voll guter Ideen und übereifrig, igitt!

4. September

Habe überlegt, Andy heute eine E-Mail zu schicken, konnte mich aber nicht entscheiden, was unverkrampfter wirkt – besagte E-Mail, ein Fax – oder doch besser gar nichts. Das 34-Schritte-Buch rät, auf Briefe, Telefonate und dergleichen frühestens nach einer Woche zu reagieren, sofern man überhaupt antworten will. Auf keinen Fall sollte man aber als erste den Kontakt aufnehmen. Zählt Andys Notiz als Brief, kann man eine Nachricht, die auf die Rückseite eines Briefumschlages gekritzelt wurde, als so etwas ansehen? Ich wünschte, diese Ratgeber würden die einzelnen Fälle etwas ausführlicher behandeln – sonst muß man sich am Ende doch auf seinen Instinkt verlassen und ganz spontan entscheiden, ohne zu wissen, was dabei herauskommt. Wollte Andy eigentlich sowieso nicht vom Büro aus schreiben. Was, wenn er antwortet – oder schlimmer noch, wenn er es nicht tut? Jeder im Büro kann Einblick in die E-Mail-Korrespondenz nehmen, und was dann? Ich werde lieber nichts unternehmen. Ich habe mich entschieden.

5. September

In der Arbeit ist es jetzt richtig langweilig. Ich vermisse Andy sehr. Er war immer so nett und freundlich. Aber wenigstens weiß ich jetzt, wo ich stehe, einsam und allein – so, wie ich es gewohnt bin. Während ich mit Andy zusammen war, habe ich ständig darauf gewartet, daß er mir den Todesstoß versetzt und mich zur Hölle schickt. Diese nagende Sorge bin ich nun endlich los. Ach ja, richtig, Carlo hat mich zum Essen eingeladen – ein bißchen ungewöhnlich vielleicht, aber wahrscheinlich weiß niemand sonst, daß er schwul ist. Vermutlich sucht er deshalb meine Gesellschaft.

10. September

Bin heute abend mit Carlo verabredet. Oh, was ist es doch für eine Erleichterung, zur Abwechslung einmal mit einem homosexuellen Mann auszugehen. Ich kann anziehen, was ich will, innerhalb gewisser Grenzen, versteht sich – schließlich muß ich an die übrigen Gäste im Restaurant denken und brauche mir nicht die geringste Sorge zu machen, daß er irgend etwas Häßliches an mir entdecken könnte.

11. September

Mein Gott! Es ist einfach nicht zu fassen! Ich glaube, es sieht so aus, als ob Carlo doch nicht schwul ist. Wir haben uns in diesem exklusiven Restaurant in der Stadt getroffen, uns miteinander unterhalten und uns über einige der Typen amüsiert, die uns während der Tagungen über den Weg gelaufen sind. Und dann hat er plötzlich, ohne jede Vorwarnung, gesagt: »Ich fände es schön, wenn Sie einverstanden wären, für meine Firma in Italien zu arbeiten, und, was mir noch mehr am Herzen liegt, wenn Sie sich eine Stellung unter mir vorstellen könnten.« Ich habe überhaupt nichts begriffen. »*Unter* Ihnen? Als Ihre Assistentin, meinen Sie?« Er hat mich mit seinen stahlblauen Augen fixiert und erwidert: »Nein, unter mir, oder manchmal – wenn Sie es vorziehen, auch auf mir.« Zuerst dachte ich, er würde über Jobsharing sprechen. Der Groschen fiel erst, als er sich vorbeugte, meine Hand nahm und sagte: »Ich finde, daß Sie eine wunderbare, sehr begehrenswerte Frau sind.« Großer Gott! Das meinte er also mit »unter mir« ... ein bißchen sehr anzüglich, nicht wahr? Andererseits ist Englisch nicht seine Muttersprache, vermutlich wollte er sich gar nicht so direkt ausdrücken. Aber hat man so etwas schon mal gehört, »sehr begehrenswert«? Nach italienischen Maßstäben vielleicht, wir wissen es ja alle, Italien und dicke Hintern gehören irgendwie zusammen – aber nicht ganz so begehrenswert für einen Angelsachsen, wie die jüngsten Erfahrungen gezeigt haben ..., zu meiner ewigen Schande. Ich fühlte mich natürlich sehr geschmeichelt, auch wenn mein Verdacht bezüglich seiner schwulen Neigungen immer noch nicht völlig ausgeräumt war. Aber das eigentliche Problem ist, daß Andy mir einfach nicht aus dem Kopf will. Ich weiß, daß er nicht mehr an mir interessiert ist, aber ich muß immer noch an ihn denken. Also habe ich so getan, als verstünde ich nicht, wovon Carlo redete, und nach einer Weile hat er schließlich aufgegeben. Ist auch besser, daß ich ihn nicht klipp und klar abgewiesen habe. Gott hätte mich sonst sicher für meinen Hochmut bestraft!

NB: Ich bin doch nicht *verpflichtet*, mit jedem x-beliebigen Menschen ins Bett zu steigen, nur weil der Typ es so will, oder?

13. September

Ich hoffe, Carlo behält es für sich, daß ich nicht mit ihm schlafen wollte. Vielleicht hätte ich es doch tun sollen ... immerhin ist er ein wichtiger Kunde. Bossy Bowyer soll nicht denken, daß ich meinen Job schlecht erledige. Unser übereifriger John Weston hätte sich wahrscheinlich sofort für Carlo flachgelegt, auch wenn er selbst gar nicht schwul ist. Schließlich würde er damit beweisen, wie brillant er arbeitet, in jeder Situation.

15. September

Die Arbeit ist stressig, macht aber nicht mehr soviel Spaß. Ich bin gerade dabei, eine Übersichtskarte von allen Kongreßzentren des Landes zu erstellen, Preise, Service und Ausstattungsmerkmale inbegriffen. Anschließend muß ich das jeweilige Preis-Leistungs-Verhältnis ermitteln, die einzelnen Ergebnisse miteinander vergleichen und die Zentren entsprechenden Kategorien zuordnen. Und war das alles meine Idee? Nein, natürlich nicht. Natürlich ist John Weston, der Streber, dafür verantwortlich. Ich meine, der Vorschlag ist wirklich nicht schlecht, aber woher nimmt der Mann nur die Energie, sich erstens in einen neuen Job einzuarbeiten, zweitens immer zu lächeln und sich dann auch noch über meinen Aufgabenbereich Gedanken zu machen? Wahrscheinlich kümmert er sich an den Wochenenden auch noch ehrenamtlich um die Entwicklungshilfe für Afrika.

Bin mit Sally und Dan dem Schatz essen gewesen – kam mir ein bißchen vor wie das fünfte Rad am Wagen oder, wie es bei uns in England so schön heißt: Ich habe die Stachelbeere gespielt.

NB: Wieso eigentlich Stachelbeere? Das ist doch diese kleine runde Frucht mit den vielen feinen Härchen ... Ja, klar – klein, rund und haarig – genau wie ich!

16. September

John der Streber war heute bei mir, um mit mir über unser Karten-Projekt zu sprechen. Ich habe mir ein kleines Kompliment abgerungen, er jedoch meinte, es sei gar nicht seine Idee gewesen. Er habe lediglich das Protokoll irgendeines Brainstorming-Treffens aus dem letzten Jahr durchgesehen und einen Vorschlag aufgegriffen, der offenbar von mir selbst stammte. Toll, er ist also nicht nur ein Streber, sondern auch noch ein Heiliger.

18. September

Überlege schon die ganze Zeit, wie ich möglichst unauffällig herausfinden kann, ob irgend jemand aus dem Büro Neues von Andy erfahren hat. Ich könnte Bossy Bowyer fragen ... Die Sache ist bloß die, daß ich gar nicht wissen will, wie er in der Arbeit zurechtkommt. Ich möchte mich nur vergewissern, daß er sich inzwischen nicht verlobt hat oder etwas in der Art. Halte es aber für eher unwahrscheinlich, daß Bowyer mir da weiterhelfen kann.

19. September

Ich glaube, ich sollte allmählich das Geld ausgeben, das mir die Bank bewilligt hat. Zurückgeben kann ich es nicht, weil der Filialleiter dann sofort wüßte, daß es für mich und nicht für die Schönheitsoperation meiner Schwester bestimmt war (er weiß es vermutlich sowieso). Er würde mich verachten, weil ich nicht genügend Selbstachtung aufbringe, um etwas für mich zu tun. Es geht um 800 Pfund – was in aller Welt soll ich bloß damit anfangen? Wenn ich sie einfach auf meinem Konto lasse, wird er es ja auch merken.

22. September

Ich habe gerade mein Geld in einen Rebirthing-Tank investiert – wirklich eine ganz tolle Sache. Ich mußte das Geld in irgend etwas Konstruktives stecken, und da ein Fitneß-Laufband nicht in meine Wohnung gepaßt hätte, habe ich mich eben dafür entschieden. Ich habe das Gerät natürlich nicht richtig gekauft, sondern ein Benutzerrecht daran erworben. Für schlappe fünfhundert Pfund kann ich sechsmal im Jahr hingehen: fünfhundert geteilt durch sechs macht ... dreiundachtzig Komma Periode drei. Okay, das ist etwas teurer als die Therapie, macht sich auf Dauer aber eher bezahlt, weil man sich danach unglaublich leicht fühlt und alles vergißt – was ich viel besser finde, als ständig der Vergangenheit nachzuhängen. Da ich noch etwas Geld übrig hatte, habe ich mir außerdem den Dickdarm spülen lassen. Und zwar in dem gleichen Institut, wo ich die Sechser-Karte für den Tank gekauft habe. Sie hatten gerade ein Sonderangebot, und da ich immer, wirklich immer schon, von einer Darmspülung geträumt habe, habe ich nicht lange gefackelt. Kann nicht sagen, daß es eine besonders angenehme Erfahrung war, habe mich aber anschließend leicht wie eine Feder gefühlt ... Bei der Spülung ist eigentlich nichts herausgekommen, aber die Leute aus dem Institut meinten, daß ich in den nächsten Wochen eine drastische Veränderung spüren würde.

24. September

Vielleicht war das mit dem Rebirthing-Tank doch keine so gute Idee. Ich habe Sal und Dan dem Schatz davon erzählt, und Dan meinte, so etwas sei doch einfach widerlich. Man könne nie sicher sein, was der Vorgänger darin angestellt habe ... Bin richtig ins Grübeln gekommen, aber sie werden die Tanks doch sicher nach jeder Benutzung ausspülen, oder? Innen drin ist es stockdunkel, es stimmt also schon, daß direkt vor deinem Gesicht ein Häufchen Scheiße oder etwas ähnliches herumschwimmen könnte, ohne daß du es merkst. O Hilfe, ich glaube, ich kann da nie wieder reingehen.

NB: Hatte gerade einen großartigen Einfall. Ich könnte das Institut bitten, den Rest meiner Sechser-Karte in Gutscheine für Einmalbenutzungen umzuwandeln, die ich dann an Freunde verschenken könnte (Sal natürlich ausgenommen, nach allem, was Dan gerade gesagt hat).

27. September

Ich denke, das Zurücklächeln in der U-Bahn sollte ich lieber sein lassen. Habe heute so einen Typen angelächelt, der dann gleich zu mir kam und meinte, es gäbe viel zuwenig Liebe auf der Welt und ob wir nicht etwas daran ändern könnten. Es hat ausgesehen, als steckte ein riesiger Schlüsselbund in seiner Hosentasche – ich denke nur, daß es wahrscheinlich keine Schlüssel waren.

30. September

Gott, die Leute aus dem Institut haben wahrhaftig nicht übertrieben, als sie von einer drastischen Veränderung sprachen – nur daß es nicht *ganz* die Veränderung ist, die ich erwartet habe. Als ich heute morgen aufs Klo ging, glaubte ich, mein Schicksal sei besiegelt und ich müsse mich demnächst auf eine Kolostomie einstellen. Irgendwie schien ich jede Kontrolle über die Muskeln in der Unterleibsgegend verloren zu haben; dabei hatte ich eigentlich nur vorgehabt abzunehmen – nicht zu sterben. Es war ein Gefühl, als hätte man mich von der Hüfte an betäubt – die Regionen darunter schienen nicht mehr zu mir zu gehören. Bin dem frechen Fensterputzer begegnet, als ich meine Wohnung verließ. Er meinte, ich würde ein wenig blaß aussehen. Am liebsten hätte ich zurückgegiftet: »Das würde Ihnen nicht anders gehen, wenn Ihnen gerade sämtliche Eingeweide in die Kloschüssel gefallen wären.« Habe mich dann aber doch beherrscht. Kenne den Mann ja kaum.

1. Oktober

Bin immer noch ein wenig schwach auf den Beinen, aber der »Fallout« scheint ein bißchen nachgelassen zu haben. Konnte heute zumindest schon wieder zur Bushaltestelle gehen, ohne mir dabei vorzustellen, einen Teelöffel zwischen den Pobacken eingeklemmt zu halten – wie man es mir in dem Institut geraten hat.

3. Oktober

Morgen muß ich auf dieses Management-Wochenende fahren – oh, das wird ein Spaß. Am Samstag soll es nach dem Essen einen Tanzabend geben; ich bin dann sicher schon so blau, daß ich zuerst einen Striptease hinlege und mich anschließend dem unpassendsten Mann überhaupt an den Hals werfe – Bossy Bowyer zum Beispiel –, woraufhin ich dann postwendend von der Pellet Corporation gefeuert werde. Und jetzt, wo ich mich bei Carlo unbeliebt gemacht habe, würde ich in seiner Firma bestimmt auch nicht mehr mit offenen Armen aufgenommen werden. Vielleicht ist es ratsam, das ganze Wochenende keinen Tropfen Alkohol anzurühren. Ich bezweifle nämlich, daß Mr. Bowyer genauso tolerant ist wie Andy – ach, Andy, wunderbarer Andy.

5. Oktober

Grauenhaftes Wochenende. Wenigstens ist es mir gelungen, gebührenden Abstand zum Swimmingpool zu halten – was wirklich nicht einfach war, da dort aus irgendeinem Grund die meisten Aktivitäten stattzufinden schienen. Zuerst dachte ich ja, die dünne Clare hätte eine Verschwörung gegen mich angezettelt, um mich zu demütigen. Sie sah nämlich geradezu unverschämt gut in ihrem Badeanzug aus. Und schien sich auch sehr wohl darin zu fühlen – sie war ganz locker, hat sich unterhalten und sogar in dieser Aufmachung *gegessen*. Mir ist es einfach ein Rätsel, wie man sich im Badeanzug so unbeschwert geben kann. Bin übrigens nicht dazu gekommen, rechtzeitig einen Gips zu besorgen – hätte ihn außerdem später in der Arbeit weitertragen müssen, die »Mittelohrentzündung« war da irgendwie praktischer. Bin, glaube ich, auch ganz gut damit durchgekommen. Eine andere Alternative wäre natürlich gewesen, einfach die Wahrheit zu sagen, offen und direkt: »Tut mir leid, verehrte Herrschaften, wenn ich den Aktivitäten am Swimmingpool fernbleibe. Aber abgesehen davon, daß ich lieber nackt die Oxford Street entlanglaufen würde, als mich meinen Kollegen im Badeanzug zu präsentieren, habe ich auch etwas Schwierigkeiten mit der Verdauung und muß mich in der Nähe einer Toilette aufhalten. Ich bitte also, mich zu entschuldigen.« Nein, die Mittelohrentzündung hatte da schon mehr Stil.

Bin dummerweise auf ein günstiges Angebot hereingefallen und habe mich in der Hotelsauna massieren lassen. Die Massage an sich war in Ordnung, doch danach habe ich mich so zittrig und wackelig gefühlt, daß ich auf dem Weg zu meinem Zimmer umgekippt bin – direkt vor den Augen des Strebers John Weston und der dünnen Clare. Das letzte, was man nach einem Sturz gebrauchen kann, sind irgendwelche barmherzigen Samariter, die einem sofort zu Hilfe kommen. Sie müßten doch wissen, wie peinlich das für einen ist, wie ungeschickt und tatterig man sich dann vorkommt. Am liebsten wäre ich einfach reglos liegengeblieben, gewissermaßen mit dem Teppich verschmolzen, und dann, wenn die Luft rein gewesen wäre, durch den Korridor bis zu meinem Zimmer gekrochen – in der Hoffnung, daß mich sonst niemand bemerkt. Aber weit gefehlt! John und Clare stürzten unter vielen besorgten »Ist alles in Ordnung?« und »Du Ärmste, das sah ja richtig schlimm aus« herbei und nahmen sich meiner an. Ich konnte nur von Glück sagen, daß mein Bademantel (extra für die Gelegenheit neu angeschafft) bei dem Malheur nicht aufgegangen ist.

Sonst nur das Übliche – viel Futterei, reichlicher Alkoholkonsum, viel Gequatsche über die Arbeit, mit Leuten, die man ständig in der Arbeit sieht. Ich weiß nicht, weshalb man so etwas überhaupt mitmacht – die Leute scheinen über nichts anderes als über die Firma reden zu können – warum sind wir dann nicht gleich im Büro geblieben? Hätten uns eben dort ein Büffet bestellen müssen. Das Essen war übrigens ausgezeichnet, nur daß ich, aus verständlichen Gründen, nicht vor den Augen der anderen zuschlagen konnte. Habe daher immer einen kleinen Beutel (präziser gesagt eine ganze Einkaufstasche) nach oben auf mein Zimmer geschmuggelt. Ich muß sagen, das war nicht schlecht, ich hatte ein paar sehr delikate Mitternachts-Snacks.

NB: Habe die verräterischen Überreste in einem dieser Wäschebeutel aus Plastik verstaut und diesen beim Verlassen des Hotels mitgenommen.

7. Oktober

Sally hat mich gefragt, was ich an meinem Geburtstag unternehmen wolle. Gott, hatte tatsächlich total vergessen, daß ich nächste Woche Geburtstag habe! Wunderbar, bald bin ich also 35 ... Tja, am Anfang habe ich geschrieben, ich sei 33, nicht wahr? Okay, ich habe gelogen. Ich konnte ja nicht wissen, daß ich dieses Buch nicht auch bald wieder verlieren würde. Außerdem könnte ich 290 werden, und es würde keinen Unterschied machen. Wenn man seine Blütezeit überschritten hat, ist es eigentlich egal, wie alt man ist. Vielleicht wird Mum mich wieder mit einem ähnlich schönen Geschenk aufheitern wie letztes Jahr – einem alten Gedichtband zum Thema Selbstmord, der seit sechs Jahren auf einem Bücherbrett im Klo lag. Als ich es wagte, dieses Geschenk mit dem hypermodernen Laptop zu vergleichen, den Keith zu *seinem* Geburtstag bekommen hat, meinte sie nur: »Sei nicht so materialistisch und engstirnig; nur weil das Buch alt ist, heißt das noch lange nicht, daß es keinen Wert hat, dummes Ding!«

Und wenn alles nach Plan verläuft, wird Dad sich erst mit einer Woche Verspätung an meinen Geburtstag erinnern und mir dann eine Karte mit einem Oldtimer, einem Heißluftballon oder irgendeinem anderen ausgefallenen Motiv zukommen lassen, um auf diese Weise seine fundierten Kenntnisse meiner Hobbys und Interessen zu demonstrieren.

NB: Frage mich, wie ein Designer auf solche Sachen kommt? Ist er mit entsprechenden Zuschriften bombardiert worden? »Lieber Kartendesigner, ich habe überall gesucht, konnte aber keine Geburtstagskarte finden, auf der eine alte Windmühle abgebildet ist, auch keine mit einem weinenden Clown oder einem süßen Welpen, der aus einem alten Stiefel herauskriecht. Dies wären aber genau die Karten, mit denen ich einem Verwandten zu seinem Geburtstag gratulieren möchte. Bitte unternehmen Sie schnell etwas, um diesen Mißstand zu beheben.«

9. Oktober

Habe mich nach der Arbeit noch zur Gymnastik geschleppt, und zwar nur, weil ich gestern abend Goldie Hawn im Fernsehen gesehen habe. Sie meinte, die beste Medizin, um über eine zerbrochene Liebesbeziehung hinwegzukommen, sei körperliche Betätigung. Hm, ihr als spindeldürrem, millionenschwerem Filmstar dürfte es eigentlich außerordentlich selten passiert sein – daß jemand einfach mit ihr Schluß gemacht hat. Habe nicht mehr als drei Sit-ups geschafft ... Na ja, was soll's.

Bin im Institut gewesen, um wegen der Geschenkgutscheine für den Rebirthing-Tank nachzufragen. Habe mich überreden lassen, es übermorgen einmal mit einem Gesichts-Peeling zu versuchen. Bin nicht ganz sicher, ob ich mich wirklich zwei Tage vor meinem Geburtstag häuten lassen soll? Die Frage ist, bin ich überhaupt an so etwas interessiert? Nun, vielleicht baut es mich ja ein wenig auf.

11. Oktober

Autsch, autsch, autsch! Jetzt weiß ich, wie sich ein Kaninchen fühlt, wenn man ihm das Fell über die Ohren zieht. Ich fass' mich an den Kopf, daß ich für diese sadistische Quälerei auch noch Geld hingeblättert habe. Das war kein Peeling, das war eine Extrembehandlung mit Lötlampe und Sandstrahlgebläse. Aber ich muß zugeben – mein Gesicht sieht phantastisch aus, so blühend und frisch (und das nicht nur, weil es wund ist). Sie haben mich überredet, diese Cremes und Lotionen von Le Plateau zu kaufen. Zusammen haben sie ein Vermögen gekostet – 115 Pfund, aber diese Summe hatte ich gerade noch von dem Kredit übrig; es ist also nicht so, als hätte ich hundertfünfzehn Pfund von meinem eigenen Geld ausgegeben, oder? Diese Pflegemittel sind offenbar dringend notwendig, um den Verjüngungseffekt des Peelings möglichst lange zu erhalten – so steht es zumindest auf den Packungen. Abgesehen davon, daß mein Gesicht an der Luft immer noch brennt, war die Sache schon ihr Geld wert – ich sehe bestimmt um Jahre jünger aus. Wenn die Hautreizung erst nachgelassen hat, kann man auf meinem Gesicht bestimmt keine einzige Falte mehr entdecken – es ist schließlich nichts mehr vorhanden, woraus sich Falten bilden könnten. Bin kurz bei Mrs. M. gewesen. Die Arme hat sich, glaube ich, ziemlich erschrocken, als sie mich sah. Sie hat einen spitzen Schrei ausgestoßen, weil sie dachte, irgend etwas sei vor meinem Gesicht explodiert. Ist natürlich übertrieben ... meine Haut ist einfach nur ein bißchen rot. Gott, ich hoffe, die Rötung ist bis Montag wieder abgeklungen ... kann sonst unmöglich zur Arbeit.

12. Oktober

Habe Sally angerufen und ihr von meinem Peeling erzählt. Sie war so gespannt, daß sie gleich vorbeigekommen ist. Im Moment könnte man glauben, ich wäre unter der Höhensonne eingeschlafen, sagte sie. Aber später würde es bestimmt sehr gut aussehen. Sie war wahnsinnig beeindruckt von all meinen neuen Le-Plateau-Kosmetikartikeln. Wir haben einen richtig schönen Tag zusammen verbracht, haben die Cremes ausprobiert und uns Gedanken darüber gemacht, welche Marke denn nun die beste Produktpalette anbieten würde – Clinique, Clarins oder Le Plateau. Sind schließlich zu dem Schluß gekommen, daß man bei diesen Produkten – egal, für welche Marke man sich entscheidet – eigentlich nichts falsch machen kann. Denn hier ist es tatsächlich einmal so, daß ein höherer Preis auch mehr Qualität und Zufriedenheit garantiert.

13. Oktober

Mein Geburtstag. Habe mit Mr. Bowyer zu Mittag gegessen, der mir bei der Gelegenheit sagte, wie zufrieden die Firma mit meiner Organisation der Pozzi-Tagungen gewesen ist. Offenbar hat sich Carlo Pozzi ganz besonders lobend über meine Fähigkeiten geäußert (kein wissendes Lächeln von Mr. Bowyer, als er dies sagte). Habe eine Karte von der dünnen Clare und Schreibfee Sarah bekommen. Hm, weiß nicht so recht, was ich davon halten soll. Offensichtlich war es ihnen zuviel, daß mir jede eine eigene Karte kauft, und deshalb haben sie sich den horrenden Betrag von ein Pfund zehn geteilt. Gehe heute abend mit Sal und Dan essen – um mal wieder die Stachelbeere zu spielen.

NB: Mein Gesicht ist immer noch verfärbt, inzwischen allerdings zartrosa und nicht mehr feuerrot, so als befände ich mich bereits in den Wechseljahren. Ich kann also nicht klagen.

14. Oktober

Als ich gestern nach Hause kam und in den Briefkasten schaute, lag da eine Karte von Andy! Ich wußte gar nicht, daß er mein Geburtsdatum kennt. Er hat einfach nur geschrieben: »Hoffentlich geht es dir gut, alles Liebe, Andy.« O ja, und »Herzlichen Glückwunsch« natürlich. Ob er vielleicht doch noch etwas für mich empfindet? War mit Sally und Dan dem Schatz aus, konnte den ganzen Abend an nichts anderes denken als an die Karte. Habe Dan gefragt, was er davon hält. Er meinte: »Ein Mann würde seiner Ex-Freundin keine Geburtstagskarte schicken, wenn er sie nicht doch noch sehr, sehr gern hätte ... es sei denn, er hat die Sache komplett abgehakt, empfindet nichts mehr für die Frau und möchte einfach nur höflich und nett sein.«

NB: Ich glaube, jetzt gleich nach Edinburgh zu brausen, an Andys Tür zu klopfen und »Überraschung, Überraschung!« durch den Briefschlitz zu rufen, wäre vielleicht ein wenig übertrieben ... zumindest beim derzeitigen Stand der Dinge. Sally fand die Idee gar nicht schlecht, aber Dan sagte: »Warum rufst du ihn nicht lieber an, bedankst dich für die Karte, erzählst ihm, daß du das Hochzeitskleid gekauft hast, und fragst ihn, was er prinzipiell von Ringen halten würde?« Ich glaube, er hat nur Spaß gemacht. Aber es stimmt schon, eine Karte verrät wirklich nicht viel, oder? Ich sollte wegen einer netten kleinen Geste nicht gleich wieder anfangen, meine ganze Lebensplanung auf den Kopf zu stellen. So wie ich es bei PP getan habe ... O Gott, wenn ich daran denke, muß ich vor Verlegenheit immer ganz fest die Pobacken zusammenkneifen. Wie lächerlich habe ich mich gemacht – dieses verlogene Schwein brauchte nur einmal kurz mit dem Finger zu schnippen, schon lag ich ihm zu Füßen.

NB: Wenigstens tue ich dabei etwas für meine Gesundheit – die Pobacken zusammenzukneifen ist gut für die Muskulatur.

Mum hat sich diesmal selbst übertroffen. Sie hat mir einen Gutschein für ein Seminar zur Steigerung des Selbstwertgefühls geschenkt, auf das sie offenbar durch eine Anzeige in einer Frauenzeitschrift gestoßen ist. Auf der beiliegenden Karte stand: »Ich dachte, diese Veranstaltung könnte dich interessieren. Ich hoffe, du lernst etwas daraus.« Dad hat es diesmal geschafft, seine Glückwünsche pünktlich auf den Weg zu bringen. Meine Freude über diese Aufmerksamkeit wurde allerdings ein wenig dadurch getrübt, daß er es für nötig hielt, seiner üblichen Karte einen kleinen Zeitungsausschnitt beizufügen. Es handelt sich dabei um den Artikel über eine Frau, die ich flüchtig vom Wirtschafts-College her kenne. Anscheinend besitzt sie inzwischen eine eigene Firma mit einem Umsatz von über 1,5 Millionen Pfund im Jahr. Genau die Art Information, die man gern um die Ohren gehauen bekommt, ganz besonders zum Geburtstag! Aber die elterlichen Attacken konnten meiner Stimmung nichts anhaben – war absolut selig wegen Andys Karte ... Hoffe nur, daß ich mich nicht zu früh freue.

16. Oktober

Habe heute *nicht* an meiner Kongreßkarte gearbeitet, die bis Ende des Jahres fertiggestellt sein soll, sondern fast den ganzen Tag an einer E-Mail für Andy herumgebastelt. Es hat deshalb so lange gedauert, weil ich unbedingt den richtigen Ton treffen wollte – locker, mitteilsam, aber nicht nach dem Motto: »Denke-an-dich-Tag-und-Nacht«. Das Problem ist nur, daß man sich für eine Geburtstagskarte nicht unbedingt bedanken muß, es ist wirklich kein triftiger Vorwand, um mit jemandem in Kontakt zu treten. Ich denke, ich sollte mich besser an die »Schreibe-nie-zuerst«-Regel halten. Ich müßte schon einen sehr, sehr guten Grund haben, mich bei ihm zu melden ... Hm, ob er wohl irgendwas auf seinem Schreibtisch vergessen hat? Einen alten Anspitzer vielleicht oder ein paar Büroklammern ... (Es *könnte* ja sein, daß sie dort keine mehr haben.)

19. Oktober

Hi-i-i-ilfe! Bossy Bowyer hat mich zum Essen eingeladen. In sein Haus, und noch dazu an einem Wochenende! O Gott, ich halte das nicht aus. Ich *wußte*, daß es ein Fehler war, den Pozzi-Job so perfekt zu erledigen. Es ist eben leider sehr schwierig, stets die richtige Balance zu halten – bist du zu schlecht, wirst du gefeuert, bist du zu perfekt, lädt dich dein Boß zum Golf et cetera ein und erwartet als Gegenleistung, daß du noch bessere Ergebnisse erzielst. Ja, es ist wirklich nicht einfach, sich konstant im Bereich des Mittelmaßes zu bewegen – dem Bereich, der am besten für dich ist, weil du dort gar nicht erst wahrgenommen wirst. Mr. Bowyer sagte, daß er und seine Frau Cynthia (Cynthia Bowyer, klingt das nicht ganz nach furchterregender Mathematiklehrerin?) ein paar Leute zu einer kleinen Abendgesellschaft gebeten hätten, mit denen er mich gern bekannt machen würde. »Leute«, mit denen er mich gern »bekannt machen« würde! O ja, ich kann's mir bestens vorstellen. Wahrscheinlich handelt es sich um eine kleine, elitäre Auswahl höchstrangiger Spitzenmanager, Nuklearwissenschaftler und Politiker, jeder mit einer schönen, schlanken Frau an seiner Seite. Und sie haben natürlich alle nur die renommiertesten Universitäten besucht, sind dekoriert mit akademischen Graden – Magna cum laude, Magnum, Manta, was weiß ich – und werfen mit schwierigsten Begriffen wie *Genre, esoterisch, Raison d'être* und *Parvenü* um sich. Während ich dann immer noch an dem »esoterisch« knabbere, hat die übrige Tischgesellschaft bereits damit begonnen, sich auf Mittelenglisch über Chaucer zu unterhalten. Das Dumme ist, daß ich schlecht ablehnen kann, oder? Ich *könnte* mir natürlich irgendeine Verletzung zuziehen – sie müßte dann aber schon gravierend sein – oder vielleicht ein Organ spenden. Ach nein, es bleibt mir nichts anderes übrig, als die Einladung anzunehmen – ich habe keine andere Wahl. Wenn ich absage, riskiere ich meine Kündigung. Das 34-Schritte-Buch gibt leider überhaupt keine Ratschläge zu dem Problem, wie man am besten nein sagt – diesen Fall hat man dort offensichtlich überhaupt nicht in Erwägung gezogen. Ich hätte aber wahrscheinlich sowieso nicht viel damit anfangen können – schließlich soll Bossy Bowyer nicht von einem Heiratsantrag abgehalten werden. Ich will ihn nur davon abbringen, mich zum Essen einzuladen.

NB: Der Typ von unten hat sich vor kurzem ein neues Saab-Kabrio gekauft. Ich überlege gerade, ob er es mir eventuell ausleihen würde, damit ich mit diesem Wagen zu den Bowyers fahren könnte? Ist insofern etwas riskant, als Mr. Bowyer genau weiß, daß ich mir ein solches Auto nicht leisten kann. Aber immerhin bestünde die Chance, die anderen Gäste damit zu beeindrucken, und die Bowyers selbst würden vielleicht nur glauben, ich hätte einen reichen, erfolgreichen Freund. Hm, mir ist gerade eingefallen, daß ich gar nicht weiß, ob die Bowyers ein Haus mit Zufahrt haben. Falls nicht, wäre die ganze Show sowieso für die Katz. Nein, ich müßte schon sicher sein, daß ich das Auto direkt vor dem Eßzimmer parken kann. Und einen guten Vorwand für den Typ von unten bräuchte ich auch noch ... O je, ist vielleicht alles ein wenig *compliqué* (habe das Wort im Lexikon nachgeschlagen, es bedeutet verworren, schwierig. Muß allmählich anfangen, mich an den Gebrauch von Fremdwörtern zu gewöhnen, damit ich sie bei den Bowyers ganz beiläufig anbringen kann).

4.00 Uhr früh. O mein Gott, mir ist gerade etwas durch den Kopf gegangen ... Bowyer wird mich doch nicht eingeladen haben, damit ich die Drinks und die Kanapees serviere, oder? Vielleicht sollte ich vorsichtshalber ein schwarzes Kleid anziehen und eine Schürze mitnehmen, nur damit ich vorbereitet bin und nicht den Eindruck erwecke, als fühlte ich mich als Gast, falls er mir gleich nach meiner Ankunft ein Tablett in die Hand drücken sollte.

21. Oktober

Heute ist etwas sehr Merkwürdiges passiert. Die dünne Clare kam zu mir und sagte, sie wäre von einer Frau angesprochen worden, mit der sie früher zusammen studiert habe (oh, ich *wußte,* daß Clare auf einer Universität war) und die jetzt Marketing-Leiterin bei einem Zeitschriften-Konzern sei.

Diese Frau, Rachel Lowe, hat die dünne Clare offenbar gefragt, ob sie ein paar geeignete Frauen kennt, über die man in der ersten Ausgabe eines in Kürze erscheinenden neuen Magazins berichten könnte. Die dünne Clare ist der Meinung, daß ich mich hervorragend eigne. Und sie wollte wissen, ob ich damit einverstanden bin, wenn sie mich vorschlägt. Hm, ich wüßte allerdings gern, weshalb sie nicht selbst dafür in Frage kommt. Vielleicht trägt dieses neue Magazin ja den Titel ›Mauerblümchen‹ oder ›Fette alte Jungfern‹.

23. Oktober

Habe Nebelhorn im Flur getroffen, als ich von der Arbeit nach Hause kam. Sie war freundlich und nett wie immer. Darf also allem Anschein nach davon ausgehen, daß sie nichts von meiner Verbindung zu dem verlogenen Schwein weiß, mit dem ihre Freundin nun verheiratet ist.

NB: Dann zielten die Pointen in der Ansprache des Trauzeugen bestimmt nicht nur auf mich ... Gott, was für eine Erleichterung. Hatte schon richtige Alpträume deswegen.

NB: Ich glaube, Nebelhorn und der Typ von unten leben jetzt richtig zusammen – das erklärt, weshalb es bei ihnen plötzlich so ruhig geworden ist.

25. Oktober

Diese Marketing-Leiterin, Rachel Lowe, hat mich heute angerufen. Ich weiß nicht, ob ich mich geschmeichelt oder beleidigt fühlen soll. Vielleicht sollte ich die dünne Clare in den Aufzugschacht stoßen! Das neue Magazin heißt ›Pfundig‹, und der geplante Artikel behandelt das Thema ›Vollschlanke

Frauen in der Arbeitswelt‹. Ich wünschte, ich wäre so clever gewesen, zu sagen: »Da muß es sich um einen Irrtum handeln. Wissen Sie, Clare und ich arbeiten auf verschiedenen Etagen unserer Firma. Sie hat mich seit längerem nicht gesehen, inzwischen wiege ich aber nur noch 38 Kilo.« Klar, daß mir eine solche Erwiderung nicht zustand, aber immerhin habe ich vor mich hin gemurmelt, daß man mich vielleicht nicht unbedingt als »vollschlank« bezeichnen könne ... Du liebe Zeit, das erste Mal, daß ich etwas Derartiges laut geäußert habe. Rachel hat dann mehrmals betont, daß sich das Magazin an normalgewichtige, normalgebaute Frauen richten soll, die es einfach nur satt hätten, ständig mit Bildern von magersüchtigen Schulmädchen bombardiert zu werden. Daß sich die Zielgruppe also keineswegs aus lauter »monströsen, fetten, häßlichen Frauen mit Eßstörungen« zusammensetzen würde.

Ich wollte nicht zu defensiv klingen, war aber andererseits sehr an einer Erklärung interessiert, was sie genau unter »vollschlank« verstehe. Da ich nicht lockerließ, sagte Rachel schließlich: »Also schön, ›Pfundig‹ wendet sich an all die Frauen, die in Größe 40 nicht mehr hineinpassen und die einen gewissen Sinn für Humor besitzen.« Sie hatte mir zwar immer noch keine zufriedenstellende Definition für »vollschlank« geliefert, trotzdem verzichtete ich darauf, sie nach ihrer eigenen Kleidergröße und der ihrer Mitarbeiterinnen zu fragen – hätte zu neurotisch gewirkt. Habe mich schließlich zu einem Treffen bereit erklärt – ohne mich jedoch zu einer Mitwirkung an dem Artikel zu verpflichten. Hm, worauf ich mich da wohl eingelassen habe?

NB: Wieso muß die Zielgruppe Sinn für Humor haben? Sei besonders auf der Hut, wenn du dich mit dieser Rachel triffst.

27. Oktober

Kam von der Arbeit, habe es geschafft, an McDonald's vorbeizugehen, und mich deshalb mit einem ausgedehnten Fernsehabend belohnt. Wie viele Oprah-Shows kann man dem Zuschauer eigentlich an einem Abend zumuten? Diese Frau weist ganz schöne Gewichtsschwankungen auf! Man sollte die Leitmotive für ihre Shows nach ihrem jeweiligen Erscheinungsbild auswählen: ›Oprah – die Schweinchen-Dick-Phase‹, ›Oprah – die Schlank- und Magerquark-Phase‹, ›Oprah – die FETTEN Jahre‹. Wieso kann sie nicht ein bestimmtes Gewicht halten? So wie diese Vanessa Felch, der das ganz offensichtlich nichts schadet.

28. Oktober

Bin der dünnen Clare über den Weg gelaufen, als ich nach der Arbeit heimgehen wollte. Sie kam ganz fröhlich auf mich zugestürmt und meinte: »Ich habe gehört, daß du dich mit Rachel triffst, ich finde das großartig. Wenn du wüßtest, wie ich dich beneide. Leider habe ich selbst überhaupt keine Chance, bei dem Projekt mitmachen zu dürfen.« All das sagte sie ohne eine Spur von Verlegenheit oder Scham! Ich wollte ihr schon mit meinem Schirm eins überziehen, als mir plötzlich eine Idee kam ... Könnte es sein, daß die dünne Clare sich gar nichts Böses dabei dachte? Hatte sie mich deshalb vorgeschlagen, weil ich zu den Frauen gehöre, die mit Größe 40 nicht mehr hinkommen (bin so gerade an der Grenze, manchmal paßt sie mir auch)? War es ... war es tatsächlich möglich ... daß sie nichts dabei fand? Konnte es wirklich und wahrhaftig stimmen, daß sie mich beneidet? War es vorstellbar, daß sie es haßte, so dünn zu sein (sie ist *sehr* dünn, fast schon dürr)? Aber wie kommt ein schlanker Mensch dazu, einen korpulenten Menschen zu beneiden? Oh, ich träume, so etwas ist einfach nicht möglich. Ich kann im Leben nicht daran glauben, egal, was mir die anderen einreden mögen – tief in meinem Herzen kann ich es einfach nicht glauben.

29. Oktober

Die Soirée in dem Domizil jener Person, unter der ich arbeite, ist für den morgigen Abend anberaumt. Ich muß sagen, ich sehe dem Ereignis voll bangem Zagen und doch, *ipso facto*, in aufgeregter Erwartung entgegen.

Hm, das klingt nicht unbedingt so, als sei ich in Oxford oder Cambridge gewesen. Habe versucht, mit Mrs. M. zu üben – war aber keine gute Idee. Sie konnte einfach nicht ernst bleiben und meinte, ich würde mich wie eine Figur aus diesen schrecklichen Jane-Austen-Filmen anhören. Vielleicht sollte ich mich doch lieber an meine normale Ausdrucksweise halten oder – besser noch – schweigen. Menschen, die nicht viel sagen, werden meistens für interessant und tiefsinnig gehalten – nur ganz selten für langweilig und dumm, oder?

31. Oktober

Keiner der Abende, die blitzschnell an meinem inneren Auge vorüberziehen würden, wenn ich kurz vor dem Ertrinken wäre. Bin gegen 20.15 Uhr bei den Bowyers eingetroffen, war zum Glück weder die erste noch die letzte, das war schon mal eine Erleichterung, habe es mit dem Timing wenigstens einmal richtig hingekriegt.

Bossy Bowyer und seine noch herrschsüchtigere Frau (sie ist nicht der offen dominante Typ, sondern übt ihre Macht versteckt und subtil aus, so daß der Mann immer noch glauben kann, er sei der Herr im Haus, in Wirklichkeit aber hat sie die Hosen an) wohnen in einem dieser Häuser, die alt wirken, es aber nicht sind – Tudor-Stil außen, kühle Moderne innen. Sie haben eine Zufahrt, allerdings nur eine sehr schmale, kurze, in der zudem ihr eigener Wagen stand. Wie gut, daß ich nicht mit dem Wagen meines Nachbarn gekommen bin. Ich hätte sie sonst – um den vollen Effekt zu erzielen – bitten müssen, ihr Auto umzuparken ... was vielleicht doch ein bißchen unhöflich gewesen wäre ... wenn man bedenkt, daß es *ihre* Zufahrt ist. Jedenfalls hat man mir kein Tablett in die Hand gedrückt, als ich hereinkam, so daß ich die Schürze in meiner Tasche lassen konnte (welche daher auffallend prall aussah; ich hoffe, daß niemand glaubte, ich hätte meinen Schlafanzug mitgebracht, um die Nacht hier zu verbringen).

Die anderen Gäste waren eigentlich weder besonders furchteinflößend noch glamourös (schlank übrigens auch nicht), einen Spitzenpolitiker konnte ich ebenfalls nicht entdecken. Mrs. Bowyer hatte einen ihrer Kollegen von der Schule, an der sie unterrichtet, eingeladen – einen gewissen James Preed, der in Begleitung seine Frau Alison gekommen war (ich glaube, er hieß Preed, kommt mir jetzt allerdings selbst etwas spanisch vor). Und dann war da noch dieser Nachbar der Bowyers, ein gewisser David Manders, ebenfalls verheiratet, an diesem Abend jedoch solo, da seine Frau »zu Besuch bei ihrer Mutter« sei – wie er mehrfach betonte. Er hat diesen Umstand mindestens dreimal erwähnt, ein bißchen zu oft, wie ich fand. Vielleicht wollte er verhindern, daß ich ihn als möglichen One-night-stand-Partner ins Auge faßte – bei Single-Frauen muß man schließlich damit rechnen, daß sie sich auf jedes vorhandene Mannsbild stürzen –, und dann hätte er mir eine fürchterlich peinliche Abfuhr erteilen müssen. Ich wußte ehrlich nicht, was ich in dieser Runde verloren hatte. Im Laufe des Abends (der sich wirklich sehr schleppend gestaltete) fiel mir auf, daß Mrs. Bowyer nicht sonderlich nett zu ihrem Mann war. Jedesmal, wenn er etwas sagte, wenn er sich Wein nachschenkte oder noch ein wenig von dem Gemüse nahm, hielt sie sofort im Gespräch inne und warf ihm einen bitterbösen »Was-zum-Teufel-machst-du-da-eigentlich?«-Blick zu. Sie ist eine jener Frauen, die ihren Mann ständig mit Darling anreden, allerdings nur mit zusammengebissenen Zähnen, so daß es sich eher nach »du kleines Stück Scheiße« anhört. Bossy Bowyer hatte sich gerade mit mir und David Manders unterhalten, als sie plötzlich sagte: »Darling, bist du sicher, daß alle unsere Gäste mit Wein versorgt sind?« In Wahrheit sollte das jedoch heißen: »Hör zu, du Trottel, muß ich mich hier um alles allein kümmern?« Auf dem Heimweg habe ich mich gefragt, ob Bossy Bowyer mich deshalb eingeladen hat, weil er mich für langweilig genug hielt, um mit den anderen Gästen mithalten zu können. Doch dann wurde mir klar, daß er ohne Mrs. Bowyers Erlaubnis wahrscheinlich überhaupt keine eigenen Freunde einladen durfte und daß meine Anwesenheit somit der traurige Versuch einer wie immer gearteten Rebellion war ... eine Einladung, die sie nicht genehmigt hatte. Bin zu dem Schluß gekommen, daß mir Mr. B. sehr leid tut und daß ich ihn jetzt noch viel lieber mag – wo ich weiß, daß er zu Hause unter dem strengen Kommando dieses Oberfeldwebels steht.

NB: Unerfreuliche Nebenwirkung meines neuentwickelten Mitleids für Bowyer – werde es von nun an sehr viel schwerer in der Arbeit haben. Wenn mir jemand leid tut, kann ich ihm nämlich nichts abschlagen. Ich werde also alles tun, was Bowyer von mir verlangt – nur weil ich mich verpflichtet fühle, sein Leben aufzuhellen. Das ist bei mir immer so. Wenn ich zum Beispiel lese, daß Sainsbury's Gewinneinbußen hinnehmen mußte, bin ich furchtbar traurig und fahre auf der Stelle hin, um einen Großeinkauf zu machen – auch wenn ich im Grunde genommen gar nichts brauche.

1. November

Am nächsten Wochenende muß ich zu diesem verfluchten Selbstachtungs-Seminar. Ich kann's wirklich kaum erwarten. Zu allem Überfluß ist es jetzt auch noch richtig kalt geworden ... Wenn ich mich warm anziehe, sehe ich immer gleich doppelt so dick aus wie sonst. Die anderen Teilnehmer denken dann sicher, ich sei wegen meines Gewichts da. Obwohl ... vielleicht interessieren sie sich ja eher für die Frage, ob Leute mit kleinem Hintern auch Minderwertigkeitskomplexe haben?

3. November

Habe mich heute mit dieser Rachel Lowe zum Mittagessen getroffen. Ihre Garderobe war geschickt ausgewählt; konnte nicht mit Sicherheit sagen, ob Rachel dick oder dünn ist. Ihre Hände und ihr Gesicht wirkten eigentlich ganz normal, aber das ist bei mir nicht anders – allein von daher läßt sich also noch nicht ausschließen, daß jemand fettleibig ist. Aber es beruhigt mich schon, zu sehen, daß sie weder über 1,80 groß ist noch überhaupt nur aus Haut und Knochen besteht. Ihre Firma ist offenbar der Ansicht, mit dem geplanten Magazin eine Marktlücke füllen zu können – es gäbe schon lange einen Bedarf für eine Zeitschrift, die über ganz normale Frauen im Alltag schreibt und normal proportionierte Models ablichtet (Größe 40 bis 44, ist das normal?).

Der Artikel selbst soll von Frauen handeln, deren Jobs mit repräsentativen Verpflichtungen verbunden sind, für deren beruflichen Erfolg aber keineswegs nur ihr äußeres Erscheinungsbild ausschlaggebend ist. Interviews sind beabsichtigt mit mir, mit der Geschäftsführerin einer Boutique sowie mit einer Stewardeß (ich glaube nicht, daß ich überhaupt schon mal eine fette Stewardeß gesehen habe).

Die Vorstellung gefällt mir eigentlich ganz gut. In einem Artikel genannt zu werden und erzählen zu können, wie schwierig und wichtig mein Job ist. Weniger angetan bin ich allerdings von der Idee, mich selbst ganz offiziell und dazu noch in der Presse als »vollschlanke« Frau einzustufen. Dann könnte ich mir auch gleich ein Schild um den Hals hängen, auf dem zu lesen steht: »FALLS SIE ES NOCH NICHT GEMERKT HABEN, ICH BIN FETT!« Solange du es nicht zugibst, tust du es auch nicht – sagen das nicht immer die Alkoholiker? Klingt für mich nach einer verdammt guten Faustregel.

4. November

Habe heute Mr. Bowyer gesehen, ihm nochmals für die Einladung gedankt und ihm eine Karte für seine Frau mitgegeben, um auch ihr meinen Dank auszusprechen. Ich mußte mir den Text siebzehnmal vorschreiben, bis ich endlich das Gefühl hatte, daß er in Ordnung war. Ich hatte schreckliche Angst, daß sie ihn mir mit lauter in Rot ausgeführten Korrekturen zurücksenden würde – als dezenten Hinweis auf meine grammatikalischen und stilistischen Unzulänglichkeiten. Der arme alte Bowyer, es wundert mich, daß sie ihm noch keine Aufsichtsperson zur Seite gestellt hat, die seine Arbeit bei Pellet's überwacht.

5. November

Hätte Andy heute beinahe eine E-Mail geschickt, um ihm von dem Essen bei den Bowyers zu erzählen, habe es dann aber doch sein lassen – er glaubt sonst noch, ich wollte angeben oder meiner Karriere einen Kick geben ... oder ich hätte mich auf eine Affäre mit Bowyer eingelassen.

Habe mit Sally gesprochen, sie findet die Idee mit dem Artikel großartig – war zu erwarten, nicht wahr? Sie meinte: »Schau mal, du bist doch überhaupt nicht dick. Okay, du siehst vielleicht nicht gerade wie Kate Moss aus, aber deine Figur ist völlig normal; mehr als die Hälfte der Frauen dieses Landes tragen deine Kleidergröße. Außerdem wird das Ganze sicher sehr lustig!« Lustig vielleicht, die Frage ist nur, für wen. Darüber mache ich mir schon die ganze Zeit Sorgen. Meine Mum wird mir die Hölle heiß machen. Sie wird anrufen und sagen, daß sie beim Friseur jetzt niemandem mehr in die Augen sehen kann und ich mir einmal vorstellen soll, wie sie sich fühlt angesichts der Tatsache, daß sich die eigene Tochter stolz und in aller Öffentlichkeit zu der völlig zu Recht geächteten, schweigenden Mehrheit der »vollschlanken« Frauen bekennt? Mum würde es wahrscheinlich vorziehen, wenn ich der IRA beiträte – dort werden die Namen der Mitglieder wenigstens geheimgehalten. Besser Bombenlegerin als Fettmops.

Oh, ich denke, ich sollte mich aus zwei Gründen einverstanden erklären: a) den Artikel wird sowieso niemand lesen; b) es wäre dumm, sich eine Gelegenheit entgehen zu lassen, bei der man Mum so richtig schön ärgern könnte.

6. November

Habe Rachel Lowe angerufen und ihr gesagt, daß sie bei dem Artikel mit mir rechnen kann. War ein richtig komisches Gefühl, so als stünde ich plötzlich neben mir ... Habe einen Moment fast geglaubt, ich könnte mich jetzt so akzeptieren, wie ich bin ... O Mann, ist einem so zumute, wenn man sich selbst achtet?

9. November

Mußte gestern in aller Herrgottsfrühe aufstehen, dieses Selbstachtungsdingsda sollte schon um neun Uhr anfangen, dazu noch irgendwo am anderen Ende der Stadt. Ich wollte nicht zu spät kommen, kann es einfach nicht leiden, wenn man von allen anderen so angestarrt wird. Bin dann schließlich in einem grauen, anonymen Gebäude mit unüberschaubar vielen Räumen gelandet. In den meisten waren Leute mit furchtbar häßlichen Stoffschuhen an den Füßen, die gerade diese chinesische Sportart trainierten ... die, bei der man immer so aussieht, als würde man den Verkehr regeln. Ich glaube, sie heißt *Tai chi, To Fu* oder *Tai Fun* ... oder so ähnlich. Habe ewig gebraucht, um den Raum mit meinem Seminar zu finden. Ich wollte auch niemanden fragen, das war mir einfach zu peinlich. Habe mich also erst einmal verlaufen und bin dann schließlich doch die letzte gewesen ... mit all den unangenehmen Folgen. Stand zunächst halb in, halb vor der Tür herum und überlegte hin und her, ob ich wieder gehen sollte, während mich ein ganzer Pulk von Leuten, kreisförmig angeordnet, ausdruckslos anstarrte. Ich hatte das Gefühl, schon zwei Jahre so dazustehen, als der Leiter, Bernard (wer mit diesem Namen gestraft ist, muß wirklich ziemlich selbstbewußt sein), endlich seine Hand ausstreckte und auf den letzten freien Stuhl wies; ich bin schnell hineingeschlichen und habe mich darauf niedergelassen. Als nächstes hat Bernard unter unsere Stühle gezeigt, wo für jeden ein Stück Pappe und ein Filzstift bereitlagen. Offensichtlich wollte er, daß wir die Sachen aufhoben. Anschließend hielt er selbst ein Stück Pappe hoch, auf dem zu lesen stand: »Schreibt eure Namen und das, woran es euch eurer Meinung nach fehlt, auf die Karten. Stellt die Karten dann auf eurem Schoß auf. Jetzt bitte noch nicht sprechen.« Das war alles? Keine behutsame Einführung? Kein Kaffee, keine kleine Plauderei, bevor wir uns völlig Fremden offenbarten? Hatte ich irgend etwas verpaßt? Ich war doch nur eine Viertelstunde zu spät gekommen. Kaum zu glauben, daß man uns einfach so mir nichts dir nichts ins kalte Wasser schmiß – ohne den dazugehörigen Rettungsring hinterherzuwerfen. Die Anordnung versetzte mich dermaßen in Aufruhr, daß ich kurz überlegte, ob ich auf meine Karte schreiben sollte: »Ich trage einen Sprengsatz am Körper. Verlassen Sie sofort den Raum, oder ich lasse das Ding explodieren.« Auf diese Weise hätte der ganze Spuk wenigstens rasch ein Ende genommen. Habe dann aber eingesehen, daß ich durch meine Verspätung schon genug Aufsehen erregt hatte. Bernard würde mich wahrscheinlich auch so schon als Beispiel heranziehen, wenn er auf den Punkt »unangemessene Mittel, die Aufmerksamkeit anderer zu erregen« zu sprechen kam. Und da alle anderen brav ihre Karten beschrifteten, entschied ich mich, es ihnen gleichzutun. Ich war nicht sicher, an welcher Fähigkeit es mir konkret mangelte. Habe daher einfach geschrieben: »Jacqueline M. Pane – an allem.« Das war mein erster großer Fehler. Hätte ich mich doch bloß für die Sprengladung entschieden. Wie sich herausstellen sollte, war ich hier von lauter Seminarexperten umgeben, die, auf Wunsch, ganze Bücher über ihre eigenen Defizite hätten schreiben können. Nachdem ich meine Karte aufgestellt hatte, ließ ich meinen Blick durch die Runde schweifen, und was bekam ich zu sehen – nichts als: »Jonathan – der Mut, mir in einer Beziehung Freiräume zu schaffen«, »Marcia – die Fähigkeit, mich als etwas Einzigartiges, Besonderes zu begreifen«, »Harold – das Selbstbewußtsein, mich zu meiner Individualität zu bekennen« ... Ich kam mir vor wie ein Alien. Woher wußten sie alle, was sie tun mußten? War ich vielleicht doch im falschen Saal gelandet und nahm an einem Seminar über fortgeschrittene Hemmungslosigkeit teil? Ehe ich jedoch vollends in Panik geraten konnte, bedeutete uns Bernard, die Karten auf dem Boden abzulegen, machte dann endlich auch einmal den Mund auf (was für eine Überraschung, er entpuppte sich als Amerikaner) und verkündete, daß als nächstes das »Status-Spiel« auf dem Programm stünde. Dazu verteilte er an jeden von uns eine Karte, auf der eine Zahl zwischen eins und zehn stand. Diese Zahl sollten wir niemandem verraten, sondern versuchen, ihren Wert durch Gesten und Verhalten darzustellen – und dabei natürlich auch herausfinden, welche Zahlen von den anderen verkörpert wurden. Da hatte Mum mir ja wieder mal was Schönes eingebrockt, diesmal auch noch geschickt als Geschenk getarnt ... Auf meiner Karte stand eine Sechs – ich hatte keine Ahnung, wie man so eine blöde Sechs darstellt. Also habe ich erst mal abgewartet, wie sich die anderen aus der Affäre zogen, um mich an ihnen zu orientieren. Kein besonders selbstachtendes Verhalten, nicht wahr? Aber es war ja schließlich nur ein Spiel und kein Test. Und ich hatte keine Lust, wie eine unterwürfige Vertreterin des mittleren Managements herumzulaufen (wie ich es für eine Sechs angemessen hielt), wenn alle anderen vielleicht eine Zehn verkörperten. Vermutlich war es ja für eine Sechs ohnehin in Ordnung, erst einmal abzuwarten und zu sehen, was die anderen taten. Anschließend folgte eine Mittagspause, obwohl bis dato niemand so recht schlau aus dem Spiel geworden war. Die einzige Person, bei der ich die Nummer zu wissen glaubte, war Harold. Er schien offensichtlich eine Eins gewesen zu sein, weil er nämlich die ganze Zeit in der Ecke gesessen und geweint hatte.

Im Café nahm eine atemberaubend attraktive Frau neben mir Platz. Ich konnte mich nicht mehr erinnern, welches Defizit sie auf ihrer Karte angegeben hatte, was aber kein Problem war, denn sie fing gleich an zu erzählen, daß ihre eigentliche Schwierigkeit nicht darin läge, eigene Entscheidungen zu treffen (wie auf der Karte zu lesen stand), sondern daß sie vielmehr unfähig sei, zu beurteilen, ob Männer sie um ihrer selbst willen oder nur wegen ihres Äußeren liebten. Sie hätte dies nur nicht alles auf ihrer Karte unterbringen können ... Du lieber Himmel, die Frau hatte vielleicht Nerven!

Den Rest des Nachmittags haben wir uns dann mit verschiedenen äußerst peinlichen Übungen abgemüht, in denen es darum ging, sich selbst mit kurzen Sätzen positiv zu charakterisieren. Jeder Satz mußte dabei bestimmte Wörter enthalten, die Bernard uns vorgab ... Ausdrücke wie »verdient, individuell, zustehen, schön, besonders« et cetera, et cetera. Ich fing an, mich richtig nach den Karten zurückzusehnen, verglichen mit der jetzigen Übung waren sie weitaus angenehmer gewesen. Wir saßen erneut im Kreis und sollten einer nach dem anderen unsere Sätze aufsagen! Lieber Gott, ich glaubte, vor Scham im Erdboden versinken zu müssen. Natürlich hatte sonst niemand aus der Gruppe auch nur die geringsten Schwierigkeiten, aus den zugeteilten Stichworten wohlklingende Erklärungen zu bilden: »Mir steht es zu, in der Arbeit mit mehr Respekt behandelt zu werden«, »Ich bin schön und habe einen Partner verdient, der meine inneren Werte erkennt«. Als ich an der Reihe war, fiel mir nichts anderes ein als: »Im Supermarkt gibt es keine individuell abgepackten Singleportionen«, oder »Wenn ich schön wäre, wäre mein Leben in Ordnung«. Nach den entsetzten Gesichtern der anderen zu urteilen, habe ich wohl irgendwie den Sinn dieses Spieles nicht begriffen. Am Ende der Veranstaltung mußten wir uns alle hintereinander aufstellen, weil Bernard uns zum Abschied umarmen wollte. Ich war nicht gerade erpicht darauf, von ihm in den Arm genommen zu werden – ich meine, er war einen Kopf kleiner als ich und roch wie eine ganze Tierhandlung –, paradoxerweise hatte ich trotzdem Angst, er würde mich übergehen, weil ich das Klassenziel offensichtlich nicht erreicht hatte. Bin mir allerdings nicht sicher, ob er es überhaupt gemerkt hat. Außer der Umarmung hat er dann jedem von uns noch einen kurzen Sinnspruch mit auf den Weg gegeben, der – wie er betonte – eigens auf unsere jeweiligen Bedürfnisse zugeschnitten sei. Meiner lautete: »Du bist ein bedeutsamer, wertvoller Mensch und hast sehr viel zu bieten.« Anscheinend soll ich mir diesen Spruch immer dann vorsagen, wenn ich mich klein und minderwertig fühle. He, warum soll ich ihn eigentlich nur mir allein vorsagen? Ich könnte diese wunderbare Neuigkeit doch all meinen Mitmenschen verkünden – dem Busschaffner, der Verkäuferin an der Sandwichtheke, den Kollegen in der Arbeit. O ja, ich sehe es bereits vor mir, wie ich meine täglichen Pflichten immer wieder unterbreche, um mich mit dieser genialen Formel aufzurichten – nur daß mir dann wahrscheinlich kaum noch Zeit bliebe, mich mit irgend etwas anderem zu beschäftigen. Nein, ich werde es nur ein einziges Mal tun – und zwar dann, wenn ich Mum anrufe, um mich bei ihr zu bedanken, daß sie mein Leben um das wertvolle Geschenk der Selbstachtung bereichert hat. Oh, wird das ein Spaß. Sie kann mich nicht mal dafür runtermachen, weil es ja alles ihre Idee gewesen ist. Oh, ist das herrlich – wenn man es so sieht, hat sich die Sache also mehr als gelohnt.

10. November

Bin nach Hause gekommen und wie immer gleich zum Anrufbeantworter gelaufen. Es hat aber niemand eine Nachricht hinterlassen. Niemand bis auf Sally. Ach ja, und dann noch diese Frau von der Reinigung, die wissen wollte, ob der violette Hosenanzug mir gehöre. Er würde schon seit drei Monaten bei ihnen hängen. Ein violetter Hosenanzug – mir? Weiß nicht, wie die Frau darauf kommt. Sollte vielleicht ein Scherz sein.

War anschließend richtig schlecht gelaunt, weiß auch nicht genau, weshalb. Hat vermutlich damit zu tun, daß ich irgendwo, tief in meinem Herzen, doch noch auf eine Nachricht von Andy hoffe. Ich wähle natürlich immer gleich die 1471, wenn ich zur Tür hereinkomme, finde aber die Nummern oft nicht heraus, von denen aus bei mir angerufen wurde. Und dann plage ich mich meist stundenlang damit herum, im Telefonbuch nach einem entsprechenden Eintrag zu suchen. Ist wahrscheinlich reine Zeitverschwendung, aber wenigstens läßt sich so der eine oder andere Abend herumbringen.

12. November

In der Arbeit ist alles okay, mir ist nur ein wenig langweilig. Der Streber John Weston ist nicht mehr ganz so nervtötend wie am Anfang, bringt mir aber ständig neue Informationen für meine Übersichtskarte. Gestern kam er mit einer Liste aller empfehlenswerten Restaurants rund um das Kongreßzentrum in Aberdeen an. Und hat dabei tatsächlich einen Umkreis von neun Kilometern berücksichtigt! Ich weiß, daß es sinnvoll ist, auch die Umgebung der Zentren mit einzubeziehen, aber der Einsatz dieses Mannes ist wirklich kaum auszuhalten. Ich komme mir daneben völlig nutzlos vor, so als würde ich den ganzen Tag nichts anderes tun, als Strichmännchen vor mich hinzukritzeln und E-Mails an Andy zu verfassen, die ich sowieso nicht abschicke. Energiegeladene, tatkräftige Menschen feuern mich seltsamerweise nicht an, sondern bewirken genau das Gegenteil – ich werde in ihrer Gegenwart faul und träge.

Bossy B. hat mir gesagt, daß Carlo Pozzi für Anfang nächsten Jahres eine weitere Tagungsreihe plant, dann auch mit einem Veranstaltungstermin in Italien. Ich denke, das ist ein gutes Omen, nicht wahr? Er kann mir also nicht allzu böse sein, oder? Es sei denn, er legt noch extra fest, daß ich mit dem neuen Auftrag nichts zu tun haben darf. Ach herrje! Obwohl, nein, so groß kann sein Interesse an mir nun auch wieder nicht gewesen sein.

NB: Habe gerade überlegt, daß sich der ›Pfundig‹-Artikel

vielleicht doch noch als sehr nützlich herausstellen könnte. Sollte ich nämlich erneut zum Objekt unerwünschter Begierden werden, bräuchte ich ihn nur hervorzuholen, und schon wären die Männer abgeschreckt – ohne daß ich selbst etwas dazu tun müßte.

Jetzt höre sich das einer an – »und schon wären die Männer abgeschreckt«, ha! Als würden die PNFs nur so Schlange stehen und sich gegenseitig die Köpfe einschlagen, um meine Gunst zu erwerben!

14. November

John Weston, diesen Streber, soll der Teufel holen! Bin heute morgen früher zur Firma gefahren, um wenigstens einen Teil der Sachen abzuarbeiten, die wegen der exzessiven Strichmännchen-Kritzelei liegengeblieben sind. Ich war ganz allein im Büro und wollte gerade loslegen, als ich sah, daß meine E-Mail-Anzeige blinkte. Mein Herz fing sofort wie wild an zu rasen – völlig unbegründet, ich weiß – aber ich war mir absolut sicher, daß es ein Brief von Andy sein mußte. Wer sonst hätte mir in der Zeit zwischen gestern abend und heute früh eine E-Mail schicken sollen? Doch die Nachricht stammte nicht von Andy, o nein, ganz und gar nicht – es handelte sich um etwas viel Besseres, Interessanteres. Es war eine E-Mail von John, die er mir von zu Hause aus geschickt hatte. Offenbar aus dem dringenden Bedürfnis heraus, mich über ein Telefonat mit seinem Verwandten in Aberdeen in Kenntnis zu setzen, von dem er erfahren habe, daß eines der Restaurants auf der Liste nicht mehr so gut sei wie früher. Weshalb er mich auch bitten wolle, dieses Restaurant zu streichen, bis er einen Ersatz gefunden habe! Was hat dieser Mann vor? Was bringt ihn auf die Idee, daß ich nichts dringlicher brauchte als diese Information? Vielleicht beabsichtigt er mich in den Wahnsinn zu treiben. Damit er, während ich in irgendeiner Irrenanstalt vor mich hinschmore, meinen Platz übernehmen und allen beweisen kann, wie spielend er gleich mit zwei Jobs fertig wird. Bevor es soweit kommt, sollte sich John der Streber aber lieber ein bißchen in acht nehmen – es könnte sonst durchaus sein, daß er einen tödlichen Betriebsunfall erleidet ...

15. November

Bin mitten in der Nacht aufgewacht. Hatte ein schlechtes Gewissen wegen John dem Streber. Ich muß, muß einfach etwas toleranter werden. Die Leute merken sonst, wie ich über ihn denke, und fangen an, ihn zu bemitleiden, ihn lieber zu mögen als mich. Und dann dauert es nicht mehr lange, bis sie mich auf dem Kieker haben und untereinander tuscheln: »Ja, er ist vielleicht ein bißchen übereifrig, aber wenigstens gibt er sich Mühe. Sie dagegen, was glaubt sie, wer sie ist? Wo sind all die phantastischen Leistungen, die ihr das Recht geben, sich derart über ihn zu erheben?«

17. November

In ein paar Tagen habe ich einen Termin mit den Leuten von ›Pfundig‹ – was soll ich, um Himmels willen, bloß anziehen? Ob sie es merkwürdig finden, wenn ich mich bei Clarins komplett umstylen lasse?

19. November

Noch zu früh, um Andy eine Weihnachtskarte zu schicken?

22. November

Rachel Lowe und ihr Fotograf kamen heute in die Firma, um das Interview zu machen. Mr. Bowyer schien ziemlich angetan von dem Projekt. Ich hoffe, er sieht in dem Ganzen nicht bloß einen Werbegag, der dem Unternehmen zugute kommt. So nach dem Motto: »Seht her, wie fortschrittlich und modern Pellet's doch ist. Wir beschäftigen alle Bevölkerungsgruppen, sogar leicht übergewichtige Frauen – Liberalität und Gesinnungsfreiheit werden bei uns großgeschrieben.«

Das Interview selbst verlief außerordentlich locker, fast wie ein zwangloses Gespräch. Rachel hat mir keine unangenehmen Fragen zu meinem Gewicht oder ähnlichem gestellt. Sie hat mich wie eine ganz normale Person behandelt und sich interessiert nach meinem Job erkundigt, wobei sie ungefähr das gleiche wissen wollte wie die meisten anderen Leute, wenn sie zum ersten Mal von Tagungsorganisation hören. Der Fotograf hat ein paar Aufnahmen von mir am Schreibtisch und am Telefon gemacht. Ich habe natürlich darauf geachtet, daß er mich weder im Gehen noch im Stehen erwischt hat. Ich mag zwar in einem Magazin über »vollschlanke« Frauen erscheinen, aber das bedeutet noch lange nicht, daß das Ganze durch ein Foto mit Rückansicht untermauert werden muß. Kann's kaum erwarten, bis der Artikel endlich da ist... glaube ich zumindest.

23. November

Streber John hat heute das lockere Teil an meiner Schreibtischlampe repariert – der Kerl macht mich wahnsinnig. Ich hatte ihn nicht darum gebeten, ihm war einfach nur aufgefallen, daß es »ein wenig durchhing«! Gott, der reinste Supermann! Schade, daß er nicht auch noch etwas von plastischer Chirurgie versteht. Er könnte mir einen wesentlich größeren Dienst erweisen, wenn er ein paar andere Dinge reparieren würde, die auch »ein wenig durchhängen«.

24. November

Auf dem Heimweg ist mir heute ein Absatz abgebrochen. Ist das nicht entsetzlich peinlich? Vor allem, wenn man, wie ich, weitergeht, ohne auch nur zu bemerken, daß das Ding abgefallen ist. Ich muß völlig bescheuert ausgesehen haben. Peinlicher ist nur noch, wenn man, wie ich neulich, den ganzen Tag mit einer Hose rumläuft, in deren Bein die alte Unterhose oder Socke vom vergangenen Tag steckengeblieben ist. Passiert so etwas eigentlich immer nur mir? Das einzig Gute war, daß sich das Teil nicht vom Fleck bewegt hat – falls also jemand die ausgebeulte Stelle bemerkt haben sollte, hat er vielleicht gedacht, ich hätte einen Tumor oder so.

Zum krönenden Abschluß dieses wunderbaren Tages fand ich dann auch noch einen Zettel des Typs von unten vor, auf dem geschrieben stand: »Wir müssen uns bald mal über den Zustand der Abflußrohre unterhalten.« Was sollte das bedeuten? Der Zustand der Abflußrohre? Der Zustand der Abflußrohre? Mir war nichts Besonderes an den Rohren aufgefallen. Was wollte er damit andeuten? Wenn die Leute anfangen, über den »Zustand« von irgend etwas zu reden, wollen sie dir im Grunde nur zu verstehen geben, daß sie dir die Schuld an der Sache geben – worum es sich auch immer handeln mag. Der Typ von unten scheint also zu denken, daß ich absichtlich etwas getan habe, was für den »Zustand« der Abflußrohre – über den er mit mir sprechen will – verantwortlich ist. Wahrscheinlich will er erreichen, daß ich den größeren Anteil der Kosten übernehme, die durch die Behebung des »Zustandes« entstehen werden.

25. November

Habe mich heute morgen um halb sieben aus dem Haus geschlichen. Ich weiß, daß das ein bißchen feige war und daß ich mich irgendwann gegen die haltlosen Sabotage-Anschuldigungen meines Nachbarn zur Wehr setzen muß – war heute einfach nur noch nicht in der Lage dazu.

26. November

Bin heute wieder so früh aufgewacht; ist schon erstaunlich, wie schlecht man schläft, wenn man nichts gegessen hat. Ich konnte gestern abend die Küche nicht benutzen, weil ich nicht riskieren wollte, daß der Typ von unten mich hört. Womöglich hätte er die Gelegenheit sonst beim Schopf ergriffen und mich zur Rede gestellt. Als ich nach Hause kam, war bei ihm zwar kein Licht, aber vielleicht wartete er ja trotzdem auf mich, um mich unvorbereitet zu erwischen. Irgendwie fühle ich mich immer noch nicht in der Lage, ihm gegenüberzutreten. Was aber nicht heißt, daß ich das Problem nicht bald angehen muß. Ich will mir nur noch eine perfekte Verteidigungsstrategie zurechtlegen, bevor er mich mit seiner Argumentationslawine überrollt. Man darf nicht vergessen, daß er viel länger Zeit hatte, sich vorzubereiten – schließlich hat er das Ganze initiiert.

27. November

Diese ganze Abfluß-Geschichte belastet mich sehr. Vielleicht sollte ich mich der Sache endlich stellen und sie hinter mich bringen. Ich weiß ja nicht mal, was genau er mir eigentlich vorwirft. Und trotzdem habe ich die ganze Zeit das Gefühl, irgend etwas falsch gemacht zu haben. Ich wette, er wird versuchen, mir die ganzen Kosten aufzudrücken, indem er mir mit noch mehr Unterstellungen kommt. So zum Beispiel, daß ich ja sicher eine stärkere Periode hätte als Nebelhorn und deshalb mehr Binden benutzen würde. Oder daß ich – weil ich mehr äße – öfter zur Toilette müßte und mehr Klopapier hineinwerfe. Oder daß ich, da ich ja offensichtlich mehr Make-up auftragen würde, häufiger das Waschbecken benutze. Seine Wohnung ist viel größer als meine, wenn also jemand einen höheren Anteil an den Instandsetzungskosten für das Haus übernehmen muß, dann er, nicht ich. Ich werde wahrscheinlich sowieso für einen Teil der Kosten von Mrs. M. mit aufkommen, weshalb sollte ich dann auch ihn noch subventionieren? Tatsache ist doch, daß seine Freundin bei ihm wohnt, es spricht also alles dafür, daß er den Großteil der Kosten zu tragen hat, schließlich sind sie zu zweit. Und Geld genug scheint er ja zu haben, wo käme sonst das neue Auto her? Oh, Hilfe, bisher haben wir uns doch eigentlich ganz gut verstanden ... Okay, ich habe ihn so gut wie nie gesehen und ihm, glaube ich, auch nicht zu seinem neuen Saab gratuliert ... O Gott, ich habe auch vergessen, alles Gute zu wünschen, als Nebelhorn bei ihm eingezogen ist. Aber irgendwo sind das alles doch keine Kapitalverbrechen – ich war höchstens etwas unaufmerksam. Außerdem kümmere ich mich um die alte Mrs. M., während er keinen Finger für sie krumm macht, nicht wahr? Nein, nein, da hält er sich schön zurück. Und schiebe ich ihm etwa irgendwelche Zettel unter der Tür durch, mit Kommandos wie: »Nächste Woche wechsle ich Mrs. M.'s Bettwäsche. Würden Sie mir bitte helfen?« Warum fängt er also plötzlich an, mich Tag und Nacht wegen der Abflußrohre zu schikanieren? Ich werde mir das jedenfalls nicht gefallen lassen, werde nicht tatenlos zusehen, wie man mir in meinem eigenen Zuhause das Leben vermiest. Was zuviel ist, ist zuviel. Wenn er Streit will – kann er haben!

28. November

Bin voller Kampfgeist nach Hause gekommen, entschlossen, es heute oder nie mit dem Typ von unten aufzunehmen. Habe vorher nur schnell meine Sachen in meine Wohnung gebracht und bin dann direkt wieder nach unten gestürzt. Wollte gerade seine Wohnungstür eintreten (dachte, er würde sich vor mir verschanzen), als er zur Haustür hereinkam und unbefangen sagte: »Wie geht's? Lang nicht mehr gesehen.« Danach fing er fröhlich an, über dieses und jenes zu plaudern. Ich habe natürlich kein Wort mitbekommen, da ich innerlich schon zu sehr kochte. Irgendwann habe ich es dann nicht mehr ausgehalten und bin herausgeplatzt: »Hör mal, ich habe deinen Zettel gefunden. Und war ganz und gar nicht erfreut festzustellen, daß du mich offenbar für weniger damenhaft und feminin hältst als Nebel ... äh ... Tory ... und ich daher für den augenblicklichen Zustand der Abflußrohre verantwortlich sein soll. Ich habe, weiß Gott, genug am Hals mit diesem Streber John, der mich noch in den Wahnsinn treibt, und der verdammten Karte, die bis Ende des Jahres fertig sein muß ... und von Andy habe ich auch immer noch nichts gehört. Also laß mich gefälligst in Ruhe!« Damit bin ich zurück nach oben gestürmt, während er mir sprachlos vor Staunen nachglotzte. Ich habe Stunden gebraucht, um mich wieder zu beruhigen. Richtig besser ging es mir allerdings erst, als ich bei ITV noch zusätzlich Dampf ablassen konnte. Ich habe nämlich bei der Sendezentrale angerufen, um mich darüber zu beschweren, daß sie ›*Peak Practice*‹ aus dem Programm genommen haben, nur um ein langweilig-dämliches Fußballspiel zu zeigen. Ärgerlich ist so was schon – aber daß ich tatsächlich angerufen habe, stimmt mich im nachhinein etwas nachdenklich. So etwas machen sonst doch nur Leute, die den lieben langen Tag nichts Besseres zu tun haben, oder?

29. November, 5.00 Uhr früh

O mein Gott ... Ich bin schweißgebadet aufgewacht. Was für ein schrecklicher Alptraum. Ich steckte in einer Zwangsjacke und wurde mit einem Krankenwagen in diese riesige weiße Anstalt gebracht. Der Doktor, der dort auf mich wartete, sah aus wie der Typ von unten und hat mir gleich dieses Elektroschockgerät auf den Kopf gesetzt. Und plötzlich hing meine Zunge schlaff aus meinem Mund, ich konnte nicht mehr sprechen und alles war einfach nur furchtbar ... Mir ist inzwischen aufgegangen, daß der Typ von unten die Abflußrohre überhaupt nicht erwähnt hat ... Er hat überhaupt nichts gesagt, womit man meinen Ausbruch rechtfertigen könnte. Und was habe ich ihm alles an den Kopf geworfen – er muß mich für komplett verrückt halten! Zumal das Abflußproblem selbst offenbar längst nicht mehr existiert – er hat mich ja nie wieder darauf angesprochen. Nicht zu fassen, was ich getan habe. Nur gut, daß ich nicht bewaffnet war. Sonst hätte ich womöglich noch wild in der Gegend herumgeballert. Ich muß mir unbedingt eine *wirklich* einleuchtende Erklärung für dieses abnorme Verhalten einfallen lassen. »Tod eines nahen Verwandten« ist ein bißchen riskant, schließlich könnte derjenige eines Tages hier auftauchen; »Verlust des Arbeitsplatzes« klingt zu tragisch ... Ich hab's – ich werde mich schlau machen, was für verschiedene Arten von Hirnschädigungen es gibt, vielleicht kommt da etwas in Frage ... Hm, ein kleiner Schlaganfall zum Beispiel.

Bis mir etwas noch Überzeugenderes einfällt, muß ich ihm unbedingt weiter aus dem Weg gehen.

30. November

Mr. Bowyer hat mich gefragt, wie ich es fände, wenn John der Streber und die dünne Clare (so hat er die beiden natürlich nicht genannt) unsere diesjährige Weihnachtsfeier organisieren würden. Ich habe erwidert, daß ich dies für eine sehr gute Idee hielte ... ohne ihn darauf hinzuweisen, daß die dünne Clare das Weihnachtsbuffet wahrscheinlich aus hübsch angerichteten Kräckern, Hüttenkäse, rohem Gemüse und Diabetikerwein zusammenstellen wird. Und John in Sachen Partyspiele sicher nichts Besseres einfällt als ein gemeinsames Wettrennen um den nächsten Sportplatz.

1. Dezember

Keith rief heute an, um mit mir über Weihnachten zu reden. Ich nehme an, daß wir – wie üblich – achtundvierzig schreckliche Stunden bei Mum verbringen müssen. Aber solange er, der verlorene Sohn, auch dabei ist, wird man mich hoffentlich wenig beachten.

2. Dezember

Bin heute morgen dem Typ von unten in die Arme gelaufen. Er hat ganz vorsichtig und besorgt gefragt: »Ist alles in Ordnung?« Ungefähr in dem Ton, den man bei Leuten anschlägt, die an der Bushaltestelle stehen und heulen. Ich hätte im Erdboden versinken mögen. Habe dann schnell erwidert: »O ja, es ist alles wieder bestens. Hör mal, es tut mir schrecklich leid wegen meines Ausbruchs neulich, aber weißt du, ich hatte eine Embolie.« Etwas anderes ist mir in der Eile nicht eingefallen. Letzte Woche haben sie in ›77 Sunset Strip‹ auch jemand gezeigt, der eine Embolie hatte. Er ist nicht gestorben, hat sich einfach nur etwas merkwürdig verhalten. Ehrlich gesagt, weiß ich gar nicht genau, was eine Embolie eigentlich ist – nur, daß es irgend etwas mit dem Kopf zu tun hat. Könnte also schon als Erklärung dienen, weshalb jemand plötzlich durchdreht und seinen Nachbarn anschreit, oder? Er hat mich mit einem leicht erstaunten »oh-verstehe«-Blick angeschaut und gesagt: »Dann paß gut auf dich auf, und sag mir, wenn du irgendwas brauchst.«

NB: Schlage »Embolie« im Lexikon nach. Nicht, daß du ihm irgendeine Geschlechtskrankheit gebeichtet hast.

3. Dezember

Habe mich heute abend mit Sally und Dan dem Schatz getroffen. Sie haben jetzt endgültig einen Termin für ihre Hochzeit festgelegt, den 21. April nächsten Jahres. Sally möchte, daß ich ihre Brautmamsell werde, sie behauptet beharrlich, daß dies die korrekte Bezeichnung für die erste Brautjungfer sei. Nicht sehr charmant, muß ich sagen. Aber wenigstens habe ich – mit einer gewissen Hartnäckigkeit – durchgesetzt, daß alle blassen Pfirsich- oder Creme-, Pink-

oder Gelb-, ja überhaupt jegliche Pastelltöne für die Kleider der Brautjungfern nicht in Frage kommen. Keinen Erfolg hatte ich allerdings mit meinem Vorschlag, daß sich Dunkelblau oder Schwarz gut eignen würden – mein Gott, stellt Sally sich an; sie muß die Farben doch nicht tragen! Habe Dan erzählt, daß ich seit meinem Geburtstag nichts mehr von Andy gehört habe. Er meinte dazu nur, ob ich sicher wäre, daß er inzwischen nicht verstorben ist. Ich erwiderte, daß ich in dieser Hinsicht sicher sei, da er mit einigen Leuten aus dem Büro immer noch in geschäftlichem Kontakt stehe. Sehr zu meinem Mißfallen hat sich Sally an dieser Stelle in die Unterhaltung eingemischt und, ganz unnötigerweise, bemerkt, daß es wohl kein gutes Zeichen sei, wenn Andy mit meinen Kollegen in Verbindung stünde, sich aber nicht nach mir erkundigt. Ich war sehr erfreut über diesen Hinweis, wäre von allein auch fast nicht darauf gekommen. Dan sagte dann allerdings, er würde das nicht so negativ sehen. So wie die meisten Männer wollte Andy wahrscheinlich vermeiden, ins Gerede zu kommen – oder es läge einfach nur daran, daß er meine Existenz schon völlig vergessen habe. Ich bin mir nie sicher, ob sich Dan über mich lustig macht und aus welcher Perspektive er die Angelegenheit betrachtet – aus der eines Mannes oder eines Eunuchen (sofern es um uns beide geht).

NB: Andy kann eigentlich nicht vergessen haben, daß ich existiere, oder? Immerhin steht mein Name auf fast allen Briefköpfen der Schreiben, die an ihn geschickt werden.

4. Dezember

»*Embolie* – Verstopfung eines Blutgefäßes, zumeist im Herzen, in der Lunge oder im Gehirn ... Kann zum sofortigen Tod führen.« Nun, in diesem Fall offensichtlich nicht; hätte mir doch etwas anderes aussuchen sollen, jetzt, wo ich weiß, was man darunter versteht. Aber denkbar wäre es vielleicht trotzdem, daß man bei einer leichteren Form einfach nur ausflippt, so wie ich bei dem Typ von unten. Und er weiß bestimmt auch nicht so genau, was eine Embolie ist ... Es sei denn, er ist sehr mißtrauisch geworden und hat im Lexikon nachgeschaut ... aber dazu besteht eigentlich gar kein Grund, oder?

NB: Nur um sicherzugehen, werde ich das nächste Mal, wenn ich ihn sehe, erwähnen, daß es sich um eine leichte Form von Embolie gehandelt habe.

5. Dezember

NB: Während der Vorweihnachtszeit solltest du in der Arbeit keine Rot-, Grün- oder Brauntöne tragen. Die Jungs aus der Produktion fühlen sich sonst vielleicht bemüßigt, irgendwelche Anspielungen auf Rentiere und Waldwichtel vom Stapel zu lassen.

6. Dezember

War heute zum Abendbrot bei Dad und Jennifer. Ich glaube, Jennifer war fast ein bißchen neidisch, daß ich demnächst in einem Artikel erwähnt werde (habe ihr natürlich nicht gesagt, wie die Zeitschrift heißt)! Ein tolles Gefühl.

7. Dezember

Habe Sally angerufen, um ihr mitzuteilen, daß ich »Brautmamsell« nachgeschlagen habe (in einem Aufwasch mit »Emobilie«) und daß es »Brautjungfer«, nicht »-mamsell« heißt ... war mir doch gleich spanisch vorgekommen.

8. Dezember

Dad hat heute in der Arbeit angerufen. Anscheinend sind er und Jennifer nach meinem Besuch neulich auf den Gedanken gekommen, wie schön es doch wäre, wenn sich die ganze Familie zu einem vorweihnachtlichen Essen treffen würde – soll heißen, ich, sie, Keith, Bee und Kyle! Fragt sich nur, für wen das schön sein soll. Als ob man so nicht schon genug mit diesem ganzen Weihnachtsstreß am Hals hätte. Erst diese Feier im Büro – sie wird wahrscheinlich zum Ereignis des Jahres, etwas, wovon man noch seinen Kindern und Kindeskindern erzählt und an dem alle zukünftigen Feiern gemessen werden. Dann die Tage bei Mum. Sie wird wahrscheinlich wieder bei jedem kleinen Geschenk von Keith in Begeisterungsstürme ausbrechen, während ich froh sein kann, wenn sie meine überhaupt zur Kenntnis nimmt und mir ein beiläufiges Danke hinwirft. Und bestimmt hat sie wieder einen dieser schrecklichen alten Herren zum Mittagessen eingeladen, die mir unterm Tisch die knotigen Hände aufs Knie legen und behaupten, in ihnen würde ja »ach, noch so viel Leben stecken«. Und jetzt soll ich, zu allem Überfluß, auch noch zu einem festlichen Mahl mit meinen Stiefgeschwistern erscheinen, in deren Gegenwart ich mich etwa so fühle, als würde ich gerade splitterfasernackt durch Sainsbury's marschieren.

NB: Sollte für dieses Essen vielleicht meinen »glamourösen, mysteriösen Freund« wieder auferstehen lassen. Weiß nur nicht, ob ich mit Keiths Unterstützung rechnen kann.

9. Dezember

War schon seit Urzeiten nicht mehr bei der Gymnastik. Denke jetzt irgendwie, daß es auch nicht mehr nötig ist. Schließlich werde ich in Kürze in dem Artikel über »vollschlanke« Frauen vorgestellt, ich darf jetzt also gar nicht mehr zu hart trainieren. Sonst nehme ich womöglich ab, und dann werden mich die Leute auf der Straße anhalten und sagen: »Oh, Sie hätte man für diesen Artikel aber nicht auswählen sollen!«

NB: Hm, klingt ganz nach diesen lahmen, faden Ausreden, die wir uns früher immer ausgedacht haben, wenn wir in der Schule nicht zum Hockeyunterricht wollten.

10. Dezember

Also wirklich, man könnte meinen, John der Streber und die dünne Clare wären gebeten worden, ein NATO-Gipfeltreffen zu organisieren. Ständig sieht man die beiden, wie sie geheimnisvoll die Köpfe zusammenstecken. Dabei ist das Ganze nun wirklich keine so große Sache! Typisch für die beiden, diese Wichtigtuerei, bei der man sich irgendwann einfach ausgeschlossen vorkommt. Nicht, daß ich an der Organisation beteiligt werden wollte, aber es wäre trotzdem ganz nett, wenn sie mich hin und wieder um Rat fragen würden, zum Beispiel, was die Dekoration angeht oder so.

Habe vorhin dem Typen von unten eine Weihnachtskarte in den Briefkasten gesteckt. Wollte ihm frohe Festtage und ein gutes neues Jahr wünschen – klar, so stand es ja auch bereits vorgedruckt auf der Karte. Habe dann selbst noch ein Postskriptum hinzugefügt, um ihn ganz beiläufig darüber zu informieren, daß meine Embolie wirklich nur leichter Natur gewesen sei. Mein ausfälliges Benehmen wird dadurch hoffentlich erklärt, selbst wenn er den Begriff nachgeschlagen haben sollte. Wenn nicht, wird er den Vorfall als unbedeutend abtun und sicher nie wieder einen Gedanken daran verschwenden, geschweige denn ihn erwähnen.

11. Dezember

Habe heute die erste Ausgabe von ›Pfundig‹ zugesandt bekommen, find' ich wirklich phantastisch ...

STARKE FRAUEN DICK IM GESCHÄFT
von Rachel Lowe

Was spielt das heute noch für eine Rolle? Kräht noch irgendein Hahn danach? Rund zu sein ist schön. Wir sind dick und fühlen uns wohl dabei. Derartige Aussagen hört man heute im ganzen Land, und wer könnte es den Frauen verübeln? In der Berufswelt dominiert schon längst nicht mehr der magersüchtige Kate-Moss-Typ, sondern es sind die fülligen, ganz normalen Frauen, die heute das Sagen haben. In unserem Land bekleiden mehr als 15 000 Frauen Führungspositionen, 65 Prozent tragen Größe 42 aufwärts, zusammengenommen bringen sie das imposante Gewicht von rund einer Million Kilo auf die Waage! Und sie sind stolz darauf. Sie empfinden ihre Figur nicht als Nachteil, haben keine Probleme damit. Gewicht ist für sie kein Thema, und sie wollen auch nicht, daß andere eines daraus machen. Sie sind überzeugt, daß die Zeit vorbei ist, da lediglich dünne Frauen mit einer Beförderung rechnen konnten: »Wir vollschlanken Typen sind nicht länger bereit, im Schatten zu stehen.« Alles schön und gut, aber wie kommen sie ganz konkret damit zurecht, im Privatleben, in ihrem Job? Und wie verhalten sich die Mitmenschen? ›Pfundig‹ hat drei Frauen in wichtigen und verantwortungsvollen Positionen ausgewählt, die berufsbedingt sehr häufig im Rampenlicht stehen und bei denen vermutlich das äußere Erscheinungsbild keine unwesentliche Rolle spielt. Ich habe mit Geraldine Sessions gesprochen, Managerin der »Stop-Right-There«-Modeboutiquen, mit Shirley Stevens, Chefstewardeß auf Kurzstreckenflügen der Spartacus Airlines, sowie mit Jacqueline M. Pane, Senior Conference Organizer der Pellet Corporation. Ich habe mich mit den drei Damen in einem Restaurant getroffen, wo wir uns – ganz nebenbei – auch noch ein üppiges Mittagsmahl schmecken ließen. Ich habe sie gefragt, wie es denn so sei, mit dieser Figur eine anspruchsvolle Position zu bekleiden. Geraldine – sie trug einen schlichten hellblauen Hosenanzug – beteuerte vehement, daß ihre Figur bei ihrem Job keine Rolle spiele: »Ich weiß, daß ich nicht gerade schlank bin, aber für mich stellt das kein Problem dar. Fünfundsiebzig Prozent der britischen Frauen passen die Durchschnittsgrößen, die in den Bekleidungsgeschäften angeboten werden, nicht. Und wieso sollten nur dünne Frauen in der Lage sein, die Damenwelt in Modefragen vernünftig zu beraten? Ich habe ein sehr gutes Auge für passende Kleidung und kann allen meinen Kundinnen – unabhängig von ihrer Kleidergröße – sagen, was ihnen steht und was nicht.« Ich habe Geraldine gefragt, ob sie nicht manchmal das Gefühl habe, daß ihr Übergewicht abschreckend auf die Kundschaft wirke ... »Nein, ganz und gar nicht, wieso auch? Ich verlange ja auch von niemanden, daß er so wird wie ich. Ich bin den Kunden lediglich dabei behilflich, die für sie vorteilhafteste Kleidung auszuwählen – egal welche Größe. Die Bandbreite reicht von 34 bis 46, und jedesmal gebe ich die gleichen Ratschläge – die Kleider sollen den persönlichen Geschmack treffen und zu dem Anlaß passen, für den sie gedacht sind.« Starke Worte, Geraldine, und bewundernswert couragiert. Wir könnten auf jeden Fall mehr Frauen wie dich in der Modebranche vertragen. Shirley ist weniger kämpferisch und sieht das Ganze eher von der praktischen Seite: »Solange ich noch bequem mit meinem Essenswagen durch die Gänge komme, mache ich mir über mein Gewicht keine Gedanken und glaube auch nicht, daß es mit der Qualität meiner Arbeit in Zusammenhang gebracht werden sollte.« Ich habe Shirley gefragt, ob es schon einmal vorgekommen sei, daß Passagiere bei Turbulenzen nervös auf ihr Übergewicht reagiert hätten. »Ich liege mit meinem Gewicht immer noch unterhalb des von der EU festgelegten Limits für Flugpersonal. Und das Gute an nervösen Passagieren ist, daß sie bei Turbulenzen oder schlechtem Wetter hauptsächlich davor Angst haben, einen Herzanfall zu bekommen, und sich kaum um etwas anderes kümmern!« Wie wunderbar humorvoll Shirley doch ist, und wie schlagfertig ... glückliche Shirl! Aber so sind wir nun mal, wir fülligeren Damen, voll positiver Eigenschaften – da werden mir die meisten Leserinnen sicher zustimmen. Jacqueline hat während des ganzen Essens kaum etwas gesagt. Aber man sollte auch bedenken, daß sie – als Tagungsorganisatorin – den schwierigsten Stand hat. Ständig trifft sie mit neuen Menschen zusammen und muß einen guten Eindruck machen – von daher ist es verständlich, daß sie stets um ihr äußeres Erscheinungsbild besorgt ist. »Ich kann an nichts anderes denken, mein Aussehen beschäftigt mich Tag und Nacht, bestimmt mein Leben wie eine pathologische Obsession«, brach es aus Jackie heraus. Du meine Güte, Jacqueline, jetzt reiß dich mal zusammen, habe ich im stillen gedacht. Jackie ist bei weitem die Schlankste von den dreien, wir hatten sogar Zweifel, ob sie für diesen Artikel überhaupt in Frage kommt. Und trotzdem scheint sie diejenige zu sein, die mit ihrer Situation die größten Probleme hat. Vor allem ihr Po bereitet ihr offensichtlich großen Kummer – dabei ist er zwar nicht sehr klein, aber auch nicht auffällig breit. Jackie fehlt einfach ein gewisser Optimismus, und man vermißt bei ihr Kampfgeist, Courage, Selbstironie, all die Qualitäten, die Shirley und Geraldine im Überfluß besitzen. Nach dem Essen habe ich die drei Frauen noch einmal miteinander verglichen und ihren Alltag vor meinem inneren Auge Revue passieren lassen – Shirley, wie sie sich während des Flugs nach – sagen wir – Aberdeen selbstbewußt durch den Gang schiebt, Geraldine, wie sie sich nach besten Kräften bemüht, einem schlanken Mädchen nicht etwa »ganz aus Versehen« zu einem furchtbar geschmacklosen Kleidungsstück zu raten, und Jacqueline, wie sie sich tapfer von einer Tagung zur anderen schleppt, eine Besprechung nach der anderen hinter sich bringt, stets in der Angst, irgendein Teil ihrer Garderobe könnte unvorteilhaft verrutschen. Molligkeit – ein Grund zur Scham? Nein, das würde ich nicht sagen, die Zeiten sind vorbei. Adieu Twiggy, und ein Hoch auf Roseanne und Clare Short – die Ihr dick seid und stolz darauf!

»Die Schlankste von den dreien«, »die Schlankste von den dreien«, hast du das gelesen? »Die Schlankste von den dreien«, halleluja, halleluja, Dank sei Gott dem Allmächtigen! Jemand hat mich vor aller Welt, in der Presse, mit dem Adjektiv »schlank« belegt. Ich könnte vor Freude platzen. Jetzt bin ich bis ans Ende meiner Tage im Besitz eines gedruckten Dokuments (sofern es nicht zu stark vergilbt), das mich offiziell als die schlankste von drei Frauen ausweist. Was für ein großartiger Artikel! Rachel Lowe ist ein Genie, sie schreibt so prägnant, so aufrichtig, so treffend. Natürlich hat sie es mit der Wahrheit nicht so genau genommen – wir haben uns weder zum Essen getroffen, noch habe ich diesen Quatsch von mir gegeben (na, wenn schon!), aber was soll's, der Artikel ist phantastisch. Ich finde, ich komme darin wirklich gut weg. Hoffentlich wird ›Pfundig‹ ein Verkaufs-Hit – das Magazin ist jedenfalls wunderbar.

NB: Vielleicht sollte ich mir den Artikel vergrößern lassen und ihn als Poster in meiner Wohnung aufhängen – die »Jackie-ist-bei-weitem-die-Schlankste«-Stelle natürlich besonders markiert ... vielleicht gibt es ja sogar eine Möglichkeit, dieses Zitat subtil in meinen Weihnachtskarten anzubringen.

13. Dezember

Bin unbeschreiblich glücklich. Ich bin die »Schlankste« von dreien – und zwar ganz offiziell.

14. Dezember

Bin heute abend bei Mrs. M. gewesen. Habe möglicherweise etwas vorschnell einen Entschluß gefaßt, bin aber trotzdem ziemlich froh darüber. Sie hat mir erzählt, daß ihre Sozialstation um die Ecke das Weihnachtsessen für die Senioren abgesagt hat und sie den Tag nun ganz allein verbringen muß. Ich konnte die Vorstellung, daß sie einfach sich selbst überlassen blieb, nicht ertragen – vor allem, da ich bei Mum sowieso nur im Schatten von Keiths Großartigkeit stehen würde –, also habe ich gesagt, daß ich mit ihr zusammen feiern würde. Sie hat sich wahnsinnig gefreut und gemeint, daß wir uns sicher gut amüsieren werden – wovon ich überzeugt bin. Habe allerdings gleich gesagt, daß ich mir das weihnachtliche ›Coronation-Street‹-Special nicht ansehen möchte. Schien ihr jedoch nichts auszumachen.

16. Dezember

Ich freue mich richtig auf Weihnachten, jetzt, wo ich endlich einmal unbeschwert Gebäck essen kann, ohne daß jemand tief seufzt.

NB: Sollte Mum möglichst bald anrufen und ihr die frohe Botschaft verkünden.

17. Dezember

Ich sage es ja, es geschehen noch Zeichen und Wunder. Heute hat mich im Büro eine Frau namens Josie Mather angerufen. Sie habe den Artikel in ›Pfundig‹ gelesen und wolle nun wissen, ob ich Interesse hätte, im nächsten Frühjahr eine Vortragsreihe zum Thema »Frauen und ihr Selbstbild« zu organisieren. Sie sei gerade dabei, eine Frauengruppe ins Leben zu rufen, und habe bereits Sponsoren wie den Body Shop, »Mode für Mollige« und die *Anonymen Eßsüchtigen* für ihre Idee gewinnen können.

Die Gruppe soll sich hauptsächlich aus »fülligeren« Frauen zusammensetzen, die führende Positionen in allen wichtigen Gesellschaftsbereichen einnehmen. Gemeinsam wolle man versuchen, über Seminare, Vortragsreihen, Fördermaßnahmen et cetera auf die Macher in der Mode- und Kosmetikindustrie sowie auf die gesamte Werbebranche einzuwirken, daß sie endlich von der Vorstellung abrücken, es gäbe *die* Idealfigur und *die* idealen Maße für die Frau in der heutigen Gesellschaft.

Wahnsinn! Ist das nicht großartig – eine Gruppe, bei der man übergewichtig sein *muß*, um überhaupt als Mitglied aufgenommen zu werden? Also, ich nehme zumindest an, daß das die Voraussetzung ist, habe es irgendwie so verstanden. Man stelle sich vor ... eine neue Welt, in der die Größe deines Pos keine entscheidende Rolle mehr spielt. Das wäre das Paradies, ein Garten Eden, wo ich endlich die Ketten ablegen könnte, die mich ein Leben lang gefesselt haben. Natürlich nicht, wenn ich Mum und Dad besuche – man darf nicht zuviel verlangen. Ich kann es kaum glauben, daß diese Josie Mather mich dabeihaben will, ich freue mich sehr ... und habe gleichzeitig solche Angst. Es klingt alles so erwachsen und reif! Gott sei Dank hat sie noch keinen Termin für ein Treffen vorgeschlagen. Bisher kennt sie mich ja nur aus dem Artikel und wäre sicher enttäuscht, wenn sie mich jetzt sähe. Ich werde mich sehr gut informieren und umfassende Recherchen anstellen, damit sie auch nach unserer Begegnung noch an einer Zusammenarbeit interessiert ist. Sie will mir aber zunächst ein paar Informationen über das ganze Projekt zukommen lassen. Das Engagement soll wohl zunächst eine ehrenamtliche Tätigkeit sein. Später müßte ich aber vermutlich bei Pellet's kündigen, um mich ganz der Gruppe widmen zu können, sollte das Ganze tatsächlich ein Erfolg werden.

NB: Gibt es überhaupt genug dicke Frauen mit einflußreichen Jobs, so daß sich unsere Ziele auch verwirklichen lassen? Wie kann ich das überprüfen? Ob es vielleicht so eine Art ›Who's who‹ für dicke Frauen gibt? Wenn nicht, könnte ich ja schon mal damit anfangen, eines anzulegen.

Habe nach der Arbeit Mum angerufen, um ihr zu sagen,

daß ich Weihnachten nicht komme. Wäre vielleicht ein bißchen paranoid zu behaupten, sie hätte vor Freude gejubelt, aber sie wirkte tatsächlich nicht allzu niedergeschmettert. Nun ja, man kann nicht alles haben. Sie hat sich sogar zu einer positiven Beurteilung meiner Entscheidung hinreißen lassen: »Nun, das viele Geld, das ich in dieses Selbstachtungs-Seminar investiert habe, scheint sich ja zu rentieren – wenn du dich stabil genug fühlst, Weihnachten fern vom Schoß deiner Familie zu verbringen.« Ich wollte schon zu einer empörten, aufgebrachten Tirade ansetzen – genau was Mum bezwecken wollte –, als mir einfiel, daß ich ja noch eine viel bessere Erwiderung auf Lager hatte. Ich holte tief Luft und sagte ganz ruhig: »Ich bin ein bedeutsamer, wertvoller Mensch und habe sehr viel zu bieten. Tschüs, Mum, ich rufe bald wieder an.« Sie war sprachlos, bekam den Hühnerpopo-Mund vermutlich nicht mehr auf.

NB: Auch wenn es sich um eine hervorragende Methode handelt, Mum aus der Fassung zu bringen, halte dich auf der Weihnachtsfeier im Büro beim Alkohol zurück. Nicht, daß du anfängst, ausgewählten Personen der Abteilung zu erzählen, du seist ein bedeutsamer, wertvoller Mensch, bla, bla ...

19. Dezember

Äußerst beunruhigende Neuigkeiten ... Ich habe heute den schwarzen Rock anprobiert. Wollte nach einem geeigneten Outfit für das morgige Essen mit Dad suchen, und was stellt sich dabei heraus – das Teil schlottert nur so an mir herum. Großartig, ich habe offensichtlich abgenommen. Wunderbares Timing, ich muß schon sagen. Wieso passiert mir das ausgerechnet jetzt, wo es mir überhaupt nicht in den Kram paßt? Und ich mich doch gerade dieser Frauengruppe anschließen wollte? Sie wären sicher alle hoch entzückt, wenn ich als gertenschlankes, abgemagertes Wesen bei der ersten Versammlung auftauchen würde.

Vielleicht übertreibe ich jetzt aber auch, der schwarze Rock sitzt eigentlich nur ein klein wenig loser. Wie Olive Oyl sehe ich zumindest noch nicht aus. Dennoch sollte ich die Gelegenheit morgen nutzen und mir noch mal richtig den Bauch vollschlagen.

20. Dezember

Wie hart will mich das Leben eigentlich noch in die Mangel nehmen? Wie viele Demütigungen und Erniedrigungen muß ein Mensch ertragen, bevor er endlich ein wenig Ruhe und Frieden findet? Ich muß sagen, daß ich die Neuigkeiten, die heute während unseres weihnachtlichen Familientreffens verkündet wurden, mit äußerst gemischten Gefühlen (so sagt man doch, wenn man nicht gleich ausfallend werden will) aufgenommen habe. Der ganze Klan hatte sich in diesem einigermaßen akzeptablen, leicht spießigen Restaurant (mit Kellnern, die ständig um einen herumschwirrten und einem die Teller wegrissen, noch ehe man den letzten Bissen hinuntergeschluckt hatte) in der Nähe von Dads und Jennifers Haus versammelt. Der Abend verlief eigentlich ganz passabel, die Konversation war recht ungezwungen, und dank Keith konnte auch der ein oder andere drohende Familienzwist erfolgreich abgewendet werden. Einen peinlichen Moment, bei dem Keith nicht hilfreich einsprang, gab es dann aber doch. Und zwar, als Bee irgend etwas über meinen Trip nach Lissabon wissen wollte, den ich von »Mum und Ralph« aus unternommen hätte (normalerweise gelingt es mir immer zu vergessen, daß mein Vater Ralph heißt – bis ich von diesem Pack hier wieder daran erinnert werde). Mir wurde richtig flau im Magen, ich war mir absolut sicher, daß sie mich durchschaut hatte und wußte, daß ich nie in Lissabon gewesen bin. Ich hing völlig in der Luft, war absolut ratlos, was ich erwidern sollte, da ich ja nicht wissen konnte, wie oft sie möglicherweise selbst schon dort hingefahren war. Also habe ich nach dem letzten Rettungsanker gegriffen und einfach mein Weinglas umgestoßen, um mich auf diese Weise vor einer Antwort zu drücken. Habe natürlich ein heilloses Durcheinander angerichtet, doch während Kyle noch mißbilligend mit der Zunge schnalzte, meinte Dad plötzlich: »Jennifer und ich müssen euch etwas mitteilen.« Mir sank das Herz in die Hose. Was kam denn jetzt noch? Wollte er sich einer Geschlechtsumwandlung unterziehen, waren sie einer religiösen Sekte beigetreten, hatte Jennifer eine Stelle bei Pellet angetreten? Aber nein, es kam viel dicker, dicker als diese drei Möglichkeiten zusammengenommen. Dad sah zu Jennifer hinüber, sie erwiderte seinen Blick mit einem dieser unbeschreiblichen Lächeln, wie man sie anfangs von Prinzessin Diana her kannte (bis sie später »vernünftig« wurde) – ein Lächeln, das besagte: »Ich bin nur eine unbedeutende kleine Frau und füge mich ganz den Wünschen meines Herrn und Meisters.« Und dann wandte sich Dad uns zu und verkündete: »Jennifer und ich, wir erwarten ein Baby.« Es wurde so totenstill, daß man es knacken hörte, als vier Unterkiefer sperrangelweit nach unten fielen. Keith, Bee, Kyle und ich – wir waren sprachlos vor Entsetzen. Ein Baby! Du liebe Güte, sie ist 45, er 60 – was, in aller Welt, haben sie sich dabei gedacht? Ich wollte es erst gar nicht glauben, dachte noch, sie würden vielleicht von einem Hunde- oder Katzenbaby sprechen. Sie konnten doch unmöglich ein menschliches Baby meinen! Es herrschte weiter angespanntes Schweigen, bis Bee plötzlich einen erstickten Schrei ausstieß und rief: »Du hast mich seit meiner Geburt immer nur bevormundet, du alte Ziege, und jetzt kannst du dich nicht still in deinen Bungalow nach Portugal zurückziehen und in Würde alt werden, nein, du mußt weiter so tun, als wärst du gerade erst 25!« Ich mußte feststellen, daß ich

Bee mit einem Mal viel sympathischer fand als früher. Kyle sagte kein Wort, machte aber ein Gesicht wie sieben Tage Regenwetter. Offenbar hatten Jennifer und ihre perfekten Kinder doch kein ganz so harmonisches Verhältnis zueinander, wie sie mir immer hatte weismachen wollen. Dad versuchte die Situation zu retten: »Ich weiß, daß dies alles ein bißchen plötzlich kommt. Aber ihr müßt doch verstehen, daß wir uns ein gemeinsames Kind wünschen. Und glücklicherweise ist es ja auch noch nicht zu spät dafür.« Bis zu einem gewissen Grad kann ich sogar nachvollziehen, was sie dazu getrieben hat. Ich meine, bisher mußten sie es – jeder für sich allein – schaffen, das Leben ihrer jeweiligen Kinder zu ruinieren. Nun aber können sie sich mit ihren Fähigkeiten zusammentun und sehen, was dabei herauskommt. Anschließend wollte an diesem Abend keine rechte Stimmung mehr aufkommen. Nach einer solchen Bombe war es aber auch unmöglich, sich weiter über die Vorzüge einer Salbei-Zwiebel-Füllung gegenüber der Kastanien-Pflaumen-Variante auszulassen. Keith hat mich bei mir zu Hause abgesetzt. Unterwegs sind wir uns fast noch ein wenig in die Haare geraten, weil er meinte, daß ich Mum die Sache beibringen solle. Woraufhin ich erwidert habe: »Nur über meine Leiche.« Keith sagte dann: »Ich habe Mum noch nie irgendwelche schlechten Neuigkeiten überbracht. Das ist dein Job.« Er hat recht, ich habe nur noch nie darüber nachgedacht. Für Mum war er bisher immer nur der fröhliche, wonnige Sonnyboy. Nun, dann wird es wohl höchste Zeit, daß sich daran etwas ändert, kleiner Bruder. Aber sei auf der Hut, sie ist bewaffnet und gefährlich. Und ich bin bereits in Deckung gegangen.

NB: Ich hoffe, Dad glaubt nicht, ich stünde als Babysitter vom Dienst zur Verfügung.

22. Dezember

Bin gerade von der Weihnachtsfeier in der Firma zurückgekommen, es war sogar recht nett. John der Streber hatte richtig gute Musik zum Tanzen organisiert. Ich bin nicht betrunken, wirklich nicht. Nur vorhin auf der Treppe – da bin ich einmal danebengetreten und ausgerutscht. Habe möglicherweise den Typ von unten geweckt – geschieht ihm ganz recht. Gut, ein paar Gläschen habe ich intus, aber nicht allzu viele. Auf der Stufe hat sich wahrscheinlich ein Teil des Läufers gelöst. Habe mit Mr. Bowyer getanzt, er kann ganz schön temperamentvoll sein, muß ich schon sagen! O Gott, ich glaube, ich bin doch leicht angesäuselt ... wenn mir das Rumgehopse mit Bossy Bowyer einen Tagebucheintrag wert ist. Muß mich jetzt verabschieden, tschüüüs. Gute Nacht, gute Nacht. O Hilfe, mir ist nicht besonders gut ...

23. Dezember, 7.20 Uhr

O Gott, o Gott, ich mache es auch nie wieder. Ich verspreche, daß ich nie wieder einen Tropfen Alkohol anrühren werde, solange ich lebe. Lag heute morgen, als ich aufgewacht bin, völlig verrenkt in meinem Bett – hatte noch all meine Kleider an, sogar die Schuhe. Ich hatte größte Mühe, sie abzustreifen, so geschwollen waren meine Füße. Oh, mir ist so elend – und zu allem Übel muß ich heute noch meine Weihnachtseinkäufe erledigen. Wundervoll, es gibt nichts, was ich jetzt lieber täte. Besser wäre vielleicht nur noch, sich vor den Fernseher zu setzen und sich irgendeine chirurgische Dokumentation anzuschauen, bei der gerade die Eingeweide eines Patienten seziert werden.

16.45 Uhr

Ich kann es jedermann wärmstens empfehlen, achtundvierzig Stunden vor Weihnachten in völlig verkatertem Zustand in London Weihnachtsgeschenke zu besorgen. Es ging mir ja bereits von Anfang an hervorragend, aber dieses Wohlbefinden wurde durch die vorweihnachtliche Freundlichkeit der anderen Käufer und des Verkaufspersonals noch in geradezu unglaublicher Weise verstärkt. Beim Kampf um das letzte Glas Preiselbeeren hätte ich fast mein Leben lassen müssen. Und bei M&S hat mich ein übereifriger Kaufhausdetektiv gnadenlos fertiggemacht, nur weil ich mich irrtümlich bei der Kasse für maximal fünf Artikel angestellt hatte.

24. Dezember

O Gott, das errätst du nie, das errätst du nie! Ich kann es selbst kaum fassen. Während meiner Mittagspause bin ich erneut in den Guerillakrieg gezogen, soll heißen, ich habe mich erneut ins Einkaufsgetümmel gestürzt, weil ich gestern noch nicht alles bekommen hatte – und wer war im Büro, als ich wieder zurückkam? Andy! Er wollte nur kurz vorbeischauen, um allen frohe Weihnachten zu wünschen. Offenbar ist er nach London gekommen, um die Festtage mit seinen Eltern zu verbringen. Es war so schön, ihn wiederzusehen, ich bin nicht mal dazu gekommen, mir Sorgen wegen meines Äußeren zu machen. Er war unglaublich lieb und nett zu mir. Und hat irgendwann gesagt: »Ich habe diesen Artikel über euch gelesen, du warst einfach Spitze.« Wow! Ich möchte das Schicksal wirklich nicht herausfordern, aber es könnte sein ... Ich glaube ... hoffe ... bete ... o Gott, es ist nur eine Vermutung, aber vielleicht mag Andy mich ja doch noch. Ich wollte ihm eigentlich für seine Geburtstagskarte danken, war aber vor Freude über sein Kompliment völlig sprachlos. War vielleicht auch gut so – sonst hätte ich ihn womöglich aufgefordert, gleich bei mir einzuziehen, anstatt ihn einfach nur zu einem Drink am zweiten Weihnachtsfeiertag einzuladen, was ich eigentlich vorhatte.

25. Dezember

Habe mich ganz mutig dazu durchgerungen, Mum anzurufen und ihr ein frohes Fest zu wünschen. Sie war überraschend sanft und freundlich. Keith hat ihr also offenbar noch nichts gesagt.

26. Dezember

Fahre nie wieder über Weihnachten nach Hause. Habe gestern wahnsinnig viel Spaß mit Mrs. M. gehabt. Als Extrabelohnung durfte sie dann auch ihr ›Coronation-Street‹-Special sehen. Wir waren beide schon etwas angeheitert, als die Show losging, es hat mir also nicht viel ausgemacht (mein Abstinenzgelübde gilt erst im neuen Jahr, und dann auch nur, wenn die Umstände es unbedingt erfordern).

Ich bin wirklich gern mit Mrs. M. zusammen, sie ist sehr offen und tolerant. Hoffentlich werde ich einmal so wie sie, wenn ich alt bin – vielleicht ohne ans Haus gefesselt oder taub zu sein ... und ohne die Sucht nach der ›Coronation Street‹ natürlich ... aber sonst gefällt mir eigentlich fast alles an ihr.

Habe auch heute fast den ganzen Abend bei ihr herumgesessen. Ich genieße es, endlich einmal tun und lassen zu können, was ich will – sollte mich aber mit Essen und Trinken etwas mehr zügeln. Könnte sonst passieren, daß ich irgendwann aus ihrer Wohnung nicht mehr herauskomme.

NB: Ob die Samariter auch Anrufe von Leuten entgegennehmen, die sich überfressen haben? Nun, sie haben mir schließlich zuerst geschrieben, sie werden sich also schon gedacht haben, daß ich irgendwann einmal ihre Nummer brauche.

27. Dezember

Gerade eben hat Andy angerufen! Er möchte auf einen Drink bei mir vorbeikommen ... HILFE, ich habe mir seit zwei Tagen die Haare nicht gewaschen ... Er würde sich sicher wundern, wenn ich in der Wohnung mit Hut herumlaufe ... obwohl ich natürlich behaupten könnte, ich sei eben erst nach Hause gekommen ... Aber nein, das geht nicht, er hat ja gerade mit mir telefoniert, also weiß er, daß ich da bin, ich kann also nicht eben erst gekommen sein ... Oh, was soll's!

28. Dezember

Jingle bells, jingle bells, jingle all the way. Der Weihnachtsmann ist bei mir aufgetaucht, und zwar in Gestalt von Andy. Er war also gestern hier, wir haben uns unterhalten und sind plötzlich auch auf Carlo zu sprechen gekommen. Dabei hat sich herausgestellt, daß Andy die ganze Zeit über wußte, daß Carlo nicht schwul ist! Der arme Andy, er dachte, ich hätte ihm wegen Carlo den Laufpaß gegeben ... Ich weiß nicht, wie er auf die Idee gekommen ist. Soweit ich mich erinnern kann, war er es doch, der mit einem Mal nichts mehr von mir wissen wollte. Aber Schwamm drüber, das ist jetzt sowieso alles Schnee von gestern. Anscheinend ist er sehr unglücklich gewesen, er hat gesagt, er sei nur deswegen nach Edinburgh gegangen, um mich nicht jeden Tag sehen zu müssen (aber nur, weil er gelitten hat, nicht, weil er mich tatsächlich nicht sehen wollte ... wenn ich das richtig verstanden habe). Jedenfalls sagte er nach einer Weile, daß er mich vermißt habe und mit mir zusammensein möchte und ob ich seine Gefühle erwidern würde!! Ich war völlig überrumpelt. Konnte mich nicht entscheiden, ob ich vor Glück Purzelbäume schlagen oder lieber gleich zum Telefon eilen sollte, um Sally nach ihrer Meinung zu fragen. Letzteres wäre allerdings Andy gegenüber nicht sehr einfühlsam gewesen ... zumindest nicht, solange er noch da war ... mit mir im selben Raum.

29. Dezember

Du wirst es nicht für möglich halten, was ich getan habe. Ich habe die letzten zwei Tage im Bett verbracht, zusammen mit Andy. Wir haben gefaulenzt, geredet ... Klar, Sex ist auch im Spiel gewesen, aber ich bin kein einziges Mal wegen meiner Nacktheit in Panik geraten. Ich habe alles ausgezogen, Pyjama einschließlich Unterwäsche, und einmal haben wir sogar das Licht dabei angelassen. Zugegeben, ich lag auf dem Rücken, aber trotzdem. Das Erstaunlichste von allem ist jedoch gestern nachmittag passiert. Wir waren im Bett und haben uns gerade über irgend etwas unterhalten, als ich merkte, daß ich zur Toilette mußte. Und was habe ich gemacht? Ich bin einfach aufgestanden, ohne darüber nachzudenken. Ich hatte bloß ein T-Shirt an – eines, das meinen Po nicht bedeckt. Trotzdem bin ich aufgestanden und zum Klo gegangen. Ohne mir (allzu viele) Sorgen zu machen, was Andy wohl von mir denken würde! Da fällt mir ein – in der Nacht zuvor ist bereits etwas Ähnliches passiert, vielleicht bin ich deshalb so mutig geworden. Ich wollte also nachts zum Klo und war überzeugt, daß Andy schlief. Was er aber nicht tat, denn gerade als ich den Arm nach meinem Bademantel (dem neuen) ausstreckte, hat er das Licht angemacht. Normalerweise hätte ich mich sofort zu Boden geworfen, mich flach auf den Teppich gepreßt wie ein Soldat, der unterm Stacheldraht durchkriechen muß, und hätte abgewartet, bis Andy wieder eingeschlafen wäre. Doch entgegen meinem sonstigen Verhalten bin ich stehengeblieben, nackt und bei voller Beleuchtung, und habe mir einfach nur den Bademantel angezogen. Ich gebe zu, ich habe dabei den Bauch eingezogen und die Luft angehalten, außerdem ging sowieso alles ganz schnell, und Andy war gar nicht richtig wach – aber das Großartige an dem Ganzen ist, daß ich splitterfasernackt vor jemandem gestanden habe und dieser Jemand mich trotzdem immer noch mag!

Muß morgen auf einen Sprung ins Büro, Andy wird hier auf mich warten – ist das nicht süß? Es ist wunderschön, ihn bei mir zu haben (auch wenn ich mich darüber ärgere, daß er die Milch nie in das richtige Fach im Kühlschrank stellt ... aber ich mag ihn trotzdem).

30. Dezember

Bin kurz in der Arbeit gewesen, war sonst niemand da, offiziell ist der Laden bis zum 2. Januar geschlossen. Ich wollte nur schnell noch diese Kongreßkarte fertigstellen – für den Fall, daß John der Streber am 2. kommt und mir eine perfekt gestylte Version unter die Nase hält, an der er die Feiertage über gesessen hat.

Bin mit Andy bei Mrs. M. gewesen, ich glaube, sie mag ihn, sie hat richtig mit ihm geflirtet. Er war aber auch sehr nett und aufmerksam zu ihr.

NB: Wäre ziemlich verrückt anzunehmen, daß er ein Auge auf sie geworfen hat . . . oder?

NNB: Bin heute früh Nebelhorn begegnet. Sie hat »Hallo« gesagt und mich dabei anerkennend gemustert. Als sei ich, nur weil ich jetzt einen Freund habe (sie muß Andy gesehen haben), plötzlich etwas Besseres, so wie sie. Mir ist schon immer aufgefallen, daß Frauen mit Freunden gern so tun, als gehörten sie einem speziellen Eliteclub an. Habe kurz überlegt, ob ich Andy hinauswerfen soll, nur um es ihr zu zeigen. Aber zum Glück ist mir noch rechtzeitig aufgegangen, daß ich mir damit nur ins eigene Fleisch schneiden würde, oder etwa nicht?

31. Dezember

Es ist noch etwas Erstaunliches passiert. Als ich heute von der Arbeit zurückkam (ich mußte noch einmal kurz hin), hatte Andy Chips, Nüsse und ein paar andere Knabbereien besorgt und sie – auf Schüsselchen verteilt – ins Wohnzimmer gestellt (Sally und Dan kommen heute abend zu uns, bevor wir anschließend zu einer Party von Dans Freund gehen). Jedenfalls zog ich mich erst einmal um und ging dann wieder ins Wohnzimmer zurück, wo Andy uns einen Drink zurechtgemacht hatte. Er reichte mir ein Glas und hielt mir dann die Schüssel mit den Nüssen unter die Nase. Ich habe mich sofort verspannt, habe erst die Nüsse, dann Andy angesehen, völlig verunsichert, was als nächstes passieren würde. Wartete er darauf, daß ich mir eine Handvoll nahm, nur um sofort über mich herzufallen: »Findest du wirklich, daß du diese Dinger essen solltest?« Ich stand einen Augenblick wie erstarrt da, bis mir klar wurde, daß ich nur so herausfinden konnte, ob sich Andy als ein zweiter perfekter Peter entpuppen würde. Also schloß ich die Augen, holte tief Luft und nahm eine Handvoll Nüsse. Es war kein Test! Es war kein Test! Er hat nichts Besonderes gemacht, nichts gesagt, einfach nur die Schüssel auf die Anrichte zurückgestellt, das war alles. Ich war überglücklich und habe die Nüsse in meiner Euphorie sogar gegessen. Andy ist der phantastischste Mann, den man sich vorstellen kann. Gott, das ist alles viel zu schön, um wahr zu sein. Ich hoffe, ich wache nicht plötzlich auf, und alles war nur ein Traum?

Die Informationen über die Frauengruppe sind heute in der Firma eingetroffen. Ich bin schon sehr gespannt auf das Projekt. Mein Entschluß steht jedenfalls fest, und wenn es das letzte sein sollte, was ich tue: Ich werde mich mit all meinen Kräften dafür einsetzen, daß es irgendwann eine Welt gibt, in der man ohne Angst mit einem dicken Hintern leben kann.